Letendre et l'homme de rien

Pierre Caron

Letendre et l'homme de rien

www.quebecloisirs.com

UNE ÉDITION DU CLUB QUÉBEC LOISIRS INC.
© Avec l'autorisation des Éditions Fides
© 2008, Éditions Fides
Dépôt légal — Bibliothèque et Archives nationales du Québec, 2009
ISBN Q.L. 978-2-89430-933-9
Publié précédemment sous ISBN 978-2-7621-2954-0

Imprimé au Canada

Dans ce roman, l'auteur a exercé sa liberté d'écriture : ce livre n'est pas un code de procédures en matière d'immigration au Canada ni une projection des ventes d'un argus donnant la valeur des éditions originales. Enfin, le lecteur prendra note qu'à Montréal, au Canada, ce sont les sergents-détectives qui sont chargés d'enquêter sur les crimes perpétrés contre la personne.

À ma petite-fille, Dahlia

Si le roman policier n'était pas avant tout un roman,
il ne serait même pas « policier ».
En vérité, il n'existerait pas du tout.

BOILEAU-NARCEJAC

PREMIÈRE PARTIE

Jamais ils n'auraient cru en arriver là.

Au début, ils avaient été persuadés de ne courir aucun risque. C'est seulement devant la précipitation des derniers événements que les choses leur étaient apparues autrement, comme vues de l'extérieur. Un fait anodin, un événement qui aurait pu passer inaperçu n'eût été d'une circonstance particulière, voire fortuite, avait tout provoqué, et ils avaient compris que l'affaire risquait d'être exposée au grand jour et de prendre des proportions énormes qu'ils ne pourraient maîtriser. Et puisque le système judiciaire du pays y perdrait fort probablement de sa crédibilité, les conséquences seraient dévastatrices pour eux.

Ils devaient agir.

Les discussions avaient quand même duré le temps d'une valse d'arguments entre le plus jeune, prêt à baisser les bras et à voir venir, et les trois autres, qui l'avaient emporté. Le plus dur et le plus volontaire d'entre eux n'avait pas, lui, hésité une seconde. Il ne s'embarrassait jamais de considérations personnelles ou complexes. Il était, selon ses propres termes, un homme de terrain. En fait, c'était un personnage sans scrupule qui réagissait au quart de tour dans les situations susceptibles de déraper.

On était en hiver, et la bise qui soufflait depuis le canal bordé d'arbres dénudés coupait la peau. Dans ce quartier des ministères, les rues étaient désertes. Pour rester au bureau après les heures et pouvoir réunir ses acolytes dans la salle de conférences de son étage, le plus vieux avait prétexté des tâches à finir avant les fêtes ; il n'avait cependant pas prévu que pour la même raison, les employés de l'entretien envahiraient les lieux plus tôt qu'à l'accoutumée. C'est pourquoi ils avaient dû s'entretenir dans la petite cour aménagée pour le personnel.

— Mais comment allons-nous procéder ? Aucun de nous n'a jamais… Puis, nous ne connaissons rien à ce milieu-là.

Celui qui avait parlé était en nage malgré le froid. Bêtement, il était sorti en veston, une mauvaise habitude qu'il avait contractée depuis qu'on interdisait de fumer dans les édifices publics et qu'il devait aller dehors pour en griller une.

Leur chef avait exprimé à maintes reprises ses craintes qu'on les surprenne dans des locaux du ministère. La présence soudaine du personnel d'entretien venait de lui donner raison. Après avoir remonté le col de son manteau de mohair, il fit remarquer :

— Je vous avais pourtant prévenus que nous ne devions pas nous rencontrer ici… Ces gens ont dû nous prendre pour des comploteurs.

— Mais il n'y avait personne, ils étaient tous partis. Comment j'aurais pu savoir…

— Tu aurais dû. Au moins, faites semblant de fumer.

Et venant enfin à l'objection, il les rassura :

— Je m'occupe de tout, contentez-vous de jouer les carpes.

Après une pause, durant laquelle il les toisa à tour de rôle, il ajouta :

— *Si un seul de vous s'ouvre la trappe, on y passe tous.*

Son regard scruta leur réaction. Tous acquiescèrent.

Une voiture remonta la rue. Ils tirèrent sur leur cigarette, l'air anxieux.

— *On n'a plus de temps à perdre maintenant qu'on vient de le retrouver.*

Ils opinèrent de nouveau. Alors il conclut :

— *Il ne sert à rien de traîner ici. Rentrez chez vous. C'est moi qui vous ferai signe en temps voulu.*

Il était 18 h 30, le vendredi 16 décembre 2005.

CHAPITRE 1

C'était un homme de rien.

Tellement qu'Adrien le distingua aussitôt parmi les clients du riche quartier d'Outremont qui envahissaient le supermarché de la rue Bernard, aussi pimpante à sa manière que l'avenue Laurier en cette semaine précédant Noël.

On était dimanche, le 18 décembre.

Des clients faisaient la queue devant les caisses, et si l'on sentait l'effervescence des fêtes dans le grouillement du magasin, on percevait de même que la fatigue commençait à irriter les employés. Le gérant ne quittait pas le plancher afin de s'assurer que le service ne se relâchait pas. Il n'empêche qu'il y avait de l'impatience dans l'air et que les caissières se tournaient de plus en plus souvent vers l'horloge, une réclame de bière populaire accrochée au-dessus des congélateurs, pour se donner du courage : plus qu'une demi-heure avant la fermeture.

L'inconnu – Adrien ne se souvenait pas d'avoir déjà vu cet homme, même s'il était emballeur au Marché du Bon Goût depuis trois ans et que la clientèle ne se renouvelait guère – était maigre, vraiment quelconque, avec une moustache sombre, striée de fils blancs. Il portait une veste trop mince pour l'hiver, un pantalon d'une couleur indéfinissable (qui avait dû être brun) et, par un étonnant contraste, des souliers vernis, usés certes, mais vernis.

Personne d'autre ne semblait l'avoir remarqué. Ou du moins avait-il laissé indifférents ceux qui l'avaient croisé.

Près du comptoir de service, il attendait derrière un client à qui la préposée, une jeune fille aux cheveux roux et au teint de lait, rendait la monnaie en lui remettant un exemplaire de *La Presse*. Son tour venu, il s'approcha en levant la main comme s'il demandait la parole ; mais le téléphone sonna et la préposée prit le combiné sous le comptoir en lui faisant signe de l'excuser.

L'homme affichait docilement une attitude d'attente.

Il devait avoir la quarantaine. Sa pâleur était telle qu'elle lui donnait l'air malade. À moins que ce fût la couleur habituelle de sa peau, mate et crayeuse, qui tranchait sur celle des autres clients tout simplement parce qu'il était d'un lieu lointain dont on ne voyait jamais, ou peu, de spécimens. Son expression semblait indifférente à l'agitation ambiante et il regardait devant lui, sans intérêt.

Enfin, Adrien vit Sonia (c'était sa petite amie depuis quelques mois et ils formaient un couple remarqué : elle si blanche et lui, d'une couleur café qui s'affichait sans réserve) se tourner vers l'homme qui lui tendit un bout de papier. Au lieu de le prendre, elle toisa le client :

— Qu'est-ce que c'est ?

Celui-ci posa la feuille sur le comptoir et, d'un doigt, la fit glisser vers elle. Avec un accent européen, il demanda en lui désignant le tableau d'affichage :

— Je voudrais, si c'est possible, l'épingler là, à l'entrée.

En dépit d'une sorte de retenue qui ressemblait davantage à de la courtoisie qu'à de la timidité, quelque chose de catégorique sourdait dans son regard. Au point où Sonia sourcilla, l'air inquiet, et se tourna vers Adrien qui s'avança aussitôt et sourit à l'étranger en prenant le billet. Après l'avoir parcouru, il acquiesça de la tête et dit :

— Suivez-moi, monsieur…

Quand il lui remit son bout de papier, il remarqua à son tour l'expression quasi torturée, ou peut-être tout simplement triste, de l'individu.

— Vous pouvez la fixer vous-même au tableau… Si vous trouvez de la place.

— Merci.

En y réfléchissant, Adrien se dit que l'homme paraissait plus apeuré que triste.

Lorsqu'il reprit son poste pour emballer les denrées d'une femme bien en chair qui discutait ferme avec la caissière, toute menue devant cette personne qui parlait d'une voix encore plus grosse qu'elle-même, il glissa un sourire de connivence en direction de Sonia, visiblement aussi perplexe que lui.

Mais il haussa les épaules : il ne fallait pas s'en faire pour si peu, ce qui était tout à fait dans son caractère. Adrien considérait les choses de la vie avec un fatalisme serein et évitait ainsi les émotions qui auraient pu altérer son calme et sa bonne humeur. Rarement le voyait-on soucieux ou renfrogné.

Le fait que son emploi soit des plus modestes ne l'affectait d'aucune manière, car il pouvait ainsi poursuivre une carrière de *rappeur* avec trois musiciens de ses amis, carrière qui, si elle n'aurait pu assurer sa subsistance, lui faisait quand même de beaux week-ends alors qu'il se produisait dans différentes boîtes, le plus souvent en ville, mais parfois en province. Soliste du groupe *The Body Parts* – ce genre de musique se vend mieux avec un label anglais, expliquait-il –, il était apprécié pour sa voix chaude et rythmée et sa personnalité avenante.

Il pensait encore à l'homme moustachu – décidément, le personnage l'intriguait – lorsque, peu après dix-sept heures, il rangea dans son casier, au vestiaire des employés, l'espèce de tablier aux couleurs du Bon Goût qu'il devait passer tous les jours pour son travail. Après avoir récupéré son portable, il sortit avec Sonia, qu'il pria de l'attendre, avant de se planter devant le tableau d'affichage. Les yeux rivés sur le papier de l'étranger, il composa un numéro.

Paul Letendre eut vaguement conscience que le téléphone sonnait dans son bureau, au rez-de-chaussée.

Les yeux clos, étendu sur ses couvertures dans sa chambre à l'étage, il cherchait en vain le sommeil. Il rentrait de l'aéroport, de retour d'une quinzaine à Paris où il s'était rendu pour voir Louise, sa sœur, productrice à la télé, et rencontrer le distributeur de son ouvrage *Le Répertoire des livres de collection*, qu'on appelait communément le *Letendre*. Publié chaque année, cet *argus* recensait les éditions originales des œuvres littéraires majeures de langue française et en donnait la valeur marchande. Destiné aux collectionneurs, aux bibliothécaires, aux libraires spécialisés et aux amateurs, sa notoriété n'était plus à faire, non plus que la réputation de son auteur en matière d'éditions anciennes.

Si Letendre aimait séjourner à l'étranger, il détestait les allers et les retours. Les attentes interminables aux guichets des compagnies aériennes pour recevoir sa carte d'embarquement et enregistrer ses valises, les vérifications de passeport, la fouille des bagages à main, et quoi encore, lui rendaient ces déplacements de plus en plus désagréables. Maintes fois, il avait dû supporter la compagnie de personnes – sans éducation, impolies, voire vulgaires – qu'il aurait refusé, autrement, de côtoyer. Il en était venu à espacer ses voyages pour s'offrir, autant que possible, la première classe, ce qui réduisait un peu ces désagréments.

Couché sur le dos, il ne réfléchissait pas vraiment. C'était une succession d'idées qu'il laissait errer librement. Il ne tentait pas de résoudre un problème, seulement de dériver vers le sommeil.

Il était nu. En rentrant chez lui, rue des Ormes, à Outremont, en plein après-midi, il avait été pris de l'envie irrépressible de s'étendre aussitôt comme on abandonne tout, d'un coup. Ayant entrepris ensuite de se déshabiller, l'idée de fouiller ses valises pour trouver son pyjama l'avait rebuté. Alors, il s'était étendu, tel quel.

Contre ses jambes, l'Être et le Néant ronronnaient, heureux sans doute du retour de leur maître. Ces bêtes vivaient recluses avec lui dans une indifférence qu'il partageait : il n'aimait pas particulièrement les chats. Il gardait ces deux-là parce qu'il ne voyait pas comment s'en débarrasser et surtout parce qu'ayant appartenu à sa femme, d'une certaine manière, ils participaient au souvenir de l'ambiance qui régnait dans la maison quand elle était là.

Est-ce que la sonnerie du téléphone s'était tue ?

Habituellement, il gardait un appareil sur la table de chevet. Quelques mois auparavant, il en avait changé pour un modèle équipé d'une fonction lui permettant de couper la sonnerie pour la nuit. Mais voilà, la petite merveille s'était révélée de piètre qualité et n'avait pas duré. Avant de partir pour Paris, il avait bien tenté de se faire rembourser, mais il avait seulement obtenu qu'on le remplace par un autre identique. Ce dernier attendait toujours dans sa boîte sur le parquet.

Il était conscient qu'il devait être autour de 17 h 30 et qu'il lui faudrait se lever, prendre une douche et manger un morceau avant de se recoucher pour la nuit, mais il lui en coûtait.

Il allait s'assoupir quand le téléphone sonna de nouveau. Il alluma, s'extirpa du lit, et constata aussitôt que les rideaux n'étaient pas tirés et qu'il s'offrait à quiconque qui, de l'extérieur, aurait regardé vers ses fenêtres. L'idée de tout simplement éteindre ne lui traversant pas l'esprit, il rampa à quatre pattes vers la penderie où il décrocha sa robe de chambre en la tirant à grands coups.

L'ayant finalement à peu près passée, il se redressa et, nouant le cordon, il dévala l'escalier. Toujours abruti de fatigue, il pénétra dans son bureau à demi éclairé par la lueur d'un lampadaire qui se dressait derrière les grandes baies vitrées et prit le combiné.

— Oui?

— Monsieur Letendre!

La voix dansait au bout du fil et Letendre reconnut Adrien. Il s'assit, décida de rester dans la pénombre.

— Adrien? Comment vas-tu?

— Plutôt bien. Et vous? Qu'est-ce que vous faites, là?

Cette remarque, c'était tout Adrien, curieux comme un enfant à qui on pardonne sa curiosité en raison de sa candeur.

— Pas grand-chose. Je suis rentré d'Europe cet après-midi et le décalage horaire me fait l'effet d'un sédatif. Mais toi, qu'est-ce qui t'arrive?

— Rien de particulier, seulement...

— Seulement?

— En fin d'après-midi, un drôle de type est venu au magasin...

— Un drôle de type?

Letendre sourit pour lui-même de s'entendre répéter les formules d'Adrien.

— Oui. Mais ce n'est pas vraiment ça, car on en voit de toutes sortes comme vous le savez. C'est que le bonhomme a affiché une annonce sur laquelle il a laissé une adresse. Pas de numéro de téléphone, seulement une adresse avec la mention «Livres rares à vendre».

— Rien d'autre?

— Rien d'autre...

— Et c'est pour ça que tu m'appelles?

— Comme je vous l'ai dit, c'était un homme vraiment bizarre. Je crois que Sonia en a eu peur.

— Vraiment?

Adrien avança qu'à son avis, rien à propos de cet homme ne devait être banal, et il s'appliqua à convaincre Letendre de se rendre à l'adresse indiquée.

— C'est à Pointe-Saint-Charles, rue Centre.

Letendre ne dit rien. Il jouait avec le contour d'une jolie reliure fauve qui couvrait un ouvrage d'Anatole France, *Le Lys rouge* dans l'édition de 1924 chez Calmann-

Lévy, qu'il avait obtenu d'un bouquiniste de Lyon par le biais d'Internet.

Il connaissait Adrien depuis quelques années. S'étant retrouvé seul du jour au lendemain, même si sa fille, Christine, qui tenait une librairie de livres anciens rue Bernard, avait alors pris l'habitude de venir l'aider pour tenir la maison, il avait dû apprendre à faire son marché, un apprentissage malaisé pour un homme n'en ayant eu jusqu'alors aucune notion. Heureusement, Adrien avait remarqué ses multiples hésitations devant les différents étals du marché et s'était intéressé à lui. D'une semaine à l'autre, il l'avait assisté dans ses choix, lui prodiguant même quelques conseils de nutrition… La personnalité du jeune Camerounais avait le don de réjouir Letendre et leurs rencontres hebdomadaires dans les allées du supermarché lui étaient devenues indispensables. Bientôt, il l'avait invité chez lui et après quelques mois, Adrien prenait l'habitude de débarquer sans prévenir, avec sa bonne humeur et sa curiosité pointue. Souvent, il lui arrivait de prendre un livre sur les rayons de bibliothèque qui couvraient les murs de différentes pièces et de s'amuser à *rapper* les poèmes d'Apollinaire ou d'autres écrivains du genre. *Les Fleurs du mal* de Baudelaire l'inspiraient tout particulièrement. Il les trouvait tellement *cool* que son adaptation de *L'Invitation au voyage* faisait désormais partie du répertoire des *Body Parts*.

Au bout d'un moment, pendant lequel Adrien respecta son silence, Letendre s'ébroua et demanda :

— À quel numéro ? Rue Centre, je veux dire…

— Au 333.

— Pas d'appartement ?

— Le 7…

— Bon. Je vais y réfléchir.

Puis :

— J'irai probablement demain, on verra bien.

— Et vous allez me dire…

— Tout te dire, Adrien. Je te dirai tout.

Letendre raccrocha, perplexe, le regard absent.

Des silhouettes s'interposaient entre les faisceaux du lampadaire et les grandes fenêtres. Elles projetaient des ombres chinoises sur le mur derrière Letendre, tenté par l'idée de fermer les yeux et de somnoler dans son fauteuil ; mais les chats vinrent le frôler à tour de rôle en miaulant et il décida de passer plutôt à la cuisine.

Sur la table, il trouva un message de Mme Tremblay, la femme de ménage qui, pendant son absence, avait veillé sur les chats.

> *… les chats n'ont plus de nourriture.*

« Voilà autre chose », ronchonna Letendre. Il ouvrit la porte du réfrigérateur : pas de lait non plus, ce qui aurait pu faire l'affaire en attendant.

— Décidément…

Il monta prendre une douche. Il allait s'habiller, sortir et, tant qu'à faire, manger à l'extérieur.

Sur sa commode, il trouva des vêtements propres, bien pliés dans le panier à linge. Avec une pensée reconnaissante à Mme Tremblay, il les rangea de son mieux dans les tiroirs.

Originaire du lac Saint-Jean, Mme Tremblay venait chez lui deux fois la semaine. Un peu cuisinière et couturière à ses heures, c'était une femme sans âge au caractère bourru. En dehors de ses sautes d'humeur, lorsqu'elle cessait de morigéner, elle savait manifester des sentiments d'une telle maternité et faisait preuve d'un tel bon sens, que Letendre n'aurait pu s'en passer. Elle était son point fixe, la partie bien ordonnée de sa vie, son repère de discipline.

Dans le miroir embué de la salle de bains – il avait pris une douche presque bouillante – il vit un homme dans la jeune cinquantaine, aux cheveux drus et au visage bien dessiné. Il s'arrosa la figure et promena sur ses joues le râteau d'une lame à raser sans avoir pris la peine d'y passer préalablement un blaireau savonneux tant la chaleur était intense. C'était une mauvaise habitude. Il aimait les douches fumantes comme un sauna. Mal lui en prenait, car aussitôt le robinet fermé, il grelottait, s'empressait de se couvrir avec des serviettes qu'immanquablement il oubliait ensuite dans la chambre de sorte que, chaque fois, c'était le même manège : il se battait les flancs en maugréant de trouver les porte-serviettes vides. De son côté, Mme Tremblay lui reprocherait sa descente de bain toute détrempée qui finirait par causer des moisissures.

Il s'habilla sans recherche mais pour éviter le choc brutal du froid après ses deux semaines sous un climat plus tempéré, il enfila un cardigan de laine, à gros boutons de bois, qu'il eut peine à tasser sous son manteau.

Lorsqu'il sortit, il retrouva l'odeur de l'hiver et, avec satisfaction, il s'emplit de cet air pur et froid qui allait chasser de ses poumons les derniers relents de la pollution parisienne.

Devant chez lui, le parc Saint-Viateur dormait sous une couche de blanc que balayait la lune entre l'ombre opaque des conifères, et les branches dénudées des feuillus tissaient des dessins abstraits aux variantes infinies. Un peu de vie animait la rue, quelques voitures, des gens qui rentraient à pied, une dame qui promenait son chien, un groupe d'enfants qui allait d'une maison à l'autre pour se laisser prendre par la magie du scintillement des lumières et des décorations de Noël.

Il pressait le pas, les coudes contre le corps, les mains dans les poches malgré ses gants de chevreau, car le froid mordait. Ayant renoncé à la dictature de la voiture, il avait l'habitude de se déplacer à pied, un choix de vie, affirmait-il. C'est en marchant que souvent il trouvait une solution à ses problèmes ou des idées pour enjoliver son quotidien : la conduite automobile lui était vite apparue une source de tracas et de stress, et l'acquisition d'un véhicule, l'occasion d'autres soucis et dépenses. Tout de même détenteur d'un permis, qu'il renouvelait chaque année, il ne faisait de l'automobile qu'un usage ponctuel. Ainsi, il lui arrivait d'en louer une pour ses vacances, ou pour des déplacements obligés dans des localités non desservies par le train. Dans son quotidien, peu friand des transports en commun urbains, il se déplaçait presque exclusivement en taxi quand il devait absolument utiliser une voiture.

Rue Bernard, il se dirigea vers *La maison de Toscane* où il vit, de l'extérieur, que sa place usuelle, près de la fenêtre donnant sur la rue, était libre. C'est qu'il était encore tôt. Une heure plus tard et le restaurant serait bondé.

— Monsieur Letendre !

La voix toute ronde et joviale de Giuseppe l'accueillit dès qu'il franchit la porte. En l'aidant à se débarrasser de son pardessus, le propriétaire avisa l'épais lainage et, gentiment, se moqua :

— Vous devenez frileux, monsieur Letendre?

— Non, mais je rentre de Paris, et là-bas, je crois que le cuir m'a un peu ramolli. Mais ça ne durera pas...

Une musique de Noël, en sourdine, s'accordait aux feuilles de gui courant sur le manteau d'une cheminée où ronronnait un feu généreux sur lequel le patron veillait personnellement, comme à tout le reste d'ailleurs.

Letendre aimait cet endroit pour son ambiance conviviale. Le sol était dallé de grands carreaux de céramique; des panneaux de noyer lambrissaient les murs entre les interstices de couleur crème, et on mangeait sur des tables solides à pied de fer, couvertes de nappes épaisses d'un rouge d'église.

Il y avait bien un bar au fond, mais il servait exclusivement de comptoir sur lequel un garçon posait bières, cocktails et bouteilles de vin que les serveuses lui commandaient pour leurs tablées.

Le patron régnait sur les lieux sept jours par semaine et prenait ses vacances en même temps que le personnel lorsque le restaurant fermait en février. C'était un homme expansif, au visage et au regard allègres. Le corps lourd, toujours chaussé de charentaises, il se plaignait à la moindre occasion de ses maux de pieds.

— Alors, qu'est-ce que ce sera?

Il aurait pu tout aussi bien demander, pâtes ou viande hachée, car les goûts de Letendre, à part les abats qu'il se réservait pour les jours fastes, n'avaient rien d'éclectique.

— Ce sera un bifteck haché sur charbon de bois: cela me changera des plats en sauce.

Des clients arrivaient. Des habitués à qui Letendre faisait un signe discret de reconnaissance.

Au restaurant, seul avec lui-même, il n'avait le plus souvent aucune envie de fraterniser : il aimait manger en paix. Parfois, il apportait un livre, prenait des notes ou se contentait d'observer les mouvements de la rue. Plus jeune, il avait l'habitude d'écrire dans les cafés. Sitôt assis à une table, qu'il choisissait assez grande pour poser son cahier à côté de son couvert, il couvrait des pages de son écriture hachurée. Il avait ainsi rédigé deux romans qui lui avaient mis les pieds à l'étrier du monde de l'édition, car il les avait publiés à compte d'auteur, conseillé quand même par celle qui était devenue sa femme. À présent, il avait délaissé le genre, ne rédigeant plus que son journal, quelques articles destinés à des publications spécialisées et les notices du *Letendre*.

Il but lentement la bière légère qu'il avait commandée en guise d'apéritif et tartina de beurre le petit pain chaud enveloppé dans une serviette qu'on avait posé devant lui pour le faire patienter jusqu'au potage.

Les propos d'Adrien lui revenaient. Un moment, il pensa qu'il passerait devant le marché d'alimentation lorsqu'il rentrerait chez lui. Il savait que, par la porte vitrée, il pourrait apercevoir le billet de l'inconnu sur le tableau d'affichage. Et puis, non : il irait plutôt saluer Christine à sa librairie.

Il se dit aussi qu'il lui faudrait donner signe de vie à Monique pour lui confirmer son retour.

Monique Legault, une divorcée plus jeune que lui de quelques années, était associée dans une méga-firme du centre-ville. Depuis quelques années déjà, il entretenait avec elle une relation amoureuse. Indépendante, l'avocate entendait le rester, et Letendre s'accommodait bien des séjours sporadiques de Monique chez lui, qui y demeurait une semaine entière pour ne pas y revenir pendant une bonne quinzaine. Ces distances n'avaient rien de fâcheux : ils se voyaient tout de même souvent, et il lui arrivait de dormir chez elle dans cette belle propriété de pierres de taille située près de l'Université de Montréal (où son père avait enseigné le droit) dont Monique avait hérité. C'était une femme dynamique au caractère constant, empreint de tendresse. Son charme, certain, tenait autant à la joliesse de toute sa personne qu'à ses manières harmonieuses. Conservatrice, elle ne cédait pas facilement sur ses principes. Son ex-mari (elle était divorcée depuis une dizaine d'années), avec lequel elle entretenait des rapports cordiaux, était représentant commercial. Il parcourait sans cesse le monde et vivait dans ses valises. Cette situation à la base de leur discorde avait facilité les choses après leur rupture.

Letendre en était très épris, et c'était réciproque. Même si leur amour pouvait ressembler à un arrangement aussi ordonné que leur vie respective, c'était une passion véritable à laquelle leur plaisir de vivre devait beaucoup.

Elle savait pertinemment qu'il était de retour de Paris. Elle lui avait même proposé de venir l'accueillir à l'aéroport puisqu'il rentrait un dimanche. Mais il avait décliné son offre, sachant qu'il ne serait pas d'humeur aimable après huit heures de vol.

Letendre mangeait sans appétit, ses pensées gambadaient sans suite.

Il ne vida pas son assiette, ce qui fit réagir Giuseppe qu'il rassura aussitôt :

— C'était parfait, comme toujours. Mais j'ai l'estomac chamboulé. À bien y réfléchir, je crois que je n'avais même pas faim.

Il paraissait d'un calme absolu. C'était la fatigue. Il paya sans mot dire et fut surpris, comme s'il revenait brusquement à la réalité, quand le propriétaire lui lança, la voix joyeuse :

— Si on ne vous revoit pas, passez de joyeuses fêtes !

— Vous de même, vous de même...

En quelques pas, il fut devant la librairie de sa fille. L'observant du trottoir, il vit qu'elle portait une de ces robes qui s'accordaient si bien à sa personnalité toute douce, une robe au corsage clair, bleu, et dont la jupe, longue, ondulait dans un mouvement fluide lorsqu'elle marchait. Elle avait ramené sa chevelure dans un chignon lâche juste au-dessus de sa nuque. Son visage avait, comme toujours, quelque chose de naïf – ou peut-être était-ce l'expression d'une féminité aiguë ? – et ses grands yeux clairs (les yeux de sa mère, pensa Letendre) lui donnaient un vibrant enthousiasme qui marquait chacune de ses expressions. Comme sa mère aussi, elle parlait volontiers avec ses mains, mais lorsqu'elle était à l'écoute, se tenant immobile, elle donnait l'impression d'être en train de recueillir les plus précieuses confidences.

Deux femmes, brunes et maigres, la monopolisaient. L'une d'elles tenait un livre à reliure verte qu'elle caressait, tel un écrin précieux, pendant que sa compagne accaparait Christine en lui serinant combien elles désiraient l'acquérir. Connaissant sa fille, Letendre devinait qu'elles parviendraient aisément à la convaincre de le céder à vil prix. Plus au fond de la librairie, une jeune commis s'occupait de la caisse et une autre, derrière une table près de l'entrée, emballait dans du papier doré, qu'elle enrubannerait de couleurs vives, les livres que lui tendaient certains clients désireux de les offrir en présents. L'éclairage des lampes de laiton disposées pour que la lumière se répande sans brillance, baignait les lieux d'une atmosphère recueillie rappelant à Letendre les salles de lecture des anciennes bibliothèques. Le dos des livres tapissait les murs jusqu'au plafond, et deux échelles coulissaient devant les rayons pour permettre l'accès aux plus hauts.

Deux volumes de la Pléiade – *La Vie des hommes célèbres* de Plutarque – disposés au centre de la vitrine retinrent un instant l'attention de Letendre et quand il leva son regard, il croisa celui de Christine. Le visage réjoui, elle lui fit signe d'entrer ; toutefois, la jugeant trop occupée, il imita avec deux doigts le combiné d'un téléphone et lui fit comprendre qu'il allait plutôt l'appeler. Christine fit une moue comique et haussa les épaules. À son sourire, il devina qu'elle acquiesçait.

Il retournait sur ses pas pour rentrer chez lui quand il se souvint qu'il devait ramener de quoi nourrir les chats et du lait. Il repassa devant la librairie (Christine lui tournait maintenant le dos devant la caisse) pour se rendre dans un petit magasin d'alimentation au coin de la rue, où il en profita pour acheter aussi du pain.

Quand il monta les trois marches de la galerie qui longeait toute la façade de sa maison, il était groggy de froid.

Il nourrit ses bêtes et, dans un état d'hébétude qui ne lui laissait pas le choix, il retourna se coucher. Cette fois, il enfila un pyjama et tira les rideaux.

CHAPITRE 2

Il s'éveilla à deux heures du matin (huit heures, heure de Paris…) et roula dans son lit pendant un bon moment à la recherche du sommeil. Rien n'y fit : il résolut de se lever.

L'Être et le Néant sautèrent sur le tapis puis, constatant la nuit noire et leur méprise, retournèrent se lover dans le confort des couvertures.

Le silence tenait la maison.

Letendre écarta les rideaux. La nuit était belle, la lune veillait sur l'hiver, brouillée légèrement par le passage de nuages diaphanes qui dessinaient des ombres mouvantes sur la neige.

Après avoir trouvé à l'aveugle ses pantoufles près de la commode, il les chaussa. Toujours tâtonnant, il prit sa robe de chambre posée sur une chaise et s'en couvrit prestement. Il ne se demanda même pas s'il devait allumer et s'engagea dans le corridor puis dans l'escalier dont il repéra la première marche sans hésitation. Puis, dans son bureau-bibliothèque, il demeura un instant immobile comme pour se donner le temps de renouer avec les lieux.

Il reconnut l'odeur, sa propre odeur mêlée à celles des vieux livres et de la maison elle-même, empreintes indéfinissables mais qu'il reconnaissait d'instinct, comme un ours perçoit aussitôt celles de sa tanière.

Des bouts d'idées lui venaient, mais si quelqu'un lui avait demandé de préciser le fond de sa pensée, il aurait été bien en peine de répondre. Tout au plus était-il conscient de revenir peu à peu chez lui et de reprendre, à petites touches, ses aises.

Quand sa lampe Napoléon jeta sur les décors familiers son éclairage vieillot et enveloppant, il soupira, bien aise d'être ainsi *seul comme un ermite et tranquille comme un dieu*, pour reprendre les mots de Flaubert qui lui revinrent alors. Il aimait être seul avec lui-même, mais pas longtemps. La solitude qu'il préférait, c'était celle à deux. Lorsque sa femme était encore là, il aimait se retirer dans ses quartiers tout en sachant qu'elle rôdait dans la maison, que sa vie battait près de la sienne.

Huit ans déjà que Lise était disparue... Il composait avec cette absence comme on doit accepter certaines carences de la vie, ne pouvant rien y faire. Il n'empêche qu'il traînait une sorte de culpabilité pour n'avoir jamais réussi à savoir ce qu'elle était devenue, même si, au fond, il savait pertinemment qu'il avait tout fait pour la retrouver : il avait collaboré avec la police et entrepris de sa propre initiative plusieurs démarches. En vain. Ce douloureux événement avait déclenché chez lui une extrême sensibilité à tout ce qui pouvait paraître obscur, inexpliqué ; de là sa propension à vouloir connaître dans l'absolu le fond des choses.

La lumière se reflétait par flaques sur le bois patiné des deux meubles qui faisaient face à sa table de travail. Il les avait acquis de la succession d'un notaire de Québec, dont il avait également acheté toute la collection du *Nénuphar*, celle des classiques québécois, en édition originale.

Le seul fait d'être levé à cette heure-là lui donnait l'impression que c'était une nuit exceptionnelle alors qu'il n'en était rien.

Décidemment, le décalage horaire le perturbait...

Dans un grand soupir, il se dirigea vers la fenêtre. Le parc dormait, et le soleil n'allait pas se lever avant quelques heures. Au même moment, la veille, il prenait son petit-déjeuner rue Médicis en attendant l'ouverture de la librairie Corti, où il s'était procuré les *Souvenirs désordonnés* de l'ancien propriétaire, mort en 1984. Il songea brièvement à en entamer la lecture...

Sans y penser, il mit le doigt sur ce qui le tracassait, sur l'objet de cette pointe d'angoisse qui le titillait : il s'inquiétait, comme toujours, à propos des factures à payer et qu'il avait négligées avant de partir. En France, non seulement il avait dépensé plus que de raison, mais les nouvelles de son éditeur européen n'avaient pas été bonnes : les ventes du *Letendre* de la dernière année avaient atteint trente-cinq mille exemplaires, alors qu'il en avait anticipé beaucoup plus. Aussi était-il rentré au pays avec des droits d'auteur revus à la baisse et il allait devoir jongler avec des versements partiels sur ses dettes jusqu'à sa prochaine entrée de fonds.

Mais n'en était-il pas toujours ainsi ?

Il revint s'asseoir derrière son bureau, qu'il tapota des doigts, l'esprit encombré par ces incontournables qu'il exécrait au-delà de tout : la comptabilité, les factures à payer, la bonne cote de crédit à conserver.

Il haussa les épaules et parvint à chasser ces idées en considérant la pile des livres qu'il avait rapportés de son voyage. Dénichés pour la plupart dans les rues avoisinant les places de l'Odéon et de Saint-Sulpice, certains étaient de réelles trouvailles, d'autres de simples coups de cœur. Ainsi *Anatole France en pantoufles,* par Jean-Jacques Brousson, côtoyait une luxueuse édition de *L'Itinéraire de Paris à Jérusalem* de Chateaubriand, en deux volumes publiés chez A. Roger et F. Chernoviz, en 1901, et quelques œuvres mineures de Georges Duhamel, de très belle facture, s'entassaient sur le meuble parmi d'autres livres épars dont il aurait à estimer avec exactitude la valeur. Avec une certaine amertume, il se dit qu'en raison de leur cherté, il devrait à regret se départir de plusieurs de ces ouvrages pour en tirer, tel son projet initial, un bon profit à la bouquinerie de sa fille.

Il n'avait le cœur à rien. Son regard erra dans la pièce, s'intéressa un instant à une photo de famille le montrant aux côtés de sa fille et de sa femme. Les vagues pensées qui continuaient de lui traverser l'esprit n'arrivaient pas à s'accrocher.

Il n'allait quand même pas rester là, figé jusqu'à l'aube !

Mais que fait-on au milieu de la nuit lorsque l'on n'a rien d'autre à faire que de déplorer ne pas pouvoir trouver le sommeil ? Aussi bien entamer la journée que de demeurer bêtement à l'attendre.

À la cuisine, il retrouva ses gestes habituels pour préparer son petit-déjeuner. Avec la sensation d'agir au ralenti et de s'observer lui-même, il mit son couvert, fit griller son pain et versa son café, comme s'il jouait le rôle d'un personnage préparant un repas. Habituellement, il agissait ainsi sans même s'en rendre compte. Cette conscience d'agir, à la fois aiguë et inexpliquée, lui fit même commettre bévue sur bévue, dont la dernière – il avait fait déborder sa tasse de café dans le micro-ondes en voulant la réchauffer – faillit lui faire tout abandonner.

Trouvant, empilés dans un panier à côté du réfrigérateur, les numéros de *La Presse* des quinze derniers jours mis de côté par Mme Tremblay, il en extirpa les cahiers *Votre Argent* et *Sports,* dont il se débarrassa en les jetant aux ordures, et mangea en parcourant les manchettes. Rien qui vaille la peine d'être retenu. Lorsqu'il revint dans son bureau, il était d'attaque pour trier les ouvrages rapportés de voyage : les dernières parutions, pour ses lectures, et les éditions rares, pour sa collection ou la librairie de Christine.

Cela lui prit beaucoup plus de temps qu'il ne l'avait d'abord cru, car il se prit à examiner chaque ouvrage dans le détail, les ouvrant un à un pour en apprécier la qualité d'édition, d'impression et même la senteur. Le matin s'installa sans qu'il eut l'impression de l'avoir longuement attendu.

Autour de sept heures, la nuit s'estompa.

Il eut un instant l'idée saugrenue de se rendre à pied dans le quartier de la Pointe-Saint-Charles. Évaluant la distance, il en vint à la conclusion qu'il pourrait y être à une heure raisonnable. S'il le fallait, il ferait une pause dans un café avant de frapper chez l'homme qui avait affiché l'annonce au supermarché. Puis, considérant cette idée plus sérieusement, il se dit que cette longue marche dans la pollution de l'heure de pointe risquait bien d'être sans intérêt. Rien que d'imaginer les voitures s'arrêtant puis repartant au coin des rues l'étourdit. La lecture des *Souvenirs désordonnés* de Corti lui serait bien plus agréable.

C'est ce qu'il fit, tout en avalant ses deux tasses de café quotidiennes, ration qu'il ne dépassait jamais, la caféine affectant son état d'esprit. Déjà qu'il était lunatique, qu'il avait ses bons jours puis ses mauvais jours sans autre motif que des vagues changeantes d'humeur. À neuf heures, il posa le livre sur son bureau et se prépara à sortir.

Les chats avaient mangé et étaient retournés aussitôt à leur paresse sur le tapis de laine que Letendre tenait de sa mère. Elle le lui avait crocheté comme d'autres laissent à leurs enfants coutellerie ou literie. C'était une femme qui occupait ses journées à des travaux d'aiguille ou d'artisanat, quand elle ne lisait pas, car elle était une lectrice boulimique.

Le froid était dur. Le soleil allumait la neige sans pour autant adoucir le fond de l'air.

Letendre marcha jusqu'à la rue Bernard pour trouver un taxi : à cette heure il aurait été vain d'en faire venir un, les stations étaient vides. De toute manière, en dépit de la rigueur du temps, quelques bonnes bouffées d'air ne pouvaient que bien commencer la journée.

La voiture qui s'arrêta à sa hauteur était d'une propreté exemplaire. L'intérieur n'était pas en reste : ouvrant la portière, il fut accueilli par une bonne odeur de sapin, dont il aperçut pas moins de trois spécimens réduits, en carton vert, suspendus au pare-soleil. La radio déversait un air d'opéra que le chauffeur coupa aussitôt en se retournant :

— Bonjour ! C'est pour où ?

— Rue Centre à la Pointe-Saint-Charles.

— Méchant contraste !

Et devant la mine intriguée de Letendre :

— Gros changement de décor, je veux dire…

Letendre comprit que le chauffeur faisait allusion au caractère tellement plus prolétaire de sa destination. L'homme avait lancé sa remarque sur un ton badin qui n'avait rien d'une appréciation ou d'un jugement, ce n'était qu'une réflexion à haute voix, un mot lancé pour dire quelque chose. Il n'empêche que Letendre eut bien envie de demander au chauffeur quel quartier il habitait, lui...

La voiture prit la rue Hutchison.

— On va ainsi éviter la circulation de l'avenue du Parc : à cette heure-ci, c'est complètement débile.

Ils parvinrent sans trop d'encombrement dans le quartier Saint-Henri, où le taxi emprunta la rue des Seigneurs pour gagner le boulevard Saint-Patrick après avoir traversé le canal Lachine, sur les berges duquel se dressaient les bâtiments d'anciennes usines. On les avait transformées en immeubles résidentiels et divisées en luxueux lofts, mais Letendre les trouvait tout aussi sinistres qu'à ses dix-huit ans quand il avait dû se faire chauffeur de taxi pour assurer sa subsistance et soutenir sa mère. D'un rouge dur, pathétique, les murs alors percés de fenêtres aveugles, ils risquaient en tout temps de s'écrouler. Des immondices flottaient en permanence sur les eaux glauques à proximité et tout trahissait la misère qui étranglait une classe d'ouvriers mal rémunérés et trop peu considérés. C'était peu de temps après le décès de son père. Un des clients du notaire avait engagé contre lui, du vivant de ce dernier, des poursuites en responsabilité professionnelle et la succession avait été suspendue jusqu'au jugement définitif. L'homme d'affaires qui avait lancé la procédure avait perdu en première instance, mais il avait porté la décision devant la cour d'appel. Il avait fallu quatre années avant que les choses aboutissent en faveur de la mère de Paul, quatre longues années de vaches maigres et d'incertitude. Pendant tout ce temps, Letendre avait entretenu la peur qu'ils soient jetés à la rue et imaginé les pires scénarios. Il en était resté profondément marqué.

Le ciel était bas, si bien qu'en dépit du soleil, les murs avaient quelque chose de menaçant.

Replongé malgré lui dans ses appréhensions passées, les rues et les ruelles qui se succédaient lui paraissaient presque sinistres. Il lui semblait que les femmes qui marchaient sur les trottoirs étaient tout aussi pauvrement vêtues, que les enfants qui les accompagnaient avaient mauvaise mine.

Le taxi pénétrait plus avant dans le quartier, et Letendre arrivait de moins en moins à juguler l'angoisse qui sourdait chez lui.

Est-ce que tout cela a un sens ?

Il allait pourtant simplement acheter des livres…

Le chauffeur eut vite fait de repérer la rue Centre. Il vira à gauche et aussitôt après avoir dépassé deux belles églises de pierre, voisines l'une de l'autre, qui rappelaient un temps plus lointain encore que celui des usines de textile, quand ce quartier n'était encore qu'un village sur les bords du Saint-Laurent, il se gara le long du trottoir devant un duplex ayant visiblement connu des jours meilleurs. Letendre songea que c'était le genre d'endroit qu'il n'aurait jamais pu habiter, même du temps de ses années les plus difficiles : il se serait plutôt établi dans un village, en campagne.

Un essaim d'écoliers, attendant sans doute leur autobus scolaire, se chamaillaient sur un monticule de neige durcie dans un terrain vague de l'autre côté de la rue.

Soudain, l'un deux, un gamin de sept ou huit ans, se détacha. Letendre le vit qui traversait à la course, sans la plus élémentaire des prudences, fonçant droit vers la voiture. Alors que lui-même en était encore à régler sa course, le gamin ouvrit la portière et l'interpella :

— Tu vas où, toi ?

La frimousse devant lui disparaissait à demi sous un cache-col bariolé. Son nez luisant reniflait à petits coups pendant qu'il regardait fixement Letendre.

Ce dernier lui sourit : il aimait les enfants. Tant que, longtemps, il n'était sorti de chez lui sans remplir ses poches de friandises pour les offrir à tout venant ; habitude à laquelle il avait renoncé depuis que Monique l'avait mis en garde qu'il risquait d'être rapporté comme un pédophile en chasse.

— Je vais là, dit-il en désignant la porte du numéro 333.

Son jeune interlocuteur haussa les épaules.

— J'connais pas… Moi, j'habite là-bas, au coin, en face du dépanneur de ma tante.

Et du doigt, il montra un autre triplex, moins délabré, à l'angle.

Le garçon semblait sans malice, plein de vie et de santé. Ne sachant trop quel comportement adopter, Letendre lui tendit la main.

— … moi, c'est Paul.

— O.K. !

Le mioche allait poursuivre la conversation quand un gros autobus jaune s'immobilisa derrière le taxi.

— Bon. Faut que j'y aille !

Sans faire ni une ni deux, il traversa du côté d'où il était venu, et pendant que Letendre s'interrogeait sur les motifs de l'empressement de son jeune interlocuteur, il le vit ramasser un cartable près de la clôture et revenir aussitôt dans la même course pour grimper dans son autobus. L'espace d'un éclair et il était disparu à l'intérieur avec ses camarades piailleurs.

Resté seul, Letendre hésitait à présent devant trois boutons de sonnette dépolis : sans conviction, il appuya sur le troisième. Il devait fonctionner, puisque la porte d'entrée s'ouvrit sur un long escalier qui se perdait dans la pénombre. Une voix, assez lointaine, le héla :

— Montez, je vous attends…

Il monta lestement les premières marches, arriva tant bien que mal au premier palier dans un épais demi-jour. Il dut tâtonner pour trouver la rampe de l'escalier suivant. Heureusement, à mi-hauteur, une attache électrique distillait un éclairage qui, même chiche, lui permit de se guider. Un sentiment de crainte qu'il n'aurait su expliquer l'étreignit, mais les odeurs familières de café et de pain grillé qui filtraient sous les portes parvinrent à le rasséréner un tant soit peu.

Tiraillé entre ces deux sentiments, Letendre se demandait de plus en plus ce qu'il était venu faire là. Insidieusement, la peur semblait vouloir s'installer en maître.

L'immeuble se révélait plus délabré que vieux, les murs étaient couverts de graffitis, et un caddie inutilisable encombrait le deuxième palier.

Quant il eut atteint le troisième, au triangle clair qu'elle projetait sur le sol de couleur indéfinissable il repéra aussitôt une porte entrouverte. Ici, aucune odeur de cuisine, mais une étrange sensation de vide.

L'homme qui l'attendait avait si mauvaise mine que Letendre se fit la réflexion qu'il n'avait pas dû dormir depuis longtemps, mais à part sa complexion terne, le personnage n'avait rien pour retenir l'attention. Arrivé à sa hauteur, Letendre lui tendit la main. Cette civilité lui donna le temps de trouver quelque chose à dire :

— Je suis venu à cause de votre annonce...

L'homme, un *homme de rien*, pensa Letendre en se rappelant les propos d'Adrien, pénétra dans l'appartement en lui faisant signe d'entrer. Il portait une veste d'aspect rêche et Letendre frissonna à l'idée de la laine contre la peau, sensation qu'il détestait. Il suivit son hôte dans une cuisine meublée sommairement d'une table, de deux chaises dépareillées, et équipée d'une cuisinière à deux éléments et d'un réfrigérateur aux couleurs passées. L'homme lui montra un paquet de livres qui s'empilaient pêle-mêle sur la table.

Qu'est-ce qui m'a pris, mais qu'est-ce qui m'a pris de venir ici !

Par la fenêtre sans rideaux, des pans de ciel bleu entre deux immeubles faisaient une tache claire. Il devait être maintenant près de neuf heures.

Toujours silencieux, l'homme se tenait un peu en retrait. On aurait dit que la présence de Letendre l'indifférait totalement. En désespoir de cause, ce dernier fit bonne contenance. Il s'approcha de la table, même s'il était persuadé de perdre son temps. Réfléchissant à toute allure pour se trouver une excuse et tourner les talons, il prit alors quelques bouquins, les replaçant aussitôt pour en saisir d'autres, qu'il regarda à peine, et c'est en promenant ainsi son regard sur le tas qu'il aperçut un livre relié dont le titre le fit tiquer. Davantage même : il faillit sursauter. Maîtrisant son émoi, il tira nonchalamment l'ouvrage vers lui. Il avait bien vu, et bien lu, il tenait l'édition originale de 1776 des *Liaisons dangereuses* de Choderlos de Laclos. Dans le dernier *Letendre*, chacun des deux tomes de cet ouvrage, portant aussi le titre des *Lettres recueillies dans une Société et publiées pour l'Instruction de quelques autres*, était évalué à plus de 8 000 dollars.

Letendre jubilait. Voilà donc ce qui l'attendait dans ce vieil immeuble d'un quartier qui le perturbait au-delà du raisonnable. C'est pour ça qu'il était venu! Son élan d'enthousiasme fondit toutefois quand il y regarda de plus près : il avait en main le tome deux de l'ouvrage épistolaire de Laclos. Un livre qui ne valait rien sans le précédent. Toute brusquerie retenue, il entreprit de fouiller dans le lot, retirant quelques spécimens d'assez belle facture qui trouveraient facilement preneurs à la bouquinerie de Christine.

Il mit ces trouvailles de côté.

Devant se rendre à l'évidence – le premier tome des *Liaisons* brillait par son absence –, il en vint à la conclusion qu'il se porterait acquéreur du deuxième tome à la condition que l'homme s'engage à lui fournir le premier.

Il se tourna vers l'étranger :

— Dites-moi… Vous avez le premier tome, non ?

L'homme parut étonné et saisit le livre. Letendre réprima un tressaillement : avant lui, quelqu'un était venu, puis était parti avec la première partie du roman. L'homme ignorait de quoi il s'agissait vraiment et l'avait laissé faire.

— Pardonnez-moi (il avait un drôle d'accent, du jamais entendu pour Letendre), c'est ma faute (mais il parlait bien, avec distinction). Je l'ai effectivement, mais pas ici. Si vous revenez après-demain…

— Vous l'aurez?

— Je vous en donne ma parole.

Que faire?

Letendre plongea:

— Vous en demandez combien?

— Trois mille dollars.

Quand même! pensa Letendre.

— Trois mille, c'est pour les deux?

— En effet.

Letendre redevint fébrile.

— Voici ce que je vous propose: sans le précédent, ce volume n'a pas de valeur. Je vais quand même vous avancer dès maintenant la somme de mille dollars, puis je vous en donnerai le double après-demain. Vous voyez, je prends un risque; mais ces mille dollars feront preuve de ma bonne foi et de mon intention arrêtée de conclure notre marché.

Avant de quitter son domicile, Letendre avait eu la bonne idée de prendre la somme de 1 500 dollars dans la boîte de fer qu'il gardait sous le lavabo de la salle de bains principale. Il y cachait en permanence une coquette somme en liquide, et Monique n'avait de cesse de lui reprocher son imprudence.

« Les voleurs ont autant d'imagination que toi. Ta cachette est vraiment cousue de fil blanc. »

Devant lui, l'homme ne réagissait pas davantage. Toujours ce flegme et cet air sans aspérité…

Letendre fut presque pris au dépourvu lorsqu'il l'entendit enfin lui dire:

— Marché conclu.

Sans ajouter un mot, l'énigmatique personnage prit sur le comptoir de cuisine un sac de papier brun dans lequel il glissa le livre avant de le remettre à Letendre qui sortit de son portefeuille la somme entendue et sa carte de visite, à l'endos de laquelle il écrivit :

Reçu de M. Paul Letendre la somme de mille dollars en dépôt pour l'achat des deux tomes des Liaisons dangereuses *de Laclos. Le deuxième tome a été remis à M. Letendre ce 19 décembre 2005.*

L'étranger y apposa sa signature, que Letendre ne parvint pas à lire. Alors, l'autre reprit le carton et traça cette fois son nom en caractères d'imprimerie : Ales Loucka.

Tout au bonheur d'avoir mis la main sur ce qu'il croyait être l'une des plus belles trouvailles de sa carrière, Letendre était persuadé que l'homme aurait le premier tome dans les quarante-huit heures comme promis. Il ne pensa même pas à demander à Loucka s'il avait d'autres livres de cette qualité. Il sortit en reprenant le bristol qui lui servirait de reçu et en remit un autre, sur lequel il reprit exactement les mêmes termes que le premier afin qu'il en constitue un double exact et lui remit en échange.

— Merci et à mercredi.

L'homme de rien acquiesça, sans plus. Pressant son précieux colis contre sa poitrine, Letendre eut vite fait de descendre pour déboucher, cette fois, en pleine lumière sur le deuxième palier. Un locataire, petit et chauve, dont le pantalon trop large lui arrivait aux chevilles, se tenait dans l'embrasure d'une porte et l'observait derrière un nuage de fumée. La première réflexion de Letendre fut que les fumeurs étaient devenus une espèce rare. Il revit alors sa mère qui grillait cigarette sur cigarette, s'adonnant sans retenue à sa dépendance jusqu'à ce qu'un œdème du poumon l'emporte.

L'expression de l'individu n'avait rien d'amène. De toute évidence, on prenait Letendre pour un intrus. Avec un sourire retenu, il passa son chemin et fit abstraction du regard effronté qui le toisait.

Il eut ensuite très envie de sortir de l'immeuble. Aussi dévala-t-il littéralement les deux autres escaliers. C'est avec le sentiment léger d'être un homme libre qu'il se retrouva dehors.

Sans même qu'il eût le temps de se demander comment il allait rentrer, il entendit le klaxon d'une voiture : le taxi qu'il avait pris pour venir remontait la rue et s'arrêtait à sa hauteur. Quand il ouvrit la portière, il apprécia d'être accueilli avec le bonjour enthousiaste du chauffeur.

— Je vous attendais dans le stationnement de l'église d'où je pouvais voir l'immeuble.

— Pourquoi ? ne put s'empêcher de demander Letendre.

— C'est simple. Je savais que vous en aviez pour peu de temps et vous êtes probablement le seul client dans le quartier à cette heure-ci… Je ne voulais pas retourner à vide.

Après une légère pause, il ajouta :

— Et puis, pour dire vrai, je n'aime pas tellement qu'un de mes clients se perde ici. Vous auriez eu peine et misère à trouver une autre voiture, et j'ai remarqué que vous ne vous sentiez pas très à l'aise. L'endroit n'est pas toujours sûr.

Changeant de ton, il demanda :

— On retourne du côté d'Outremont ?

— S'il vous plaît…

Les remarques pourtant amicales du chauffeur n'avaient pas rassuré Letendre. Allez savoir pourquoi, ce quartier ne lui inspirait rien de bon. Étaient-ce les souvenirs de ses années où il avait dû y circuler dans les petits matins blêmes pour ramener des clients éméchés ou marqués par leur souffrance morale ? Chose certaine, il y perdait ses repères et des frémissements intérieurs le tenaient aux aguets. Ce chauffeur qui l'avait attendu en surveillant l'immeuble, ce locataire à l'attitude rébarbative croisé sur un palier… Devait-il voir dans tout cela quelque manigance ?

Pour se prémunir contre une désagréable bouffée d'angoisse, il se tenait au fond de la banquette, évitant de regarder au dehors la neige sale, les congères qu'on aurait dites pourries, avec des dépôts noirs comme des incrustations de détritus. Et même si le ciel était clair, il s'en dégageait une luminosité livide, si bien que lorsqu'ils repassèrent devant les usines transformées en condos de luxe, il se sentit de nouveau oppressé.

Le chauffeur de taxi l'observait dans son rétroviseur.

— Vous avez trouvé ça là-bas ?

Il parlait manifestement du livre que Letendre venait de tirer du sac. Son sourire avait un petit air complice. Au fond, il semblait être un bon bougre, et Letendre fit un effort pour calmer sa méfiance.

— À ma grande surprise, oui.

Il eut envie de parler pour alléger davantage son climat intérieur.

— Je n'aurais jamais pensé que je ferais une telle trouvaille ce matin.

— Vous aimez les livres ?

— Je les collectionne.

— Ça, c'est rare. Vous êtes mon premier client qui…

La voiture freina brusquement et Letendre fut projeté le front contre la banquette avant. Heureusement qu'il avait pensé à boucler sa ceinture !

— Toutes mes excuses, dit le chauffeur.

Et, avec un ton scandalisé :

— Vous avez vu ça ? Une voiture de police qui sort d'une ruelle sans prévenir, sans même ralentir, avant de s'engager dans la rue ! Bonjour la protection !

Sa colère dura peu et il s'intéressa à son client :

— Ça va, vous ?

— Oui, oui…

Peut-être parce qu'ils avaient partagé ce moment de tension, ils se mirent à causer à bâtons rompus. De la circulation devenue impossible dans Montréal, des conditions décevantes de la saison alors que Noël approchait et qu'on prévoyait des températures beaucoup trop à la hausse, et des rumeurs d'élections fédérales qui alimentaient les médias.

Au fur et à mesure qu'il s'éloignait de la Pointe, l'humeur de Letendre changeait, comme le décor. Il devint plus volubile et il s'ouvrit même au chauffeur de sa déception de n'avoir pu acquérir le premier tome des *Liaisons*.

— Sans lui, ce volume-ci ne vaut pas grand-chose… Mais le vendeur m'a demandé de revenir après-demain. On verra bien.

Il se garda bien toutefois d'avouer qu'il avait allongé mille dollars.

De retour à Outremont, Letendre fut brusquement saisi du souvenir de la journée glorieuse où son père avait emménagé rue des Ormes avec sa famille. Comme il était fier d'offrir aux siens une telle propriété! Spacieuse et solide, bien éclairée, et située face à un magnifique parc, dans une rue tranquille. Letendre l'habitait toujours avec le même bonheur, et il la retrouvait aussi ému chaque fois qu'il rentrait d'une longue absence.

À sa descente de la voiture, il ne put s'empêcher de demander au chauffeur :

— Dès que j'ai besoin d'une voiture, je vous appelle… Est-ce possible ?

Manifestement consentant, ce dernier lui tendit la main au-dessus du siège et se présenta en lui remettant sa carte :

— Appelez-moi Marion, c'est mon nom. Et voici mon numéro de portable.

— Et moi, c'est Paul, Paul Letendre. À bientôt !

Quand le taxi eut tourné le coin, Letendre s'arrêta pour admirer sa maison, un solide cottage de briques, enjolivé d'une large véranda blanche, qui respirait le calme et le confort. Sur une pensée pour son père, il entra, prit son courrier et, sitôt son manteau retiré, écouta sur son répondeur les messages téléphoniques reçus depuis son retour de Paris. Il entendit d'abord la voix de Monique, qui l'invitait pour souper, puis celles de deux relations d'affaires requérant ses services, l'une pour l'évaluation d'un lot de livres d'une succession, l'autre pour rechercher une édition complète des œuvres de l'historien Jacques Bainville. Il remit à plus tard ces commandes de travail, mais téléphona à Monique. Il lui expliqua qu'il lui serait difficile d'aller manger avec elle en fin de journée, le décalage horaire lui pèserait alors sur les paupières. Il suggéra qu'ils se voient à la pause de midi.

— Je dois d'abord aller à la Cour pour l'audition d'une requête, puis réviser un dossier avec un stagiaire. Je n'aurai pas le temps pour le lunch... Mais il se trouve qu'ensuite, je serai libre. Je pourrais venir chez toi : on mangerait en tête à tête et je te borderais...

Cette proposition lui en suggéra une autre :

— Tu pourrais même rester dormir...

— L'idée me plaît.

— Je vais prendre une soupe pour contenir mon appétit d'ici là.

— Et moi, quelques biscottes.

CHAPITRE 3

Il était trop tôt pour une soupe, aussi se contenta-t-il d'un décaféiné. Fébrile, il s'employa à établir le cours exact des derniers événements, et plus particulièrement de ceux reliés à sa fameuse découverte d'une édition originale des *Liaisons dangereuses*..

Le livre était sur son bureau. Esquissant un sourire, il en lissa la couverture, l'ouvrit et, pour humer à volonté le papier vieilli dont il reconnut bien vite l'odeur caractéristique – toujours la même, à quelques variantes près –, il porta le volume à son visage. Parfois, certains ouvrages qu'il rapportait chez lui sentaient trop fortement l'humidité, voire le rance : il les exposait alors plusieurs jours à l'air frais dans l'entrée vitrée. En matière d'imprimés, l'odeur qu'il préférait encore était celle des livres de poche des premières années. Il leur trouvait un parfum légèrement sucré mêlé avec une agréable saveur de papier.

Se tournant vers un des cabinets derrière sa chaise, il saisit une épaisse chemise dans laquelle il avait rangé le dernier envoi de *La Nef des fous*, une librairie parisienne spécialisée en livres anciens. Il mit quelque temps avant de trouver la notice qu'il cherchait :

1. *LACLOS (Choderlos de)*
Les Liaisons dangereuses, ou Lettres recueillies dans
une Société et publiées pour l'Instruction de quel-
ques autres… (Londres [Paris] s.n., 1796).
5 500 Euros

Dans son *Letendre,* il avait pour sa part évalué
l'ouvrage à 8 000 $: outre qu'il était rarissime en dehors
de la France, il fallait tenir compte de la fluctuation des
devises sur les marchés internationaux.

La mention d'un numéro de téléphone en deuxième
page du catalogue l'inspira. Il allait tenter une démarche
à la bouquinerie spécialisée de la rue de Condé. C'est
une voix jeune – le patron devait être sorti – qui l'accueillit :

— La Nef des fous, bonjour.

— Bonjour, monsieur. Je vous téléphone du Québec…

— Ça fait plaisir de vous entendre. Que puis-je faire
pour vous ?

— Voici. Dans votre catalogue de l'an dernier, vous
faisiez mention des *Liaisons dangereuses…*

— Je me rappelle, oui…

— Mais je vous connais, non ?

— …

— Vous êtes ce jeune homme qui m'a reçu quand je
suis passé chez vous la semaine dernière.

Le commis se souvint immédiatement de lui.

— Monsieur Letendre ! Bien sûr ! Vous avez fait un
bon voyage de retour ?

— Aussi agréable que cela se peut : je crois que je
deviens allergique aux aéroports.

Il enchaîna aussitôt :

— Dites-moi, avez-vous vendu vos *Liaisons ?*

— Nous les avons toujours. Elles vous intéressent ?

Letendre était pris de court. Il lui fallait trouver une échappatoire.

— C'est-à-dire que… Un de mes clients s'est montré intéressé et je voulais m'assurer, avant de le référer à votre librairie, qu'elles étaient toujours disponibles.

— Nous pourrions aisément vous les faire parvenir…

— Pour le moment, je vais donner vos coordonnées à mon client. Il communiquera directement avec vous…

— Entendu. J'attends de ses nouvelles. Quel est son nom ?

Letendre n'avait pas prévu la question… S'en remettant à son inspiration, il jeta :

— C'est un nommé Vadeboncœur. Pierre Vadeboncœur.

Ce nom avait l'avantage de sonner québécois, ce qui rendait Letendre d'autant plus crédible, à son grand soulagement.

— J'en prends note.

— Vous êtes bien aimable. Au plaisir de vous revoir.

Quand Letendre eut raccroché, il se fit la réflexion que l'édition qu'il s'était procurée chez Loucka n'avait donc pas été dérobée à *La Nef des fous*. Du coup, il se trouva stupide de l'avoir pensé. Cela lui ressemblait d'échafauder ainsi des théories et d'agir en conséquence pour ne réfléchir qu'après.

Ramenant ses réflexions à Loucka, il ressassa l'impression que lui avait laissée l'appartement de la rue Centre, d'aspect si minimaliste qu'on pouvait conclure qu'il n'était pas habité, et celle qu'il gardait de son occupant pour le moins atone…

Loucka était-il sous sédatif?

Et puis, cette obscure adresse donnée dans une annonce des plus banales, qu'il avait choisi de placer ensuite à Outremont, avait de quoi aiguiser la curiosité de Letendre.

Peut-être était-il simplement dérangé? Comment expliquer qu'il disposait d'un livre aussi précieux?

À force de chercher une explication à tout prix, il lui vint une intuition.

Il passa un coup de fil à Monique.

— Je me demande si un stagiaire, ou quelqu'un d'autre de ton bureau, pourrait passer à l'hypermarché des 5 Frères pour vérifier quelque chose…

— Pas un stagiaire, mais un de nos coursiers, oui. Que veux-tu faire vérifier au juste?

— Ça va te sembler futile, mais j'aimerais qu'il jette un coup d'œil dans l'entrée, pour voir s'il s'y trouve une annonce offrant des livres anciens. Avec une adresse, le 333, rue Centre à Pointe-Saint-Charles. Pas de numéro de téléphone.

— Tu cherches quoi exactement?

— Peu de chose. Je t'expliquerai cet après-midi.

Il y eut un moment de flottement, où Monique fut tentée de lui dire de cesser ses mystères, mais elle se ravisa:

— J'envoie quelqu'un et je te rappelle.

— Ou tu me le diras quand tu viendras. Il n'y a pas d'urgence.

Pas d'urgence! Il n'empêche que dans l'heure qui suivit, dans l'attente d'une réponse, il put difficilement s'intéresser à la paperasse et aux courriels réclamant son attention. Il s'y obligea cependant.

Depuis l'avènement d'Internet, les gens reprenaient l'habitude d'écrire. Voilà qu'il recevait des nouvelles d'un ami d'enfance qu'il avait perdu de vue depuis près de quinze ans. Il y avait aussi un mot de sa sœur. Elle s'informait des conditions de son retour. Il allait y répondre quand la sonnerie du téléphone le fit sursauter.

C'était Monique.

— Serais-tu devenu voyant? Gaston – c'est notre coursier, Gaston comme dans Gaston Lagaffe, oui… – Bon, Gaston est allé voir. Effectivement, il y a un bout de papier scotché à l'entrée. Non seulement on y annonce des livres exactement dans les termes que tu m'as rapportés, mais surtout il renvoie à la même adresse. Comment le savais-tu?

— Je ne le savais pas…

— Qu'est-ce que c'est que cette histoire? fit Monique, qui n'insista pas.

Elle était habituée aux manières de Paul, qui avait souvent l'art de compliquer les choses en voulant par trop les simplifier. De plus, elle attendait un important appel d'un avocat d'une partie adverse. Aussi se contenta-t-elle de lui rappeler gentiment leur rendez-vous.

— Je te dirai ça tout à l'heure.

L'information confirmait donc ce qu'il avait deviné: l'homme de rien avait choisi d'annoncer ses livres dans les quartiers huppés, sachant pertinemment qu'il offrait des livres à la portée exclusive de gens aisés, comme il s'en trouve à Westmount et à Outremont.

Cette conclusion soulevait une question: pourquoi diable alors choisir comme point de vente un minable appartement éloigné de cette clientèle?

Mais Letendre n'interprétait-il pas ces circonstances avec une suspicion exagérée ? Cette affaire pouvait bien n'être que ce qu'elle lui avait paru d'abord : quelqu'un qui désirait écouler des livres usagés. Le fait que parmi son inventaire il se soit trouvé un ou deux ouvrages de grande valeur ne rendait pas nécessairement la situation mystérieuse. Son imagination était-elle en train de s'emballer à outrance ? Déjà, lorsqu'il avait publié ses deux romans, on lui avait reproché ses débordements fantaisistes...

En attendant Monique, il rangea des livres ramenés de Paris et régla quelques factures, en lorgnant du côté de l'ouvrage de Laclos qui pourrait lui permettre d'en liquider d'autres (à condition qu'il mette la main sur le tome un) et même de bonifier un peu son fonds de retraite. Pas question qu'il garde sa trouvaille pour lui : c'était un trésor qu'il ne pouvait s'offrir.

Il aperçut Monique avant qu'elle ne franchisse le seuil : sa silhouette se découpait dans le soleil frappant la grande fenêtre. Elle n'eut pas besoin de sonner. Dès qu'elle passa la porte, elle chassa toutes les cogitations de Letendre. Chez elle tout était joli : les yeux – fascinants et profonds, couleur fauve comme ses cheveux –, la peau, diaphane et mate, la bouche, aux lèvres juste assez charnues pour attirer les baisers et manifester une certaine malice intelligente qui séduisait les hommes. À quarante-quatre ans, son corps était celui d'une femme dans toute sa plénitude. Pour éviter que ses attraits ne fassent d'elle une beauté facile, ce qui aurait été un handicap dans l'exercice de sa profession, elle affichait au besoin une expression ferme, de sorte que certains lui reprochaient parfois une attitude rigide, voire cassante.

Letendre l'avait rencontrée à l'occasion d'un lancement, par l'entremise d'un ancien journaliste avec lequel il avait travaillé pour une feuille de chou du temps de ses études en lettres. Alors que Letendre avait assez rapidement déserté la voie du journalisme (la nouvelle, le scoop, ne l'émouvant d'aucune manière), son ami avait poursuivi une belle carrière dans le métier puis fondé sa propre maison d'édition. Aujourd'hui, il possédait une pléthore de magazines et le dernier, celui qu'on lançait ce soir-là, avait un tirage potentiel de cinquante mille exemplaires au Canada et en Europe.

Letendre se tenait un peu en retrait, après avoir attrapé un verre de champagne sur le plateau d'un garçon circulant entre les invités, quand elle l'avait abordé :

— Vous semblez vous ennuyer.

Il l'avait regardée, l'air étonné. Pourquoi une si jolie femme lui adressait-elle la parole ? Il avait tenté d'être brillant et drôle :

— J'aime la douceur de l'ennui…

Elle avait alors fait cette mimique qu'il lui avait vue si souvent depuis, une sorte de rictus consistant à avancer les lèvres avant de les ramener dans un pincement, comme si elle allait dire une énormité puis changeait d'avis. Ensuite, ils en étaient restés là pendant un moment, silencieux et probablement aussi mal à l'aise l'un que l'autre.

Il l'avait trouvée superbe, imaginée frivole. Elle lui paraissait plus jeune qu'elle ne l'était, comme il l'apprit par la suite, mais là où il ne s'était pas trompé, c'est sur la teneur de la réflexion qu'il s'était faite spontanément en la voyant : il avait devant lui une femme qui lui plaisait en tout point.

Depuis que la vie l'avait contraint à une sorte de célibat, longtemps il n'avait pas vraiment songé à courtiser la gent féminine. Pourtant, dans son milieu, celui des livres, de l'édition et de la promotion, il s'en trouvait plusieurs qui étaient à la fois attirantes, intelligentes ou émouvantes. Aucune n'avait pourtant réussi à l'intéresser, et il n'avait eu aucune liaison sérieuse.

Avec cette femme, c'était différent. Il en était persuadé.

Avant qu'elle ne se détourne pour se fondre avec les autres invités, il avait eu le réflexe de se présenter :

— Je m'appelle Paul Letendre.

Elle avait regardé un moment la main qu'il lui offrait, l'avait finalement prise en répondant sur le même ton :

— Et moi, c'est Monique…

Elle allait donner son nom de famille, quand la voix de Jacques Mercier s'interposa entre eux :

— Me Legault pour être plus précis. Monique est avocate chez Burnstein, Pollack et Miron.

Bêtement, Letendre avait laissé échapper :

— Ah ! bon…

Et Jacques les avait regardés avec un sourire entendu.

Avait-il senti qu'il se passait quelque chose entre Paul et Monique ? Cela se voyait-il ou est-ce que Letendre nageait encore dans les méandres fertiles de son imagination ? Quelqu'un, une jeune femme, était alors venu prendre Monique par le coude.

— Maurice Coda arrive.

C'était l'artiste qui faisait la couverture du premier numéro de *La Vie de l'art*.

S'enhardissant, Letendre avait suggéré :

— Si on allait s'asseoir ?

Sûr de lui, il avait alors pris les devants, convaincu que Monique choisirait de le suivre plutôt que la jolie personne qui l'invitait à aller à la rencontre de l'artiste. L'un en face de l'autre, séparés par une table ronde pas plus grande qu'un napperon, leurs genoux se touchant, ils ne s'étaient d'abord rien dit puis avaient échangé des banalités pendant qu'ils s'observaient, s'évaluaient. Peu à peu la conversation s'était amplifiée, et ils avaient parlé de plus en plus vite, comme pour profiter au maximum du temps qu'ils avaient d'être ensemble. Leurs expressions trahissaient un trouble naissant qui les tendait l'un vers l'autre et cela était si manifeste qu'ils avaient craint un moment qu'on s'en aperçoive autour d'eux.

Pour faire aventureux, quitte à avoir l'air ridicule, Letendre avait proposé tout de go :

— Vendredi dix-sept heures trente, au bar du Ritz.

Jouant le jeu, Monique avait répondu :

— Entendu.

Et sans faire de chichis, le plus naturellement du monde, elle s'était levée. La soirée s'achevant, elle s'était dirigée vers la sortie.

Toute la semaine, Letendre avait douté, ramené l'événement à des proportions raisonnables, anticipé que Monique ne serait pas au rendez-vous. Lui-même avait envisagé ne pas s'y rendre, jugeant, tout compte fait, ce projet absolument farfelu.

C'est en pleine réflexion, alors qu'il se reprochait d'agir de manière si déraisonnable, que ce vendredi-là à dix-sept heures trente pile, assis au bar du prestigieux hôtel, il l'avait vue arriver. Elle était vêtue d'une jupe plissée de couleur rouge, d'un chemisier blanc, étroit, échancré à la lisière des seins, et ses cheveux bouclaient sur ses épaules. Lorsqu'elle s'était avancée dans la pièce, avec cette démarche difficile à définir, à la fois coulante et conquérante, Letendre n'avait pas été sans remarquer que tous les hommes présents la suivaient du regard.

Elle était venue vers lui alors qu'il se levait pour l'accueillir (pour bien montrer à la ronde que c'était lui, le chanceux que cette créature venait rencontrer). Lorsqu'elle lui avait tendu la main, il avait éprouvé la sensation de leur première rencontre : mais elle avait préféré aussitôt passer à une autre étape :

— On s'embrasse, non ?

Il avait posé un baiser sur ses joues et tiré un fauteuil. Maintenant, il était tout gauche et un peu désemparé. Il lui semblait que les choses lui échappaient. Monique souriait, détendue, la mine presque candide, par exprès, très certainement. Alors, Letendre s'était détendu à son tour et il avait passé une soirée délicieuse, qu'il avait failli gâcher en suggérant malencontreusement une suite, chez lui. Monique avait refusé sur un ton qui laissait percer un certain agacement..

— Non, je dois rentrer.

Stupide qu'il était, il avait oublié de lui demander une information élémentaire :

— Vous êtes mariée ?

Elle avait répondu dans une expression engageante :

— Divorcée, et toi ?

Elle l'avait tutoyé…

— Moi… C'est plus compliqué mais, bref, je vis seul.

C'était plus compliqué en effet, mais ça revenait au même.

Lorsqu'il était rentré chez lui ce soir-là, pour la première fois depuis longtemps, il lui avait pesé que la maison soit vide, situation à laquelle il était pourtant parvenu à s'habituer. Il avait mal dormi et au matin, il s'était rendu compte qu'il n'avait ni le numéro de téléphone de Monique ni son adresse. Rien. Un nom, seulement. Puis, il lui était revenu qu'il connaissait le nom du cabinet d'avocats où elle travaillait. Devait-il la relancer?

Pendant deux jours, il jongla avec cette idée, mais avant qu'il ne se décide, c'est elle qui l'appela.

— Monsieur Letendre?

C'était bien elle? Alors pourquoi lui donner du monsieur? Une pointe d'anxiété lui avait serré le cœur.

— Oui, c'est moi.

— Voici, je suis Monique Legault, avocate de chez Burnstein, Pollack et Miron. Je dois m'entretenir avec vous au sujet du dossier de votre associé.

Qu'est-ce que c'est que cette histoire?

Monique ne s'était pas laissé embarrasser par son silence et avait poursuivi sur sa lancée.

— Aussi, si cela vous convient, je passerai chez vous en fin d'après-midi, vers dix-sept heures trente.

C'est alors qu'il avait enfin compris : elle devait être à son bureau en présence de confrères, ou d'employés, et elle adoptait ce ton, et ces mots sans expression, pour leur cacher qu'elle faisait un appel privé. Alors, pour lui signifier qu'il avait compris, il lui avait répondu d'une manière tout à l'opposé :

— Je t'attendrai avec bonheur, Monique.

Et elle était venue comme promis à dix-sept heures trente exactement. Ponctuelle une fois de plus. Ils avaient beaucoup parlé, puis Letendre avait débouché une bouteille de Château La Gardine qu'il avait rapportée d'un voyage précédent. Elle s'était comportée avec une spontanéité qui ne pouvait qu'être franche, ce que Letendre avait apprécié. De fait, l'attirance qu'elle exerçait sur lui était telle qu'il avait failli verser dans la confusion et perdre, à quelques reprises, le fil de ses idées.

Monique était restée pour la nuit.

Quatre ans avaient passé depuis, et il était toujours amoureux.

Elle fit le premier pas, passa ses bras autour de son cou et lui donna un baiser plein de promesses. La pressant contre lui d'une main pendant que de l'autre il repoussait le battant, il lui souffla quelques mots.

Elle comprit qu'il voulait l'entraîner à l'étage, mais elle s'esquiva.

— Un peu de patience. J'ai faim, moi. Allons manger.

— Et tu vas venir me border ensuite?

— Je ne reviens pas sur mes promesses.

Elle suggéra qu'ils aillent manger chez Lévesque, rue Laurier : ils pourraient s'y rendre à pied. Letendre fit une légère moue : il trouvait l'endroit un peu cher.

— C'est moi qui t'invite. Puis la qualité des plats et du service vaut bien la dépense, non?

Letendre, très sensible à la manière dont on le traitait dans les restaurants, fut touché par ce dernier argument et ils partirent bras dessus, bras dessous.

L'endroit était bondé et on dut les asseoir vers l'arrière, près de la porte des cuisines, ce qui fit aussitôt grimacer Letendre.

— Au fond, tu es un gros ours... fit remarquer Monique en se renfrognant elle-même pour le moquer.

Ils commandèrent un plat de rognons, une tentation à laquelle Letendre ne pouvait résister. Cependant, il refusa de partager une carafe de vin, prétextant que dans l'état où il était, encore entre Paris et Montréal, l'alcool lui donnerait sommeil.

Aussitôt que le garçon eut pris la commande, Monique s'enquit :

— Alors... raconte !

— Le voyage s'est bien passé. Paris ployait sous le ciel bas qui lui est coutumier et...

— Tu te fiches de moi... Je voudrais que tu me parles de cette annonce de livres au tableau des 5 Frères.

— Ah ! Ça...

Devinant que Monique allait le tourmenter jusqu'à ce qu'il eût satisfait sa curiosité, il entreprit de tout lui raconter, depuis le téléphone d'Adrien jusqu'à sa visite chez le nommé Loucka, en passant par les états d'âme qui l'avaient assailli en pénétrant dans le quartier de Pointe-Saint-Charles.

Monique se montra sceptique au sujet du vendeur. À son avis, Letendre s'était comporté avec trop de désinvolture.

— Tu crois vraiment qu'après-demain il t'attendra avec le tome un ?

— Mais il m'a laissé le deuxième en échange d'un dépôt seulement...

— Quand même !

— Vois-tu, l'intuition qui me dit que tout ce qui a un rapport avec ce simple événement cache quelque chose d'énorme me conforte dans l'idée qu'il sera là après-demain avec le tome promis.

— De quelle intuition parles-tu ?

— Difficile à dire. Je te l'ai déjà raconté... Dans ma vingtaine, j'ai dû consulter un psychologue parce que je traînais une angoisse récurrente. Trop souvent j'appréhendais les malheurs, petits ou grands, qui allaient m'arriver. Et ils se produisaient exactement tels que je les avais entrevus. On m'a conseillé de cesser de cultiver ces prémonitions, de les rejeter au fur et à mesure. C'est ce que je suis parvenu à faire.

Il prit une gorgée d'eau alors qu'on déposait les plats sur la table. Puis, dépliant sa serviette sur ses genoux, il reprit :

— Dans cette histoire, voilà que ça me revient... Non pas que je devine ce qui va arriver, comme avant, mais j'ai l'impression qu'il y a là beaucoup plus qu'il n'y paraît. Tu comprends ? Que ça ne se résume pas à des livres anciens... J'ai la prémonition de m'être embarqué dans une aventure dont les contours, même s'ils m'apparaissent encore flous, sont menaçants.

— Pour toi ?

— Pour moi ? Je n'y avais pas pensé comme ça mais, oui, j'avoue que ça m'angoisse. Et il y a plus...

Sur le ton d'une confession, aurait-on dit, il lui confia combien le spectacle de la pauvreté l'avait choqué, avait fait naître en lui un indéfinissable sentiment de culpabilité qu'il ne parvenait ni à s'expliquer ni à éteindre.

— Installé confortablement sur la banquette arrière de ce taxi, j'ai presque eu honte... Honte d'être un voyeur, un intrus, quelqu'un qui...

Monique coupa gentiment ce débordement d'émotion :

— À t'entendre, tu as subi un traumatisme... Même si je sais fort bien que la misère des autres te touche, voire t'attriste, il n'en demeure pas moins que ce ne sont pas quelques rues d'un quartier ouvrier et la vue de ces mères de famille avec leurs enfants emmitouflés dans des vêtements dépourvus d'élégance qui ont pu te mettre dans cet état.

— Tu trouves que j'exagère?

— Non; mais je crois que tu t'égares. Des souvenirs que tu croyais enfouis au creux de ta mémoire ont dû ressurgir, ils t'ont ébranlé et…

Ce fut à son tour de l'interrompre:

— Qu'est-ce que tu veux dire?

— Est-ce que quelque chose à Pointe-Saint-Charles évoquerait chez toi un certain événement, un drame?

Letendre baissa les yeux. Il s'amusait avec un bout de pain qu'il roulait sur la nappe. Aussi, le regard plein de tendresse de Monique lui échappa, mais pas la douceur de sa voix lorsqu'elle murmura:

— Ces églises, Paul, ces églises…

D'un coup il sembla découvrir ce qui sourdait en lui. Il ramena ses mains sous son menton:

— Maintenant que tu le mentionnes… Deux églises plutôt qu'une, c'était pourtant bien assez pour me rappeler la disparition de Lise…

— … mais peut-être pas suffisant pour que tu fasses le tri de tes émotions. La mémoire est une chose, le cœur, une autre. Je ne suis pas psychologue, Paul, mais pour faire simple je dirais qu'il t'est resté de la disparition de Lise une blessure plus qu'un souvenir.

— Sans doute…

Quelques mois avant qu'elle ne disparaisse, l'épouse de Letendre avait pris l'habitude de se rendre un soir par semaine à l'église paroissiale d'un quartier semblable à

celui de Pointe-Saint-Charles. Avec un groupe de béné-
voles qui l'avait recrutée, elle aidait à la distribution de
vivres et de vêtements à des familles nécessiteuses. Un
soir de décembre, elle n'était pas rentrée. Letendre apprit
qu'elle ne s'était pas présentée à l'église; qu'en fait, on ne
l'avait pas vue depuis plusieurs semaines.

— Huit ans de cela, et je ne sais toujours pas ce qu'elle
est devenue, s'épancha-t-il. La police l'a recherchée et,
comme tu le sais, j'en ai fait tout autant. Au bout de quelques années, je me suis dit qu'elle avait peut-être délibérément choisi de disparaître, et je me suis résigné. Enfin,
je le croyais...

Il fit une pause et toussa légèrement pour s'éclaircir
la voix:

— Vois-tu, Monique, je peux bien te le dire: je ne suis
plus certain de vouloir connaître les circonstances de sa
disparition, ou celles de sa mort... Aujourd'hui, Christine et moi continuons de vivre avec sa présence, qui a
pris une autre forme...

Mais son attitude faillit aussitôt:

— Je dis ça mais, au fond, je sais très bien que si on
me rapportait le moindre indice, je me remettrais aussitôt
à sa recherche. Absolument.

Ces confidences l'avaient allégé. Il soupira et parvint
à sourire.

Les abats étaient tendres et goûteux à souhait. Il revint
sur sa décision au sujet du vin.

— Tout compte fait, j'en prendrais bien un verre. Un
verre seulement.

— On pourrait bien se partager un demi-litre, non?

— Va pour un demi-litre, mais pas plus, je ne voudrais
pas te dormir au nez.

Ils retournèrent rue des Ormes en traînant le pas. Monique s'extasiant devant les beautés du quartier habillé de blanc et Letendre parvenant presque à chasser les images de neige sale de Pointe-Saint-Charles, se disant qu'il exagérait certainement, qu'elles n'étaient pas si sinistres après tout.

À la maison, ils se préparèrent un café fort et Letendre posa sur la table sa précieuse édition originale. Monique ne fit aucun commentaire. Elle se borna à feuilleter l'ouvrage en hochant la tête comme quelqu'un placé devant l'inévitable. Letendre ne chercha pas à aller plus loin à ce sujet.

Passant dans son bureau, il lui montra ses trouvailles parisiennes.

— Tu as mis la main sur ça ! s'exclama à un moment Monique en prenant l'*Idiot* de Dostoïevski, dans la collection des œuvres complètes des éditions Rencontre.

— Oui. Tu connais ?

— Je l'ai lu alors que j'étudiais chez les ursulines. Je devais avoir seize ans. Tu me le prêtes ?

— Bien sûr. Je ne suis pas étonné que tu aies aimé ce roman à cet âge. Christine et ses amies rêvaient toutes du prince Mychkine, peut-être à cause de sa douce folie, de sa candide honnêteté. J'imagine qu'il aurait pu ressembler à Loucka, avec ses airs non provocateurs, son effacement tranchant avec l'attitude de ceux qui tenaient tant à briller autour de lui.

— J'aime quand tu me parles littérature. Tu ne le fais jamais à la manière d'un intellectuel. Et ça me change tellement du bureau.

Elle était avocate depuis un peu plus de vingt ans maintenant et lorsqu'elle était avec Letendre, il lui était possible d'oublier le droit, ses clients et ses dossiers. Déjà qu'elle ne fréquentait personne de sa profession hors du bureau, avec lui c'était une évasion complète.

Son parcours professionnel avait été l'inverse de celui de son père. Alors que ce dernier avait commencé sa carrière dans la pratique privée pour devenir ensuite professeur à l'université, elle était passée à l'enseignement sitôt sa maîtrise en droit d'auteur obtenue. Elle avait été recrutée quelques années plus tard par un grand bureau impressionné par l'expertise démontrée par la jeune femme dans une célèbre cause de plagiat.

Letendre aurait pu l'entretenir encore à propos de l'*Idiot,* dont certaines sommités littéraires affirmaient que c'était le plus grand roman de tous les temps, mais ils avaient tous deux la tête à autre chose.

À l'étage, Monique ne se contenta pas de le border. Elle se lova contre lui dans les couvertures après qu'il l'eût observée se déshabiller, révélant un corps qu'il connaissait par cœur, ce qui n'atténuait cependant en rien son désir.

CHAPITRE 4

Il dormit ferme jusqu'à huit heures le lendemain matin. Monique était déjà levée. Une odeur de café montait de la cuisine, où il la rejoignit.

— J'ai tout préparé mais, maintenant, il faut que je me sauve.

Elle l'embrassa du bout des lèvres et ajouta :

— En passant, j'ai aussi nourri l'Être et le Néant.

— Et servi le repas de l'ours, ironisa Letendre.

Cette dernière remarque fit sourire Monique. Elle partit de bonne humeur.

Sur la table, Letendre trouva *La Presse* à côté de son couvert. S'il avait presque vaincu les désagréments du décalage horaire, il se sentait quand même encore un peu perdu et la première chose qu'il vérifia fut la date du journal. On était le 20 décembre, un mardi, le jour de la femme de ménage : Mᵐᵉ Tremblay allait être là d'un instant à l'autre. Il expédia son petit-déjeuner et monta s'habiller.

Le bulletin météo prévoyait de nouvelles précipitations.

Les virevoltes des flocons qu'effectivement il observa de sa chambre le réjouirent. Il se revit enfant, l'année où son père avait acheté la maison et que le parc, en face, s'était transformé en un lieu enchanteur dans la féerie de la première neige. Letendre se laissa bercer pendant un bon moment par ce souvenir heureux, puis revint à sa condition actuelle comme on reprend le collier du quotidien. Dans cet état d'esprit, résolu à payer toutes ses factures, il passa dans son bureau. Aussitôt installé, il se dit qu'il devrait se rendre au Marché du Bon Goût pour regarnir son garde-manger et son congélateur. Adrien l'agonirait certainement de questions à propos de l'homme de rien.

C'est à l'instant précis où Mme Tremblay s'approchait de l'entrée qu'il reçut un appel qui allait profondément perturber ses prochaines semaines. La voix lui parut d'abord très impersonnelle, une voix d'homme sans particularité, à part d'être un peu rauque.

— Monsieur Letendre? Paul Letendre?

— C'est moi, répondit-il sèchement, croyant qu'il s'agissait d'une sollicitation téléphonique. Il fut désarçonné quand il entendit son interlocuteur le détromper.

— Ici Vincent Labrosse, de la police de Montréal. Monsieur Letendre, connaissez-vous le 333, rue Centre, à Pointe-Saint-Charles?

— Oui (*j'aurais dû nier…*). Puis-je savoir pourquoi?

— Nous vous en informerons sur place, et nous passerons vous prendre chez vous.

— Je doute pouvoir être prêt avant une bonne heure, et même, je ne sais pas si…

D'autorité, le policier lui coupa la parole.

— Le 49, des Ormes à Outremont, c'est ça? (Il avait prononcé ces mots de manière détachée, comme s'il les avait lus au fur et à mesure.) Nous allons immédiatement vous faire prendre. Une de nos voitures sera chez vous dans les vingt prochaines minutes.

Le ton de la remarque heurta Letendre qui eut la velléité de rétorquer du même bois.

— Cela me semble un peu précipité...

Il eut un moment à vide, puis, à tout considérer, Letendre estima qu'il était préférable de se rendre à Pointe-Saint-Charles par lui-même. Imaginer qu'une voiture de police, avec gyrophares et tout le train-train, s'arrêterait devant chez lui, le mettait mal à l'aise. C'était d'ailleurs une situation que Noëlla Tremblay aurait vite fait de monter en épingle. Elle en userait même pour asseoir son autorité sur Paul. Justement, elle pénétrait dans le vestibule.

— C'est nouveau, ça... Vous n'ouvrez pas, aujourd'hui ?

— J'étais au téléphone.

L'humeur à pic de Noëlla n'avait rien d'inhabituel. C'était sans méchanceté. Dans l'entrée du bureau, elle aperçut les nouvelles piles de livres :

— Encore ! Vous ne pouvez pas vous en empêcher. Tous ces livres ! Vous n'aurez jamais assez de votre vie pour les lire tous !

— Je suis encore jeune...

À ces mots, sur une expression exaspérée, la femme de ménage tourna les talons vers le placard à balais où Letendre l'entendit farfouiller.

Il était maintenant neuf heures dix. Le gros de la circulation était passé. En fait, immédiatement après l'ouverture des bureaux et des commerces, c'était la période du jour où les rues de la ville étaient les plus dégagées. S'avisant du temps qu'il faisait, Letendre passa sa canadienne et enfila ses bottes. Il allait sortir quand il se rappela du chauffeur de taxi de la veille. Il décida de faire appel à ses services. Marion n'avait pas encore pris la route (ce matin-là, il avait décidé de s'accorder un petit répit), mais c'est avec bonne humeur qu'il accepta d'être rue des Ormes dans les plus brefs délais.

En attendant son arrivée, Letendre décida de faire quelques pas dans le parc pour se dégourdir. Marion klaxonna dès qu'il tourna le coin de la rue.

Les deux hommes se contentèrent d'un sourire poli quand Letendre monta dans la voiture qui prit aussitôt la direction de l'avenue du Parc.

À cause de la neige, un silence soyeux pesait sur la ville, les rues semblaient embellies et les trottoirs étaient presque propres. Le regard de Letendre rencontra un gamin qui se tenait à l'arrêt d'autobus avec une jeune femme au long manteau à la russe, sa mère très certainement, et tirait la langue pour attraper des flocons.

La voiture se rapprochait du centre-ville, où le sommet des gratte-ciel disparaissait dans le blanc du ciel bas, quand Marion demanda sur un ton détaché :

— M'aviez-vous dit où nous allions ?

— On va au même endroit… Je veux dire à l'adresse de l'autre matin.

Pourquoi Letendre eut-il l'impression que le chauffeur avait deviné sa destination ? Mais son malaise se dissipa quand il se rappela qu'il avait informé le chauffeur qu'il devrait retourner rue Centre chercher le tome un des *Liaisons* et il s'en voulut de sa méfiance.

Cette fois, la Pointe était uniformément blanche. Letendre vit que plusieurs immeubles étaient décorés pour Noël, ce qu'il n'avait pas remarqué la veille. Il fut soudainement intrigué par les cloches d'une des deux églises qui sonnaient à toute volée.

— Un enterrement, fit remarquer Marion.

Comme tout est relatif, songea Letendre. Dans ce tourbillon de neige réjouissante on aurait pu s'attendre à un mariage, à un baptême, mais avant qu'il ne pousse plus loin son raisonnement, son attention fut captée ailleurs, devant.

— Eh bien!… lâcha Marion.

En face du 333, des voitures de police étaient stationnées dans le désordre. Un ruban de plastique jaune barrait la voie, et une policière toute en jambes, l'air absent, détournait la circulation.

— Je crois que je devrai m'arrêter ici…

Letendre ne répondit rien, trop occupé par la scène. Il se contenta de descendre.

— Je vais vous attendre, lui lança Marion.

Sans commenter, Letendre remonta la rue, intrigué. À la hauteur de la policière, il s'identifia et justifia sa présence. La jeune femme (même en uniforme, elle ne paraissait pas avoir trente ans) porta sa bouche près d'un micro accroché au revers de son parka Kanuk pour annoncer l'arrivée de Letendre à un interlocuteur qu'elle appela lieutenant. Une voix lui grésilla quelques mots, et elle se rangea :

— Ça va, on vous attend.

Deux policiers se tenaient en faction devant la porte. Letendre crut qu'il devrait s'identifier de nouveau, mais il n'en fut rien. Il franchit le palier sans qu'on s'intéresse le moindrement à lui.

Il s'obligea à retenir ses pas, mais au fur et à mesure qu'il franchissait les paliers (cette fois la plupart des portes étaient entrouvertes et les locataires discutaient en jetant des regards vers le troisième étage), son cœur s'accélérait, non pas à cause de l'effort mais parce que la même sourde inquiétude qu'il avait éprouvée à sa visite précédente ressurgissait, intensifiée cette fois par la présence policière. Il avait l'esprit si préoccupé qu'il sursauta quand la porte de l'appartement de Loucka libéra un homme – un policier sans doute, en dépit de ses vêtements civils –, l'air si soucieux qu'on l'aurait dit de mauvaise humeur, qui se dressa devant lui.

— Monsieur Letendre?

Il avait dû entendre ses pas après qu'on l'eût annoncé.

— C'est bien moi.

— Je suis Vincent Labrosse, sergent-détective. C'est moi qui vous ai téléphoné.

D'un geste aussi poli que sans appel, il lui enjoignit de le suivre, s'écartant un peu pour laisser entrer Letendre, qui nota aussitôt dans l'appartement une odeur tiède, franchement désagréable. Dans la cuisine, quand il regarda du côté de la fenêtre en se disant qu'on aurait pu aérer, il s'aperçut qu'un groupe de curieux se formait près des voitures de police et qu'il en arrivait d'autres.

Trois policiers allaient, peu bavards et la mine préoccupée, de la cuisine à une pièce contiguë. L'un d'eux s'adressa à celui qui avait accueilli Letendre et qui semblait être son supérieur:

— Vous pouvez y aller, sergent.

Mais au même moment arrivèrent deux autres personnages, vêtus en civil. L'un d'eux, médecin légiste, accosta Labrosse de manière amicale et se tourna vers son acolyte:

— Vincent, je te présente Jean-Marc Boyer… Il est du laboratoire judiciaire.

— Très bien, répondit celui qui venait tout juste d'accueillir le collectionneur. Vous voulez bien attendre, juste un instant ?

Il revint vers Letendre, tenant ostensiblement une de ses cartes de visite entre deux doigts.

— Vous êtes Paul Letendre ?

Il tendit la carte en la retournant pour montrer ce qui y était écrit à la main.

— Vous êtes... ce Letendre-là ?

— En effet, c'est moi, oui.

— Connaissiez-vous M. Ales Loucka ?

Il avait dit quelque chose comme Luca.

— Non... qui ?

— Je ne prononce peut-être pas correctement son nom.

Il fit lire à Letendre le reçu rédigé au dos de la carte.

— Ah ! lui... Je l'ai rencontré une fois.

— Où ?

— Mais ici, pas plus tard qu'hier...

Le policier avait-il vraiment employé l'imparfait ; avait-il dit *connaissiez-vous ?*

— Et c'est une de vos cartes de visite ?

Letendre haussa les épaules devant l'évidence. Il s'attendait à ce qu'on lui pose d'autres questions puis qu'on l'éclaire, mais son interlocuteur changea brusquement d'attitude. Lui posant une main sur l'épaule, il l'entraîna dans une autre pièce.

La chambre, comme la cuisine, était sommairement meublée : un petit lit, rangé contre une cloison, une sorte de bahut défraîchi, une lampe torchère sans abat-jour, une armoire à laquelle il manquait un battant et une chaise près de la fenêtre. Au centre, le corps de l'homme à qui Letendre avait rendu visite, étendu en travers d'un tapis pelé, la tête près d'un pied de la chaise et les jambes à plat, bien droites, en direction de la porte. D'un mince trou noir à son front, on pouvait suivre le tracé d'un filet de sang jusqu'à l'arête du nez, le long de la joue, puis dans le cou et jusqu'au sol. L'odeur que n'avait pu identifier Letendre à son arrivée emplissait la pièce et l'incommoda au point où il crut qu'il allait vomir.

C'était son premier cadavre.

Jamais encore il ne s'était trouvé en présence de la victime d'un meurtre. L'esprit soudainement sens dessus dessous, il eut alors cette remarque qu'il regretta aussitôt, la jugeant irrespectueuse pour le mort :

— Mais pourquoi donc vous me montrez ça ?

Sa question demeura sans réponse, ce qui, au demeurant, lui parut tout à fait conséquent, et c'est sans demander son reste qu'il sortit de la chambre, ne se souciant d'aucune manière de ce qu'on penserait de sa retraite précipitée. Dans la cuisine, il retrouva Marion qui sentit le besoin de s'expliquer :

— Je suis venu parce que j'étais avec vous l'autre jour et que…

— Vous avez bien fait, l'interrompit Labrosse.

Marion s'avança timidement et glissa un regard vers le cadavre en écarquillant les yeux. Puis, il porta une main devant sa bouche.

Letendre ne sembla pas s'apercevoir du malaise du chauffeur et demanda à Labrosse :

— Vous n'avez trouvé aucun livre ?

La réponse de ce dernier fusa trop vite pour être un mensonge :

— Non, rien de tel… Peut-être n'habitait-il même pas ici, je trouve l'appartement trop peu meublé. Mais sait-on jamais, bien des gens parviennent à vivre dans la rue… Pourquoi, des livres?

Letendre faillit laisser tomber. Il devina cependant qu'une fois lancé sur cette piste, l'enquêteur n'allait pas le lâcher. Alors aussi bien raconter dans le détail sa rencontre avec Loucka. Et pour qu'on n'entretienne aucun doute à son sujet, il précisa exactement qui il était, et Marion, redevenu utile, se permit de corroborer le tout.

L'enquêteur hocha la tête.

— Bon. Vous pouvez y aller. Mais ne quittez pas la ville sans nous prévenir, nous pourrions avoir besoin de vous.

— Ce n'est pas dans mes intentions, je rentre tout juste de voyage.

En sortant de l'immeuble, Marion à ses basques, Letendre pensa, de manière un peu saugrenue dans les circonstances, combien il aurait aimé prendre une douche: l'odeur de cadavre, lui semblait-il, collait à sa peau.

Il y avait maintenant foule derrière le périmètre de sécurité et une nuée de micros l'assaillit dès qu'il en eut franchi les limites.

— Qu'est-ce qui se passe, là-haut?

— C'est vrai qu'ils ont trouvé un cadavre?

— Êtes-vous un parent?

D'un seul geste, Letendre tenta de repousser et les journalistes et leurs questions. Il remarqua qu'on le photographiait, que l'objectif d'une caméra de télévision le suivait.

Il prit Marion à témoin :

— Ils me prennent pour une vedette.

Une journaliste saisit le mot *vedette*.

— Quelle vedette ? Une vedette de la chanson, de la télé ? Vous l'avez vue, vous l'avez reconnue, qui est-ce ?

Ne sachant où donner de la tête et voyant qu'on lui barrait le chemin, Letendre s'en remit à Marion, à qui il demanda, tout penaud :

— Mais qu'est-ce que je fais ?

Investi de cette confiance, Marion joua le matamore : il dépassa son client, haussa la voix et, jouant de sa carrure, il repoussa la horde qui piaillait à qui mieux mieux.

— Laissez-nous passer !

Et pour les convaincre de laisser Letendre en paix, il y alla d'un mensonge.

— Nous n'avons rien vu du tout, nous sommes des fonctionnaires de la ville…

La neige s'était arrêtée de tomber. Le soleil se faufilait à travers un brouillard blanc qui masquait encore le bleu du ciel. Il projetait une lumière tamisée qui créait une ambiance inquiétante.

Letendre et Marion regagnèrent la voiture mais s'aperçurent qu'elle était bloquée au cœur de l'agitation. Rien d'une manifestation, mais quand même : hommes, femmes et enfants, tout ce beau monde descendait en grappes vers les voitures de police venues en renfort (elles étaient maintenant au nombre de cinq). Plusieurs se massaient dans le terrain vague devant le 333, debout sur la congère où Letendre avait vu les enfants.

Letendre comprit aux regards éloquents de Marion que le taxi ne pourrait quitter la rue.

Les cloches de l'église Saint-Charles s'étaient tues et s'il y avait tant de monde, c'est que les fidèles qui avaient assisté au service s'étaient maintenant joints au mouvement.

Letendre remarqua la modeste enseigne d'un café sur la droite. Il y entraîna Marion.

Quand ils eurent poussé la porte, le silence les accueillit. Letendre comprit que, comme il en est souvent dans les établissements de quartier fréquentés presque exclusivement par des habitués, leur présence dérangeait. Peu à peu cependant, alors qu'il avait pris place avec Marion à une table tout contre une fenêtre, les conversations reprirent.

Une jeune fille, les cheveux drôlement ramenés derrière les oreilles par des barrettes d'une autre époque, vint prendre leur commande. Letendre sourit en apercevant la jupe qui tombait à mi-cuisses sur les jeans, et les franges indiennes du chemisier qui complétaient le tableau psychédélique de la charmante personne. Se rappelant les déguisements d'adolescente de Christine, il commanda d'un ton amène :

— Deux cafés, s'il vous plaît.

Comme Marion ne disait mot, observant le grouillement à l'extérieur, il fit remarquer :

— Je ne comprends pas pourquoi la présence de policiers provoque tant d'agitation.

— Dans un quartier où il y a un si grand nombre de sans-emplois, c'est normal, on n'a rien d'autre à faire que de courir aux nouvelles.

La situation aurait pu être amusante si, en vérité, elle n'eût été tragique. Le corps d'Ales Loucka gisant sur le parquet poussiéreux aux pieds des policiers sans empathie, qui le mitraillaient de leurs appareils photos, prenaient ses mesures, ratissaient la pièce, n'avait rien de réjouissant. Que chantait Léo Ferré, adapté d'un poème d'Aragon, déjà? Ah! oui: *Est-ce ainsi que les hommes vivent?*

Manifestement, le café avait été aménagé dans un appartement à peine transformé. Le propriétaire avait conservé les cloisons, et on servait les clients dans deux pièces, dont l'une avait dû être le salon et l'autre, la salle à manger. Letendre remarqua aux fenêtres les mêmes stores vénitiens que ceux de l'appartement de sa fille. Machinalement, il glissa un doigt sur l'une des lames.

— Il y a de la poussière?

La jeune serveuse apportait les boissons chaudes et la mine contrite, de ses beaux yeux d'écureuil elle avait remarqué le geste de Letendre qui se justifia maladroitement.

— Je passe mon doigt, comme ça. Une mauvaise habitude. Je suis désolé.

Marion sourit en laissant tomber un carré de sucre dans sa tasse. Il en offrit un à Letendre qui refusa, tirant aussitôt d'une poche de sa veste un des sachets de succédané qu'il gardait en permanence sur lui.

Le café, franchement savoureux, dépassait ses attentes. Deux fois Marion ouvrit la bouche, comme s'il n'osait pas, puis, faisant fi de toute retenue, il lança:

— Vous n'allez pas laisser les choses comme ça, non?

Letendre ne fut pas certain de bien comprendre la remarque, même s'il devinait que Marion parlait du mort.

— Laisser quoi, là?

— Le meurtre... les livres... tout ça.

Le front de Letendre se stria et il eut une moue qui ressemblait à du dédain. Le chauffeur de taxi insista :

— Vous n'allez pas renoncer à votre tome un ! Il y a quelques heures, vous étiez tellement emballé à l'idée de mettre la main sur l'ouvrage au complet… Et moi je suis certain que ce – comment il a dit, l'enquêteur ? Loca ? Loucka – en possédait d'autres, et des pas mal bons.

Ironique, Letendre dit :

— Je crois qu'il s'agit plutôt de Loucka et je crois aussi que vous pensez beaucoup trop, mon cher Marion.

— Comprenez-moi, c'est seulement que ces histoires-là m'intéressent.

— Quel genre d'histoire ?

— Des enquêtes. Oui, des enquêtes, c'est ça qui m'intéresse.

Il releva le menton, l'air résolu, comme quelqu'un qui y serait allé fièrement d'une importante révélation. Il continua.

— Je suis amateur des *Maigret.* J'en ai toujours dans ma voiture. Actuellement, je lis *La Tête d'un homme.* Vous connaissez ?

— Très bien. J'ai lu l'intégrale de Simenon, et plusieurs de ses titres à plus d'une reprise. Je me rappelle bien celui dont vous me parlez…

Marion l'interrompit d'un geste :

— Surtout, ne me dévoilez pas la fin !

Letendre ne sourit même pas. Il ne dit mot, mais à son air dubitatif et concentré, Marion comprit qu'il n'en réfléchissait pas moins au malheureux Loucka. À un moment, il se mit à penser tout haut :

— C'était mon idée, déjà quand je vous en ai parlé. J'étais persuadé que cet homme avait bien d'autres livres en sa possession. Des livres rares, j'entends. Mais également, et je ne sais pas pourquoi, j'ai pressenti quelque chose… Quelque chose de tragique.

— Moi aussi, voyez-vous. Pour vous dire la vérité, c'est pourquoi je vous ai attendu, je n'ai pu me résoudre à vous abandonner là.

— M'abandonner?

— Ben, je… Vous n'êtes pas de ce quartier… Disons que j'ai trouvé plutôt étrange que vous veniez ici chez quelqu'un – je l'ai vu à votre comportement – que vous ne connaissiez même pas. Je ne dirais pas que ça m'a paru louche, non, mais pas normal. Pas habituel, en tout cas.

Il fixait Letendre comme s'il lisait sur son visage la moindre de ses réactions. Imperturbable et réticent, ce dernier préféra changer de sujet:

— Dites-moi, Marion, vous n'êtes pas de Montréal? Il me semble que votre accent, un accent agréable, croyez-moi, n'est pas d'ici.

— Je suis de Québec, de la ville. J'ai grandi dans le quartier Saint-Roch. Vous connaissez, dans la Basse-Ville? Ça devient chic, maintenant.

Il prit sa dernière gorgée de café avant de continuer:

— Mais quand j'étais jeune, c'était la misère. Mon père était concierge chez Laliberté. À l'époque, c'était le grand magasin à rayons de la rue Saint-Joseph. Avec son maigre salaire, il n'a pas pu me payer des études. Le travail était rare. J'ai cru que ce serait différent dans la grande ville de Montréal. C'est ce que nous affirmaient les deux frères de ma mère et aussi la sœur de mon père qui habitaient le quartier Saint-Henri. Ma mère nous disait que c'était des vantardises et la première chose que j'ai apprise en arrivant, c'est qu'elle avait raison: mes deux oncles étaient le plus souvent au chômage et ma tante travaillait à temps partiel comme vendeuse au Kresge de la rue Notre-Dame. J'ai donc fait pas mal de petits métiers, vendeur moi aussi chez Morgan, aide-mécanicien dans un garage de la rue Dominion – une rue qui n'existe plus –, ouvreur au cinéma Rialto sur Saint-Denis et d'autres *jobines* encore. Un jour, un Allemand m'a offert de conduire l'un des taxis de sa flotte : il en possédait une vingtaine. Incroyable : je n'avais même pas de permis de conduire ! Je ne vous raconterai pas tout ça. Disons que c'était il y a trente ans et qu'aujourd'hui, je suis toujours derrière le volant, mais la voiture m'appartient, et le permis aussi. Vous savez combien ça vaut aujourd'hui, un permis de taxi ? Dans les cent mille dollars, minimum ! C'est mon fond de retraite et quand je vais raccrocher, j'ai l'intention de retourner dans ma bonne vieille ville de Québec.

— Moi aussi, j'ai fait chauffeur de taxi, lui révéla Letendre. Quand j'étais étudiant. J'ai détesté ça à en mourir. C'est pourquoi aujourd'hui je n'ai pas de voiture et j'évite de conduire. Vous avez une femme, des enfants ?

— Ma femme est morte d'un cancer il y a six ans… J'ai deux fils, instruits, l'un est vétérinaire et l'autre dentiste. Mais je suis seul car Yvan, le plus jeune, est en Alberta et Martin en Chine. Eh oui ! Il est dentiste en Chine !

— Il n'a pas trouvé de dents cariées au Canada ?

La blague dérida Marion qui joignit son rire au sien.

Dehors, finalement, la rue se vidait.

Sans attendre l'addition, Letendre déposa quatre dollars sur la table et ils sortirent alors qu'un véhicule aux allures d'ambulance passait devant eux en direction du 333.

— C'est la morgue…

Marion le suivit des yeux. Le conducteur se frayait habilement un chemin jusque dans le périmètre de sécurité. Les curieux (il y en avait encore un peu, ainsi que des journalistes) se rangèrent sagement, avec une retenue déférente :

— La mort en impose, laissa tomber Letendre.

Immobiles près du taxi, ils observèrent en silence le brancard qu'on sortait de l'immeuble et qu'on faisait rouler dans le fourgon. Après quelques instants, Marion proposa :

— On y va ?

Après un bref signe de tête en guise d'acquiescement, Letendre se glissa dans la voiture. Pour faire plus court, Marion vira U et lorsqu'il repassa devant les églises, il pensa tout haut :

— Les cloches vont bientôt sonner pour un autre office.

— Je ne crois pas, Loucka n'était probablement pas du quartier.

— Ah non ?

— Pensez-y un peu… Vous avez bien vu que l'appartement était quasiment une coquille vide. L'enquêteur lui-même m'en a fait la remarque.

— C'est vrai, ça…

Ils arrivèrent au bas de la rue Peel. Tel un troupeau indiscipliné, une grappe d'étudiants sortis de l'École des technologies et des sciences s'avançaient vers l'intersection en forçant le feu rouge. Marion dut éviter une jeune fille qui lui fit un doigt d'honneur, comme si c'était lui le coupable.

— Vous l'avez vue, celle-là? C'est le monde à l'envers!

En temps normal, son indignation aurait été partagée par Letendre, plutôt chatouilleux sur la politesse, mais il était trop pris par le cumul des événements pour réagir. Il se contenta d'un soupir indigné en guise de sympathie.

Lorsqu'un quart d'heure plus tard, ils s'engagèrent dans la rue Hutchison, Letendre se rappela qu'il n'avait toujours pas fait son marché. Comme il était près de midi, il demanda à être déposé rue Bernard, à la bouquinerie de sa fille. Avant ses emplettes, il pourrait l'inviter au café du Souvenir. Christine adorait leur salade au fromage de chèvre.

Au moment de descendre, il remercia chaleureusement Marion, qui lui rappela avec insistance de lui téléphoner aussitôt qu'il aurait besoin d'un taxi. Le chauffeur lui avoua qu'il aimerait bien connaître la suite de cette affaire et que, le cas échéant, il pourrait lui être d'une aide appréciable.

— Je connais la ville par cœur, sur toutes ses coutures et dans toutes ses couleurs. Par couleurs, vous comprenez ce que je veux dire? Je parle des différentes ethnies qui habitent Montréal, selon les quartiers.

— Je comprends, et j'en prends bonne note.

Letendre paya la course et ajouta un généreux pourboire.

CHAPITRE 5

La présence de deux clients, un père et son fils visiblement, qui fouillaient dans un bac de livres à cinq dollars placé près de la vitrine, ne gêna aucunement Christine qui vint à la rencontre de Letendre lorsqu'il pénétra dans la librairie. Elle se haussa sur la pointe des pieds pour déposer des baisers retentissants sur ses deux joues puis, souriante et la voix enjouée, elle lui reprocha gentiment :

— Tu ne devais pas me téléphoner, toi ?

— Je suis venu te voir, n'est-ce pas mieux ?

C'était une fille fraîche et pétillante, qui dégageait une aura de vitalité accentuée par une abondance de gestes. Quoique gracieuse et menue, elle paraissait bien d'aplomb sur ses jambes autour desquelles, ce matin-là, tournoyait l'ourlet d'une robe évasée dans des tons de bleu, sa couleur préférée. Une ceinture ouvragée, confectionnée par un de ses amis artisans, ceignait sa taille fine et des chaussures à talons plats, de même facture, lui donnaient la démarche souple d'une étudiante soucieuse de bien faire. Ses yeux se plissèrent lorsqu'ils se posèrent sur le visage de son père avec plus insistance :

— Tu es fatigué…

— Pas vraiment. Disons que je dors mal. Le décalage… Mais dans quelques jours, je serai vraiment de retour à l'heure de Montréal.

Le plus jeune des deux clients se tenait maintenant près de la caisse.

— Tu permets ?

Christine passa derrière le comptoir encombré de livres qu'elle estimait représenter des offres imbattables pour sa clientèle et parmi lesquels se trouvaient les deux volumes de la Pléiade regroupant vingt et un des romans de Simenon. Letendre dut faire un effort pour chasser aussitôt de son esprit l'idée du commissaire Maigret et ses enquêtes. Les livres voisinaient d'autres ouvrages, couchés ceux-là, et qu'il devina être des exemplaires de l'édition complète des œuvres du prolifique écrivain belge publiées aux Presses de la Cité.

Le jeune client paya les deux volumes qu'il avait choisis en fixant les yeux azur de Christine, qui ne fit pourtant qu'effleurer sa main en lui rendant la monnaie.

En attendant qu'elle se libère, Letendre erra dans le magasin, félicitant intérieurement sa fille pour la mise en place judicieuse et de bon goût du magasin. Des bibliothèques de bois naturel succédaient à des étagères artisanales de couleur chaude et sur des tables, pas trop chargées afin d'éviter la surabondance qui aurait trahi une intention de forcer la vente, des ouvrages à reliures riches appuyés sur des présentoirs vieillots. Il s'arrêta sur quelques titres, dont les *Cahiers* du très croyant et dévot De Châteaubriant, et s'amusa de trouver la série du théâtre de chambre de Jean Tardieu qu'il avait lui-même achetée d'un critique désirant élaguer sa bibliothèque. Il pensa un moment à la Cité des livres, nom qu'Anatole France avait imaginé pour désigner la boutique de son père sise sur le quai Malaquais. C'est là que le grand écrivain avait contracté sa passion des livres, comme il le raconte dans *Le Crime de Sylvestre Bonnard*. Avec une fierté paternelle bien légitime, Letendre conclut que la rue Bernard valait presque les bords de la Seine quand les livres y avaient pignon sur rue de si belle manière.

Revenue auprès de lui, Christine s'informa de son voyage. Il en avait peu à dire sinon qu'il rentrait déçu : son éditeur parisien lui avait fait part des ventes décevantes du *Letendre*.

— Trente-cinq mille, à peine, dans l'ensemble des pays de la francophonie, excluant le Québec. Selon François (François Couture, directeur des éditions *Pensez-y*), il est possible qu'Internet me nuise.

— Je te l'ai dit et répété, papa, il te faut d'urgence un site Web.

Letendre fit mollement oui de la tête, pas du tout convaincu. Il tardait toujours à reconnaître la nécessité d'innover. Tout de même, désireux d'éviter des frais d'interurbain, il s'était mis à Internet pour la correspondance. Dans ce domaine, il était vraiment converti.

— Cela ne représente pas un gros investissement, tu sais. On fait numériser le *Letendre* puis on ajoute un logiciel. Téléphone à Sébastien – c'était son cousin, ingénieur en informatique – il va t'expliquer. Peut-être même qu'il pourra créer ton site.

Une femme entra et se dirigea tout droit vers le comptoir où elle posa son sac avant de se débarrasser de son manteau, qu'elle alla pendre à une patère au fond de la boutique.

— Bonjour, madame Pelletier, lui lança Christine.

Comme si elle revenait soudainement à la réalité, la femme regarda le couple que formaient Letendre et sa fille et afficha une humeur des plus aimables que ses mouvements pressés, en entrant, n'avaient pas laissé soupçonner.

— Bonjour, Christine! Et vous aussi, monsieur Letendre.

Ce dernier profita de cette pause pour annoncer à sa fille qu'il l'invitait.

— Je vais faire mon marché et je reviendrai te chercher. Nous irons manger au café du Souvenir.

— Mais tu n'en as pas assez, de manger au restaurant, après dix jours de vie parisienne?

Avec une mine coupable, il plaida l'innocence:

— C'est comme ça...

— Écoute, voici ce que je propose: tu fais ton marché et moi dans, disons, trois quarts d'heure, je te rejoins devant le magasin d'alimentation. Je t'accompagnerai ensuite à la maison. On préparera le dîner ensemble (elle avait dit ensemble, mais la participation de Letendre, elle le savait, allait probablement se réduire à piler les pommes de terre), et ensuite je passerai l'après-midi avec toi. Deux étudiantes que j'ai embauchées pour la période des fêtes vont venir prêter main-forte à Mme Pelletier. À trois, elles vont suffire à la tâche. Je reviendrai pour la fermeture.

— D'accord, ça me va, ma grande.

Il sortit et se dirigea vers le Marché du Bon Goût. Des livreurs, garés en deuxième file, encombraient allégrement les trottoirs et portaient moult marchandises vers les commerces égayés pour la saison. Un chien le suivit pendant un moment, jusqu'à ce qu'un cri de femme, aigu et déplaisant, rappelle la bête auprès d'elle.

Le marché était bondé. En entrant, Letendre ne put faire autrement que de remarquer la petite annonce de Loucka. D'autorité, il l'enleva et la froissa au fond de sa poche. Adrien, qui ouvrait la porte à un vieil homme chargé de sacs, surprit son geste.

— Alors, ç'a été ?

Letendre passa devant.

— Suis-moi, je vais te raconter. Tu peux ?

Le jeune Africain consulta sa montre.

— Ça *adonne* bien, c'est l'heure de ma pause !

Ce disant, il retira son tablier afin que les clients ne le relancent pas dans les allées. C'est lui qui prit un caddie et ils enfilèrent la première rangée, celle des conserves et des céréales. Ils se consultèrent à peine sur les produits que devait acheter Letendre pendant que ce dernier racontait tout, depuis sa première visite au 333, rue Centre, jusqu'à l'instant où il s'était retrouvé devant le cadavre de l'homme de rien.

— Tu as déjà vu ça, le cadavre d'un homme assassiné ?

— Non.

— Ça donne un coup. C'est comme si... Je ne sais comment dire.

Quand ils passèrent à la caisse, Letendre conclut :

— De sorte que j'ai payé mille dollars et comme je n'ai pas le tome un...

Il fit un signe de néant.

— Mais vous n'allez pas en rester là...

— Comment ? Toi aussi ?

La mimique d'Adrien fut dubitative.

— Moi aussi, quoi ?

— Rien. Je pensais...

Il pensait juste, car aussitôt Adrien suggéra :

— Vous n'allez pas abandonner ? Il faut continuer de chercher ce livre : vous avez déjà payé mille dollars et c'est la trouvaille du siècle.

— Trouvaille du siècle, trouvaille du siècle... Il ne faudrait quand même pas exagérer.

Et après un moment, il concéda :

— Il n'empêche que j'aimerais bien mettre la main dessus.

Sur ces mots, Christine arriva avec ses sacs de jute dans lesquels elle transborda les denrées que Letendre et Adrien avaient mises dans des sacs de plastique. Adrien l'aida avec un air repentant et en moins de deux, tout était remballé, et Christine prête à partir avec son père.

Avant, elle fit une pause, puis disparut dans les allées pour revenir avec une livre de beurre.

— La dernière fois que je suis allée chez toi, il a fallu se contenter de margarine... As-tu acheté du beurre depuis ?

— Non...

— Une chance que je suis là, dit-elle dans un sourire moqueur.

— Et toi, Adrien, tu viens avec nous ? s'enquit Letendre.

— Je voudrais bien, mais je ne peux pas. On est ouverts jusqu'à vingt et une heures.

Le père et la fille partirent pour la rue des Ormes dans la voiture de Christine. Quand ils arrivèrent chez Letendre, des employés de la ville décoraient un sapin dans le parc et des enfants rieurs leur tournaient autour, fascinés par la lumière joyeuse des guirlandes qu'on accrochait aux branches.

Se retournant dans l'entrée, Christine reprocha gentiment à son père de n'avoir pas encore décoré l'extérieur de la maison.

— Quand je suis parti pour Paris, il me semblait que c'était trop tôt et depuis que je suis rentré, je n'en ai pas eu le temps.

— On va s'y mettre tous les deux après dîner.

Christine prépara un repas simple, galettes de steak haché et pommes de terre en purée, et ils mangèrent en parlant des affaires de la librairie, florissantes en cette période. Ensuite, la jeune femme se rendit dans le bureau voir un peu ce que son père avait rapporté de Paris pour la librairie. Letendre avait rangé les livres (quelques douzaines) dans des cartons et elle les sortit un à un avec des gloussements presque gourmands.

— Ça va nous permettre de renouveler un peu la mise en place : je pensais justement à changer la disposition et, tiens ! je mettrai ces *Mémoires de la comtesse de Boignes* dans la vitrine.

— Tu n'as pas peur que le soleil les abîme ?

— Ils n'y resteront pas assez longtemps pour ça. Ils vont vite trouver preneurs. Même que... Même que je vais téléphoner à mes passionnés de l'Ancien Régime et de la Révolution, et je les vendrai probablement bien avant de pouvoir les exposer.

Lorsque l'inventaire des livres fut terminé, l'un et l'autre prirent une boîte qu'ils allèrent déposer dans le coffre de la voiture.

De retour à l'intérieur, Christine repéra le livre de Laclos au centre du bureau et le prit, l'expression ébahie.

— Oh là, là ! Est-ce vraiment ce que je pense ?

Elle lut le titre et, en habituée, remarqua aussitôt qu'il s'agissait du tome deux.

— Et le premier, tu l'as mis où ?

— Je ne l'ai pas, justement.

— Justement, quoi ?

Alors il la pria de s'asseoir et fit de même pendant que l'Être venait se lover sur ses genoux. Selon ses habitudes, le Néant alla plutôt se rouler en boule dans le bac à fleurs, un ancien berceau, où il avait fait son lit entre un coléus et un cactus de Noël.

Quand Letendre eut tout raconté de sa mésaventure, il demanda sans détour à sa fille :

— Qu'est-ce que tu en penses ?

La libraire – car c'est elle qui répondit davantage – fit la moue et, sur un ton presque sentencieux, trancha :

— Je crois que tu t'es fait avoir. Par les événements tout au moins.

Le trait était conséquent, mais il ne faisait en rien avancer les choses. Souvent, lorsque Christine abordait l'administration de la librairie et les problèmes reliés à son exploitation, elle adoptait cette attitude rigide, voire compassée. Letendre estimait ce comportement un peu puéril, mais il se gardait d'en faire reproche à sa fille car, à tout considérer, Christine était une excellente gestionnaire.

— Il s'agit quand même de mille dollars, ajouta-t-elle encore.

Plus tard, lorsqu'il lui arriverait de se demander comment, mais comment il avait pu s'embarquer dans cette aventure, il se souviendrait que c'est à ce moment précis qu'il avait arrêté sa décision : oui, il allait se mettre à la recherche du tome manquant. D'autant qu'il pourrait du même coup trouver d'autres livres de grande valeur. N'était-ce pas sa profession que de débusquer des éditions rares ? On ne laisse pas un ouvrage telle une édition originale du roman épistolaire de Laclos se perdre entre des mains profanes. Ou criminelles ? Il frissonna...

Sur le moment, sa résolution le soulagea. Puis il s'enthousiasma devant la perspective de réaliser un joli profit conforme à ses premières prévisions. Il reconnaissait son côté un brin rêvasseur, mais cela ne l'avait jamais empêché d'être rigoureux, jusque dans ses moindres projets. Il avait d'ailleurs l'habitude de répondre aux sceptiques : « Mes rêves, je les vis dans la réalité. »

Pendant qu'il jonglait ainsi, son regard s'était posé sur une des bibliothèques de son bureau, un meuble en encoignure qui se dressait près de la grande fenêtre, et quand il revint à Christine, il vit qu'elle fixait sa collection de romans policiers.

— Je ne t'en veux pas, tu sais.

— Je sais, Christine. Mais tu as raison. Dès demain, je vais m'y mettre...

Elle quitta son fauteuil, la tête déjà ailleurs. Elle ne s'attardait jamais indûment sur un sujet : ses idées allaient au galop.

— Est-ce qu'on n'a pas dit qu'on installerait les décorations de Noël ? Je vais les monter de la cave.

Elle sortit de la pièce, suivie par l'Être qui lui emboîta le pas.

Une demi-heure plus tard, les doigts aussi rouges que le bout de leur nez, le père et la fille avaient fait courir une guirlande sur la rampe de la véranda, puis suspendu une couronne de gui à la porte et une étoile de Noël à la fenêtre. Passant au salon, ils décorèrent l'arbre artificiel que Letendre avait acheté quelques années auparavant, un vrai sapin représentant un trop grand risque d'incendie à son avis. Satisfaits de leur travail, ils s'accordèrent ensuite un verre de porto. Du temps de Lise, c'était une tasse de chocolat mousseux et fumant qui couronnait cette étape…

Ils n'eurent pas le temps d'épiloguer sur leurs souvenirs communs : Christine devait regagner sa librairie où on l'attendait.

CHAPITRE 6

Puisque Letendre se devait d'avoir les idées claires le lendemain et que déjà ses paupières s'alourdissaient, il monta se glisser dans ses draps de finette et prit sur sa table de chevet le dernier tome (le dix-huitième) du *Journal littéraire* de Paul Léautaud. Bien vite, il le posa et s'enfonça cette fois dans le dernier ouvrage d'Yves Beauchemin.

Depuis l'enfance, il n'avait pas perdu cette habitude : il lisait avant de s'endormir, où qu'il soit, exténué ou non. À l'hôtel, ou chez des amis, lorsque sa chambre était dépourvue d'une lampe de chevet, il n'hésitait pas à déplacer les meubles pour se donner un éclairage décent à portée de main. Autrement, sa nuit était gâchée : après une heure de lecture, il devait se lever pour éteindre et cet effort chassait sa somnolence. Alors, il rallumait, lisait encore un peu, allait éteindre, puis, son sommeil de nouveau perturbé, il revenait à la case départ, ce manège pouvant se répéter jusqu'à tard dans la nuit.

Ce soir-là, son rituel produisit l'effet escompté, un peu trop vite à son goût cependant. Après une cinquantaine de pages de *Charles le Téméraire*, il déclara forfait.

À son réveil, il ne traîna pas.

En s'habillant, il regarda le temps qu'il faisait : la journée allait être belle, puisque les restes de la nuit s'étiolaient dans une aube bien dégagée. Son regard s'attarda sur l'orme magnifique qui se dressait dans sa cour. Presque chaque matin, il l'admirait ainsi, pas peu fier de posséder encore cet arbre centenaire, alors que dans son quartier, les arbres de cette essence étaient presque tous morts, comme leurs semblables à la grandeur du Québec.

Une sensation de bien-être l'envahit à l'idée de retrouver ses habitudes : il allait se tartiner deux rôties avec du beurre d'arachide, nourrir les chats et gagner son bureau avec une tasse de café brûlant tout en écoutant les informations à la radio.

Les Liaisons le ramenèrent à sa décision de la veille.

Par où commencer ? Il ne disposait que de deux éléments certains : le nom de l'homme de rien et le fait qu'il avait été assassiné. Rien d'autre ? Si, son adresse.

S'étant plongé dans un mode opératoire, il lui revint en vrac quelques principes applicables aux enquêtes tels qu'ils se dégagent à la lecture de polars et d'autres écrits traitant des affaires criminelles. Cela ne fut pas aisé, car il ne lisait plus guère de romans policiers, à part un Simenon de temps à temps, ne s'intéressait aucunement aux faits divers, ne fréquentait que les cinémas de répertoire, et n'était pas un adepte de la télé. Il y avait eu une période, alors qu'il poursuivait ses études, où il dévorait les polars, mais rapidement il avait eu l'impression de tourner en rond. Quand même, il avait retenu que toutes les enquêtes avaient pour amorce la dernière personne ayant parlé avec la victime. Subséquemment venaient l'heure du crime, l'arme utilisée, le mobile…

À son grand désarroi, une autre évidence s'imposa à son esprit. Il pouvait bien se poser toutes ces questions et y répondre que cela ne le mettrait pas sur la piste du premier tome de l'ouvrage de Laclos.

Alors, qu'est-ce que je fais ?

Il se versa un deuxième café et s'installa dans son fauteuil, muni d'un bloc Rhodia tout neuf. Après quelques secondes de réflexion, il griffonna succinctement, le plus précisément possible toutefois, le peu qu'il savait de ce dont il se souviendrait plus tard comme « l'Affaire de l'homme de rien ».

Un homme de race étrangère vendait, le 19 décembre 2005, dans un appartement situé au troisième étage du 333, rue Centre, à Pointe-Saint-Charles, de vieux livres qu'il avait annoncés dans au moins deux magasins d'alimentation situés dans des arrondissements chics.

Il s'appelait Ales Loucka.

Le 20 décembre au matin, dans sa chambre, on l'a trouvé assassiné d'une balle dans la tête. Selon les policiers, il ne se trouvait aucun livre dans l'appartement.

C'était bien maigre.

Il ne pouvait en rester là ; faute d'être un policier, il devait compléter le peu qu'il savait en s'acharnant sur tous les détails accessibles au premier venu. Ensuite, en faire l'analyse pour ne garder que ceux sur lesquels il appuierait ses premiers raisonnements, échafauderait ses premières hypothèses.

Au préalable, il lui fallait connaître la nationalité de l'étranger. Pour ce faire, il savait qu'Internet était le moyen tout trouvé. Il choisit donc un moteur de recherche et tapa le mot *Loucka*. Plusieurs sites apparurent à l'écran, parmi lesquels celui d'une corporation qu'il devina, aux illustrations, être spécialisée en systèmes d'alarme pour les particuliers et dont la page Web s'étalait sur fond de carte de la République tchèque. Quand il entra ensuite *République tchèque*, il retrouva le patronyme de son mystérieux vendeur dans quelques rubriques portant sur l'histoire de ce pays de l'Est.

L'homme de rien était donc fort probablement tchèque. Letendre ne s'attarda pas à ce premier élément : il lui fallait en savoir davantage sur le personnage. Il jongla quelques instants puis, sur une inspiration subite, téléphona à Marion :

— Je vous dérange ?

— Non. Je me lève tout juste. J'ai travaillé très tard hier. Avec les fêtes…

Letendre consulta sa montre. Il n'était pas encore huit heures.

— Vous avez raison… J'ai le don de vous sortir du lit.

— Pas d'offense, monsieur Letendre.

— Je voudrais retourner à Pointe Saint-Charles. Vous pourriez m'y conduire ce matin ?

— Vous avez une heure précise en tête ?

— Non…

— Alors je viendrai vous prendre dans une trentaine de minutes.

— C'est parfait. Je vous attends.

Revenu à son ordinateur, Letendre vérifia ses courriels. Un message de Monique lui rappelait qu'elle passerait le week-end de Noël chez lui, et son éditeur français lui annonçait qu'une maison de Munich souhaitait acquérir les droits du *Letendre* en langues allemande et anglaise. Puisqu'il ne s'agissait de rien qui ne puisse attendre, il entreprit de créer un nouveau fichier qu'il intitula *Affaire Loucka* et dans lequel il transcrivit les notes qu'il venait de prendre. Il n'avancerait dans cette enquête que s'il usait d'une certaine rigueur, il en était persuadé. L'expression hermétique du sergent-détective Labrosse lui revint, et il se demanda si l'enquêteur de la police de Montréal ne procédait pas ainsi au début d'une investigation. Cette question l'amena dans des considérations très pragmatiques auxquelles il n'avait pas songé.

D'abord, il serait en concurrence avec les enquêteurs officiels, sans disposer d'aucun de leurs moyens techniques et légaux. Pas question pour lui, par exemple, d'obtenir des mandats de perquisition ou de détention pour interrogatoire, d'effectuer des arrestations, de bénéficier des informations du fichier d'identification des criminels. Il n'aurait pas droit aux rapports du médecin légiste, non plus qu'à ceux du coroner. Pis encore, il risquait d'être sévèrement rappelé à l'ordre si on s'apercevait qu'il menait des démarches parallèles à l'enquête officielle. Au point qu'on pourrait le soupçonner de servir quelque intérêt personnel pas trop avouable.

La somme de ses considérations remit un moment en question sa décision de s'embarquer dans une telle aventure. Il aurait peut-être renoncé si l'idée d'annuler son déplacement avec Marion ne l'avait pas embarrassé. Ensuite, il se dit que cette histoire était, en quelque sorte, venue le chercher depuis le début, depuis que la voiture de Marion avait pénétré dans le quartier de la Pointe-Saint-Charles. Il reconnaissait pour lui-même qu'il avait eu la nette impression de ne pouvoir échapper à un enchaînement d'événements. Cette histoire l'avait happé et elle ne le lâcherait pas tant qu'il n'en connaîtrait pas le fond.

Impatient de se mettre à la tâche, il n'attendit pas l'arrivée de Marion pour sortir. Mais aussitôt, il dut revenir prendre ses gants : son travail à main nue de la veille lui avait causé des gerçures. Quand il ressortit, il eut l'impression désagréable que le conducteur d'une Jaguar, qui remontait la rue au ralenti, l'observait ; mais l'arrivée du taxi chassa aussitôt cette idée.

— Bonjour, monsieur Maigret ! plaisanta Marion.

Letendre sourcilla et corrigea :

— Permettez… mais on dit Maigret, tout court, non ? Pas *monsieur* Maigret.

— C'est vrai, vous êtes un amateur, vous aussi. J'oubliais.

Un peu penaud mais pas démonté pour autant, le chauffeur porta sa main droite sur le siège avant et exhiba un exemplaire de *Maigret et son mort* en édition de poche, aux Presses de la Cité.

— Vous vous souvenez de celui-ci ?

— Bien sûr, Maigret y enquête sur la mort d'un Tchèque dont le corps est retrouvé place de la Concorde. Vous ai-je dit que mon vendeur de vieux livres était un Tchèque ?

— Non…. Et j'ai mis la main sur ce roman ce matin, comme ça, sans me douter qu'il s'agissait du meurtre d'un Tchèque ni que… C'est quelque chose, non ?

— En effet.

Prenant un air docte, très sérieux, Marion déclara :

— Sa méthode, à Maigret, c'est de s'imbiber des lieux du crime et de se mettre dans la peau du criminel.

— … et un peu de la victime aussi.

— Oui, bien sûr. Puis, il laisse le tout monter en lui comme monte la levure d'un pain de ménage dans lequel on n'aurait ajouté aucun colorant, essence artificielle ni agent de préservation. Vous voyez ce que je veux dire ?

— C'est tout à fait ça.

Il y eut une longue pause dont Letendre profita pour revenir à Loucka et à son enquête. La silhouette de Maigret, lourd, taciturne, s'interposa bien un moment mais il l'ignora, ne s'y reconnaissant d'aucune manière et s'estimant bien trop novice pour se permettre une telle comparaison, même caricaturale.

La rue Centre avait retrouvé son calme, ce qui lui conférait, à certains égards, une allure plutôt sinistre. Devant une boutique à l'enseigne de *Eylike,* un couple de couleur discutait mollement sur des chaises en résine de synthèse. À côté, un adepte de Bob Marley, cheveux à la rasta et épais collier de pacotille autour du cou, palabrait au-dessus d'une bicyclette avec un jeune homme au crâne rasé qui portait un jean déchiré aux genoux. Plus loin, devant un commerce de nettoyage à sec d'où s'échappaient d'épaisses vapeurs blanches, des enfants se partageaient une tablette de chocolat qu'ils avaient sans doute achetée au dépanneur voisin, dont les vitrines étaient à demi masquées par des réclames de cartes de téléphone.

— Arrêtez-vous ici, Marion. Nous allons marcher jusqu'au 333, histoire de…

— … de ne pas se faire remarquer. Ça va, j'ai compris.

Ce n'était pas exactement pour ça, ou du moins, ce n'était pas la seule raison : Letendre voulait s'imprégner du quartier, voir un peu comment c'était d'aller d'un commerce à l'autre, de croiser ses habitués, et de longer les façades qui bordaient la rue. En somme, il voulait tâter la vie de Pointe-Saint-Charles.

En vue du 333, il aperçut un groupe d'enfants, et il pensa au gamin qui lui avait ouvert la portière la journée de sa visite chez Loucka. Il ne le distingua pas d'abord, ce qui le déçut. Puis il le vit qui jouait avec quelques-uns de ses camarades, dont une petite fille vêtue d'un parka rose fluo. Ils s'amusaient à escalader le même banc de neige que l'avant-veille puis à le dévaler sur des morceaux de plastique servant de tapis à glisse.

Ignorant son nom, il ne pouvait interpeller l'enfant, mais celui-ci vint à sa rencontre lorsqu'il s'approcha.

— Vous êtes le monsieur de l'autre jour.

— … oui. Ça va?

Le garçon fit une sorte de grimace. La perspective de partir pour l'école dans quelques instants ne l'enchantait probablement guère. Letendre ignora cette attitude maussade et demanda:

— Dis-moi, l'autre matin, est-ce que quelqu'un d'autre est arrivé ici en taxi?

— Non. Catégorique!

— Tu en es certain?

— Personne ne vient ici en taxi, jamais. Sauf toi.

— Et tu n'as vu rien d'autre?

— Comme quoi?

— Bien, des inconnus dans une voiture ordinaire, ou dans une camionnette? Ou peut-être à pied. En somme, à part moi, tu n'as vu personne que tu ne connais pas?

— C'est plein de monde que je ne connais pas ici, même si je distribue les journaux.

— Je veux dire… des gens qui n'ont pas l'air d'habiter par ici.

— Non plus. Pis, je ne regarde pas ça, moi. L'autre jour, c'est parce que vous êtes arrivé en taxi. J'ai pensé que peut-être, si je vous ouvrais la porte…

Letendre réfléchit un instant.

— Je te donnerais des sous ?

L'enfant fit une moue évidente. Letendre se mordit l'intérieur d'une joue.

— À part ça, moi, je m'occupe de personne.

Sur ce, le garçonnet décida qu'il n'avait plus rien à dire et partit rejoindre sa compagne de jeu qui avait arrêté ses glissades pour observer la scène. Elle dardait sur Letendre des yeux pointus. Celle-là, pensa Letendre, sa mère l'a certainement prévenue contre les messieurs inconnus qui parlent aux enfants dans la rue. Aussi il hésita avant de rappeler le gamin. Mais tant pis, se dit-il.

— Viens ici encore un peu…

L'enfant vint se planter devant lui, les mains sur les hanches.

— Qu'est-ce qu'il y a, encore ?

— Tiens. Je te devais ça.

Prenant doucement une des moufles rouges de l'enfant, Letendre y déposa une pièce.

— Deux dollars ! Wow ! Merci, monsieur, je vais m'acheter un gros Caramilk.

Et l'enfant repartit en courant.

Letendre marcha vers le 333, où, avant d'entrer, il fit savoir d'un signe de tête négatif à Marion qu'il n'avait rien appris du jeune garçon. La porte n'étant pas verrouillée, il s'engagea dans l'escalier sans sonner. Les mêmes odeurs de cuisine l'accueillirent et il croisa de nouveau l'homme à la cigarette. Il s'arrêta dans l'intention de lui poser quelques questions mais l'individu, une expression fantasque et bourrue au visage, ne lui en laissa pas la chance.

— Tiens, ils vous ont déjà relâché, vous !

— Relâché ?

L'homme devait croire qu'il avait affaire à un suspect. Sans doute avait-il même répandu cette idée dans tout l'immeuble. Les rumeurs se propagent à la vitesse de l'éclair dans le vase clos d'un triplex, et Letendre comprit qu'il ne servirait à rien de tenter d'obtenir quelque information des autres locataires, que tous le battraient froid. Ensuite, qui était-il pour se permettre d'interroger l'un et l'autre ? L'un d'eux aurait vite fait de prévenir la police...

Sur ces déductions, c'est sans savoir vraiment pourquoi qu'il se rendit néanmoins jusqu'à la porte de l'appartement de Loucka, où il constata qu'on avait apposé les scellés.

Lorsqu'il redescendit, l'expression de l'homme à la cigarette était telle qu'il fut convaincu que ce dernier lui trouvait une tête d'assassin.

Un assassin, ç'a une tête comment ?

Les vrais criminels n'existent pas, avait déjà conclu Maigret après une longue conversation avec son bon ami le docteur Pardon dans *Maigret se défend*, un des meilleurs titres de la série. Les criminels peut-être pas, mais les assassins si, se dit-il. Ils tuent leurs semblables, certains sous le coup d'une passion exacerbée, d'autres par pure vénalité, quand ce n'est pas sur commande. Les auteurs de ces derniers types de crimes devaient être les plus durs à débusquer n'ayant pas, à proprement parler, de mobile qui pourrait les trahir.

Voilà que je raisonne comme un pro !

Il arriva au pied du dernier escalier et sortit.

Sur le trottoir, Marion s'entretenait avec une vieille dame. Ses gestes, le timbre de sa voix, son air presque coquin, tout indiquait que le chauffeur lui faisait du charme. Sans doute pour faire parler la personne, pensa Letendre qui se tint à l'écart le temps de la conversation.

Quand Marion le rejoignit et que la femme eut repris sa marche en claudiquant un peu (elle s'appuyait sur une canne d'aluminium à triple pied), il ne put cacher sa curiosité. Marion ne le laissa pas languir :

— Elle est du quartier. Alors je lui demandais si elle n'avait pas remarqué des étrangers dans le coin ces derniers jours. Mais non, j'ai fait chou blanc.

Elle est du quartier...

Cela donna une idée à Letendre : à en juger l'extrême dépouillement de sa cuisine, Loucka devait prendre ses repas dans un restaurant des environs. Aussi proposa-t-il à Marion de faire le tour de ceux-ci.

— Allons-y, approuva Marion.

Ils remontèrent la rue Centre en direction de la rue Charlevoix. Letendre s'avisa qu'il n'avait jamais donné à Marion une description de l'homme de rien, ce qu'il fit de son mieux compte tenu de l'allure tellement effacée du personnage. Au restaurant *La Fine Pointe*, fort populaire à ce qu'ils purent en juger par l'agitation ambiante, ils s'entretinrent avec une serveuse qui se montra très coopérative, voire intéressée.

— Je travaille ici depuis vingt-deux ans. En fait, je n'ai jamais travaillé ailleurs. Je suis satisfaite de mon sort. Le propriétaire est grec, et il connaît son affaire.

— La réputation des restaurateurs grecs n'est plus à faire à Montréal, se permit d'interrompre Marion. Leurs établissements sont bien tenus, bien administrés, et ils savent choisir leur personnel.

Son compliment encouragea la serveuse.

— Les clients sont toujours les mêmes. Parfois, le dimanche matin, il y a de nouveaux visages à cause des activités culturelles qui se tiennent à la Maison Saint-Gabriel, pas loin. Ou encore, quand une famille fête l'anniversaire d'un aîné ou célèbre un baptême et qu'elle a de la parenté venue d'ailleurs. Je ne me souviens pas d'avoir vu un homme du genre que vous me décrivez, ni récemment ni avant. Un étranger, un Tchèque par-dessus le marché, je m'en serais rappelée… Ici, la plupart des clients me tutoient et je devine presque à tout coup ce qu'ils vont choisir sur le menu. C'est comme une famille…

Letendre eut l'idée de lui laisser sa carte au cas où, après coup, il lui reviendrait un détail.

Ensuite, ils s'arrêtèrent dans un café-bistrot (c'est ainsi que l'annonçait l'enseigne : *Café-bistrot la Petite Planète*). L'endroit était en fait un restaurant dont la clientèle, presque exclusivement étudiante, était pour la majorité réunie autour de tables rondes à discuter, pendant que de rares solitaires trompaient leur ennui au comptoir en lisant des hebdos culturels. Une agréable odeur de café torréfié flottait dans l'air. On fit peu de cas de leur présence, mais Letendre parvint tout de même à immobiliser une jeune serveuse qui courait presque entre les tables (*il y a ici un manque flagrant de personnel*) et choisissant bien ses mots pour faire court, il lui demanda si elle avait remarqué ces dernières semaines un homme de race étrangère, renfermé, timide même, mais constatant que ces indices étaient bien sommaires, il tenta un signalement plus conventionnel.

— Il est de petite taille avec une moustache…

La serveuse le coupa net.

— Je vois *ben* du monde, vous savez.

Marion intervint:

— Mais celui-là, vous l'auriez remarqué.

— Je dois vous dire que j'ai remarqué personne. Désolée, faut que j'y aille.

— Bien sûr. Merci quand même…

Quelques instants plus tard, ils pénétraient dans la taverne *Urbaine* qui faisait le coin. Un homme d'un certain âge, de mauvais poil, assumait seul à la fois le service, la cuisine et manifestement l'entretien, puisqu'à leur arrivée, il balayait le plancher. Il écouta, visiblement l'esprit ailleurs, et répondit sans un mot de trop:

— Je n'ai vu personne.

Ils n'insistèrent pas et se rendirent au *Bistro San Lucas,* à deux pas de la station de métro Charlevoix, pour sortir une fois de plus bredouilles.

Personne, semblait-il, n'avait aperçu Ales Loucka dans le quartier.

Letendre en était donc au point mort. N'ayant pas avancé d'un iota, il se trouvait ridicule d'avoir cru un instant qu'il aurait pu mener cette investigation.

De retour à la voiture, ni lui ni Marion ne trouvèrent rien à dire. C'est seulement lorsqu'ils furent arrivés au coin de l'avenue Parc et de la rue des Pins, où la circulation les immobilisa, que Marion émit enfin un commentaire:

— Ce Loucka, c'était un vrai courant d'air.

Lorsqu'ils se séparèrent devant le 49, des Ormes, il eut encore cette remarque:

— Mais j'y pense… Ça ne veut rien dire!

— Rien dire?

— Vous m'avez affirmé vous-même que c'était un homme de rien, alors il est normal que personne ne l'ait remarqué. Vous ne pensez pas?

Letendre accusa le coup, puis :

— Sans doute. Mais on n'est pas plus avancés pour autant.

— C'est vrai, ça aussi… Bon, si je pense à quelque chose, je vous appelle…

Seul dans son bureau, Letendre évalua à nouveau la situation et conclut que quelque chose clochait depuis le début. Pourquoi offrir des livres de grande valeur dans des magasins d'alimentation ? Pour ce genre d'ouvrages, il existe des réseaux professionnels, sur Internet entre autres, bien connus des amateurs. Il y avait fort à parier que Loucka connaissait la cote de l'édition originale des *Liaisons*. Letendre était par ailleurs convaincu que cet ouvrage ne s'était pas retrouvé parmi les autres, de moindre intérêt, par accident.

Ces belles réflexions ne le faisaient pas progresser pour autant. Et il devait faire vite, car suivant un des grands principes des enquêtes criminelles lui revenant à cet instant, les quarante-huit premières heures suivant le meurtre sont déterminantes.

Il alla prendre son courrier : il venait d'apercevoir la jeune postière qui lui avait fait signe par la fenêtre. Des factures, des factures… Et une lettre de sa banque qui lui suggérait d'ouvrir son hypothèque pour bénéficier d'une baisse des taux d'intérêts et, conséquemment, d'une réduction sensible du montant de ses mensualités. Il flaira le piège : c'était certainement une incitation au seul bénéfice de son institution bancaire. De toute manière, il n'avait pris une hypothèque que pour se garantir une marge de crédit, et racheter la part de sa sœur dans la propriété de la rue des Ormes dont ils avaient hérité à la mort de leur mère.

Est-ce cette idée de propriété qui lui amena l'idée d'une démarche susceptible de le faire avancer dans son enquête ?

Toujours est-il qu'il se dit que s'il pouvait découvrir l'identité du propriétaire du 333, rue Centre, il aurait peut-être une bonne chance de rencontrer quelqu'un ayant connu Loucka, ne serait-ce que comme locataire.

Il se mit à son ordinateur.

Avant de pouvoir consulter le registre foncier sur Internet, il lui fallait obtenir le numéro de cadastre du triplex. Pour ce faire, il devait communiquer avec le bureau des taxes municipales. Mais rien n'étant jamais simple, il lui faudrait d'abord acquitter les frais requis. Letendre n'avait donc d'autre choix que de se déplacer. Rappeler Marion ? Il trouva mieux : sur un simple coup de téléphone, aidée d'un jeune stagiaire de son bureau, Monique lui obtint le numéro de cadastre, une recherche de titres exhaustive, une copie du compte de taxes foncières, et lui télécopia le tout.

Le 333 était au nom d'un certain Sylvain Morin, dont l'adresse apparaissait sur le compte. De là, Letendre trouva sur un site d'information un numéro de téléphone qu'il composa aussitôt. Il se buta à un répondeur :

« Vous êtes au 663-8888. Si vous appelez pour l'appartement, laissez votre numéro de téléphone. »

Appelez pour l'appartement ?

Letendre venait de trouver son entrée en matière auprès du propriétaire de Loucka : il laissa son numéro, en précisant qu'il était à la recherche d'un trois pièces et demie à Pointe-Saint-Charles.

CHAPITRE 7

L'appel vint au moment où il avait décidé d'aller déblayer l'entrée, dans le seul but de se dégourdir, car depuis des années il laissait cette tâche à un jeune entrepreneur, ne se réservant que les bords de l'allée étroite longeant la véranda.

À la télé défilaient les dernières images du journal de France 2, dont il était un fervent habitué et qu'il regardait avec un mélange de curiosité et de détachement. À force, il en était venu à le surnommer *le journal de mes petites nouvelles* car, n'ayant rien de local, ce qu'on y rapportait ne le concernait pas vraiment. Il n'empêche que son intérêt était grand pour la scène politique française : on y jouait à répétition des drames éminemment théâtraux, parfois pathétiques, toujours surprenants, et dont les acteurs étaient souvent plus grands que nature. C'était le meilleur des feuilletons, la seule télé-réalité digne d'attention à ses yeux.

Il prit le combiné qu'emplit aussitôt la voix de Marion :

— Alors, du nouveau, M. Letendre ?

— Non. Ou plutôt si, mais très peu : j'ai obtenu le nom du propriétaire du logement de Loucka. Justement, je croyais que c'était lui qui me rappelait.

— Bonne idée, ça. Vous y êtes arrivé comment ?

— Par une firme d'avocats où, disons, j'ai mes entrées. En fait, mon amie Monique y travaille et elle a mandaté quelqu'un de son bureau pour effectuer la recherche au registre foncier.

— C'est bon: les papiers de la Cour sont une vraie mine d'informations.

Puis, le chauffeur de taxi changea de ton, comme s'il prenait la direction de la conversation:

— Écoutez, j'ai pensé que j'irais fouiner du côté de Notre-Dame-de-Grâce et de Westmount. Beaucoup de Tchèques s'y sont installés. Sur la rue Sherbrooke Ouest, en particulier, ils tiennent différents commerces. J'ignore qui, ou quoi, chercher exactement, mais je vais ouvrir les yeux et les oreilles… On ne sait jamais.

— Vous avez raison. Essayez de vous rapprocher des familles Loucka, s'il s'en trouve. Il faudrait également vérifier la présence d'un bouquiniste dans ce secteur.

Letendre pensait à la possibilité, même ténue, que les livres de l'homme de rien aient été refilés par l'assassin à un libraire de nationalité tchèque. Ce que comprit Marion:

— Ce serait trop beau!

Une voix grésilla dans l'appareil et Marion demeura silencieux pendant un moment. Marquant mal sa contrariété, il annonça ensuite avant de le quitter brusquement:

— M. Letendre, le répartiteur m'envoie au Marriott Château Champlain prendre des clients pour l'aéroport. Je vous rappelle!

D'un air inexpressif, Letendre revint à l'écran de télévision où explosait un char d'assaut aussi jaune que la poussière qu'il soulevait. Probablement l'Irak, grognat-il pour lui-même, alors qu'il était de nouveau dérangé par la sonnerie du téléphone.

— Vous avez laissé un message pour l'appartement?

Le timbre était anonyme et détaché, comme si l'homme au bout de la ligne avait été excédé. Sans doute devait-il être en train de rappeler plusieurs personnes ayant téléphoné à propos de l'appartement vacant. Cette attitude figea Letendre plus longtemps que raisonnable, si bien que l'autre sentit le besoin de le relancer.

— Allo? Il y a quelqu'un?

— Je suis là… J'ai effectivement laissé un message.

Il devait impérieusement convaincre cet homme de le rencontrer. Il ne s'y prit pas par quatre chemins:

— Un ami qui est passé en voiture rue Centre m'a dit avoir vu qu'un appartement était à louer au 333. J'aimerais le visiter. C'est possible?

— Il y a un moment qui vous convient?

— C'est quand vous voudrez. J'ai tout mon temps.

— Dans ce cas, je vous propose de me rendre à l'appartement demain avant le travail. Mais ce serait tôt…

— Tôt, comment?

— Comme sept heures trente.

— Pas de problème, j'y serai.

Heureux de la tournure des événements, Letendre passa son parka et sortit. Le temps avait fraîchi; on aurait dit que la neige n'en brillait que davantage sous les reflets des lumières de Noël. Elle était aussi légère que du sucre, et Letendre s'amusa à la lancer avec sa pelle pour la voir retomber en étincelles.

Lui-même se sentait léger, de bonne humeur. La soirée avançait et il n'avait pas sommeil. Lorsqu'il rentra, il se servit une boisson chaude et s'installa près de la cheminée pour terminer la lecture du dernier numéro de *Lire* qu'il avait acheté à Roissy.

Quand il monta à l'étage, il s'accordait parfaitement au défi qu'il s'était donné. Il retrouverait le premier tome de l'œuvre de Laclos.

Il dormit comme un enfant et si bien qu'à six heures, le lendemain, il était d'attaque. En se rasant, il entreprit de préparer sa rencontre avec le propriétaire de Pointe-Sainte-Charles. Il allait devoir feindre d'abord, puis y aller franchement. Aborder ce Sylvain Morin avec une amabilité bien dosée en espérant qu'un courant de sympathie passe entre eux, ce qui lui permettrait de parler ensuite de Loucka, comme si de rien n'était.

Lorsqu'il eut terminé son café, il téléphona – avec une certaine gêne – à Marion lequel, vingt minutes plus tard, se présenta à la porte. Il affichait une mine si réjouie que Letendre n'éprouva plus aucun remords de l'avoir relancé à l'heure des poules.

— Vous ne m'avez pas laissé le temps de commencer ma petite enquête chez les Tchèques, dit-il sans préambule, mais j'entends bien m'y mettre dès cet après-midi. Je me demande si ces gens parlent français… L'anglais, sûrement.

Letendre eut un air résigné :

— C'est un fait, la grande majorité des nouveaux arrivants choisissent l'anglais, la langue-passeport du pays. Ils ne semblent pas comprendre pourquoi ils devraient se plier à ce qu'ils considèrent comme une coutume régionale ne faisant pas le poids en Amérique du Nord. René Lévesque, le fondateur du Parti Québécois, doit se retourner dans tombe.

La circulation était fluide. Ils parvinrent à Pointe-Saint-Charles sans que Letendre en ait vraiment conscience. Au moment de tourner sur la rue Centre depuis la rue Saint-Gabriel, Marion lâcha :

— On y est.

— Déjà ?

— Les rues sont vides ce matin...

En jetant un regard de reconnaissance vers le 333, Letendre aperçut un homme vêtu d'un manteau élégant. Il se tenait contre une Mercedes d'un modèle récent. Le moteur tournait, laissant s'échapper un nuage de vapeur blanche qui montait tout droit dans l'air tant il faisait froid.

Letendre reconnut qu'il ne lui serait pas aisé de feindre d'être à la recherche d'un appartement dans ce quartier. Il descendit de la voiture et marcha vers l'homme.

Contrairement à son attitude au téléphone, Sylvain Morin affichait une mine très avenante et il sourit véritablement en tendant la main, après avoir retiré son gant.

— M. Letendre ?

Et sans perdre une minute, il l'invita à le suivre.

Letendre lui emboîtant le pas, ils montèrent les trois escaliers du vieil immeuble. Cette fois, ils ne croisèrent personne.

Devant l'appartement de Loucka, le propriétaire se mit à fouiller dans un épais trousseau de clefs pendant que Letendre constatait avec un peu d'étonnement la disparition des scellés.

— Habituellement, ce n'est pas moi qui fais visiter, justifia-t-il pour excuser sa maladresse.

Et après un court moment :

— Ah ! la voilà...

— Vous avez quelqu'un qui s'occupe de la location ? s'enquit timidement Letendre, qui craignait maintenant que la personne devant lui ne fût pas la meilleure pour l'informer au sujet de Loucka.

— Je possède huit immeubles dans cet arrondissement seulement. D'autres dans Rosemont… D'ailleurs, ce n'est pas ma profession, si je puis dire, je suis comptable. Alors, j'ai à mon emploi une sorte de concierge qui fait le tour des immeubles pour superviser leur entretien et qui s'occupe de la location et des locataires.

Ils franchirent la porte. Dans l'appartement, il faisait frais.

— C'est à cause de l'odeur… L'appartement avait une odeur persistante après le départ du dernier locataire et j'ai dû beaucoup aérer.

— M. Loucka ?

« Je vais trop vite… » se reprocha Letendre, qui se mordit la lèvre inférieure. Mais il insista quand même :

— M. Loucka… Vous le connaissiez ?

— Pas vraiment.

Letendre décida de se présenter en bonne et due forme. Il raconta ensuite très brièvement sa rencontre avec Ales Loucka et les événements qui avaient suivi. Il évita toutefois d'insister sur le meurtre, pour bien montrer que ce n'était pas ce qui l'intéressait. Ensuite, un peu anxieux et penaud, il attendit la réaction de Sylvain Morin.

Ce dernier conserva sa mine amène, paraissant même amusé, et en vint rapidement à l'évidence :

— En fait, vous n'avez aucune envie de louer cet appartement ?

— Vous l'avez compris… Ce sont les livres qui m'intéressent.

— Vous voulez dire ? fit l'autre un peu décontenancé.

— J'aimerais en savoir plus au sujet de Loucka. À force
d'apprendre des choses sur lui, j'espère retrouver un livre,
une édition originale, qui lui appartenait et pour laquelle
j'ai versé un acompte. Je suis collectionneur, précisa-t-il
pour être sûr qu'on ne se méprenne pas à son propos.

Comme le propriétaire le regardait d'un air candide et demeurait silencieux, Letendre crut nécessaire
d'ajouter :

— Mais je comprends que vous ignorez tout de ce
Loucka et que ce doit plutôt être votre concierge qui…

— Non. Il se trouve que je l'ai rencontré. Son cas était
particulier. Il refusait de signer un bail et désirait occuper
l'appartement pour un mois, pas davantage.

Une bouffée d'enthousiasme saisit Letendre, enthousiasme que Morin temporisa d'un geste de la main :

— Mais je n'en connais pas beaucoup plus que vous à
son sujet, car il m'a payé d'avance et je ne l'ai plus revu.
C'est un appartement meublé et il n'a exigé rien d'autre
que ce qui s'y trouvait déjà.

Letendre soupira.

— … et il ne vous a pas donné d'adresse. Une autre
adresse ?

— Je ne lui en ai pas demandé… Je ne lui ai même pas
fait remplir de fiche. Il m'avait payé et quittait les lieux
dans un mois, alors….

— En effet…

— Vous êtes vraiment collectionneur ?

Une lueur d'espoir se pointa dans l'esprit de
Letendre.

— Oui.

— Je vous demande ça parce que j'ai chez moi quelque chose qui pourrait peut-être vous intéresser.

— Un livre que vous auriez acheté de Loucka?

— Non. Une caisse de vieux livres que j'ai trouvée dans le sous-sol d'une maison que j'ai achetée il y a quelques années. Les livres sont en bon état, et ils me paraissent d'une certaine valeur. Plusieurs ont été édités il y a plus de cent ans.

— Il faudrait voir, en effet. Je vais vous laisser mes coordonnées. Quand vous le jugerez bon, je les examinerai. Je vous dois bien cette politesse.

Ils sortirent. Sylvain Morin referma à clé. Rendu dehors, il commenta:

— Je ne crois pas qu'il vous sera facile de trouver la piste de ce Loucka. Déjà qu'il avait l'air, comment dire…

— … de rien?

— Vous avez raison, de rien du tout. Mais c'est peut-être pour ça que vous aboutirez, après tout: ce genre de personnage ne court pas les rues, et les bouquinistes – car il en était probablement un –, encore moins.

— Possible… Mais c'est plutôt mal parti. Je fais du surplace, je tourne en rond.

— C'est toujours comme ça avant que les choses se précisent. À un moment donné, vous allez trouver un filon, même tout petit, et là…

— Entre-temps, je m'acharne pour rien.

— Vous êtes drôle, vous!

Letendre sortit son portefeuille.

— Tenez, je vous laisse ma carte et vous m'appelez pour les livres.

— J'accepte volontiers, mais je vais d'abord laisser passer les fêtes.

Et ils se laissèrent sur un au revoir commun et enjoué.

Letendre n'avait fait que quelques pas quand il s'arrêta et revint vers le propriétaire :

— Dites-moi, est-ce que les policiers vous ont interrogé concernant Loucka ?

— Pas du tout. Un sergent-détective m'a téléphoné hier pour me dire qu'il me rendait l'appartement, en d'autres mots, qu'il avait fait enlever les scellés.

Letendre conclut alors que Labrosse devait connaître l'autre adresse de Loucka, celle où il avait habité véritablement. Et, par le fait même, beaucoup d'autres choses le concernant.

— Je vous remercie quand même.

Cette fois, ils se donnèrent la main avant de se séparer pour de bon.

Marion, qui les avait regardés se dandiner dans le froid, ne tenait plus en place ; il arpentait le trottoir d'impatience.

— Alors ?

— Alors, rien…

L'air dépité de Letendre troubla Marion, qui crut nécessaire de l'encourager.

— C'est sans doute normal… enfin, je suppose que lorsqu'on mène une enquête, il est normal qu'on s'engage sur plusieurs fausses pistes. Il y a toujours plus de questions que de réponses. Et le fait qu'elles deviennent encore plus nombreuses ne rapproche pas pour autant de la solution. En fait, mon idée à moi, c'est qu'on doit procéder par élimination. On élimine les hypothèses une à une. Sur le tas, nécessairement, quelques-unes nous feront avancer.

Il haussa les épaules et, renfrogné, marcha vers la voiture.

Après avoir démarré, désirant faire en sorte que l'aventure ne s'arrête pas là, Marion entreprit de convaincre Letendre qu'ils avaient tout de même marqué des points :

— On sait qu'il n'habitait pas le quartier, qu'il occupait cet appartement pour un mois seulement, qu'il se cachait fort probablement puisqu'il a pris soin de ne pas donner son adresse…

— C'est mince.

— Je suis certain que vous allez vous lancer dans une autre idée. C'est comme je vous le disais hier soir, à force d'y penser, il va nécessairement vous venir une nouvelle piste, et même plusieurs.

Letendre se rappelait effectivement cette remarque de Marion l'ayant fait sourire. Puis, sa pensée glissa machinalement sur d'autres propos tenus la veille par le chauffeur de taxi et quelque chose l'accrocha : il se gratta la tête et se buta à essayer de se souvenir. Qu'est-ce qui l'avait fait tiquer, au juste ? Faute de trouver, il y alla d'une question saugrenue :

— Dites-moi, Marion, vous pouvez me répéter ce que vous m'avez dit, justement, hier, au téléphone ?

— À propos d'y penser jusqu'à ce qu'on trouve quelque chose ?

— Pas ça, non. Vous m'avez parlé d'autre chose. Vous souvenez-vous ?

— Peut-être… Vous m'avez dit que vous aviez trouvé le nom du propriétaire en demandant à votre amie de fouiller dans les papiers de la Cour, et moi…

On brûle, pensa Letendre.

— Je ne crois pas vous avoir dit ça, Marion. J'ai plutôt parlé du registre foncier...

— Bon... Il me semblait pourtant que ça venait d'un dossier de la Cour.

— Dossier de la Cour! Marion, vous mériteriez d'être nommé commissaire principal, comme ils disent en France.

— Comme Maigret! Mais... en quel honneur?

— Les dossiers de la Cour: je dois chercher dans les dossiers de la Cour. Avec un peu de chance, je pourrai en trouver un au nom d'Ales Loucka, qui me révélera son adresse et bien d'autres informations le concernant.

— Quelle Cour? La Cour criminelle?

— Non, la Cour fédérale en matière d'immigration. Voyez-vous, il y a de fortes chances que ce Tchèque ne soit pas né ici, et donc de fortes chances aussi qu'il ait un dossier à cette Cour.

— Pourquoi?

— Il a pu demander l'asile politique, et on le lui aurait refusé. Puis, il aurait contesté cette décision: ce que les demandeurs déboutés font tous, car pour toutes sortes de raisons, ils ne veulent absolument pas être renvoyés dans le pays qu'ils ont fui.

— Cela a bien du sens. On y va?

— Remarquez que je ne suis pas certain que ce soit si simple, que tout un chacun puisse consulter ces dossiers. Je vais en parler à mon amie Monique.

Il se sentait soudain tout ragaillardi et plein d'allant.

— J'ai mon portable avec moi, fit remarquer Marion.

— Pardon?

— Je dis que j'ai mon téléphone cellulaire. Alors si vous voulez téléphoner à votre avocate...

Après une courte réflexion, Letendre accepta de prendre l'appareil que lui tendait Marion.

— Et ça fonctionne comment?

De toute évidence, ce bidule ne lui était pas familier.

— Donnez.

Marion se gara dans le stationnement d'un McDonald et demanda :

— Quel est le numéro?

Letendre donna le numéro personnel de son amie à Marion, qui le composa avant de lui laisser faire sa communication.

— Ça sonne... Mais vous devriez vous procurer un cellulaire. Ça vous sera utile.

Déjà en ligne, Monique eut du mal à réprimer son impatience quand elle aperçut sur son afficheur qu'on tentait de communiquer avec elle d'un numéro inconnu, qui plus est bien avant les heures d'ouverture du bureau, où elle était venue de très bon matin pour pouvoir travailler en paix. Elle hésita un bon moment avant de répondre. S'étant ravisée, elle entendit aussitôt un drôle de «C'est Paul!» qui la fit pouffer.

— Grand Dieu! D'où m'appelles-tu comme ça?

Après quelques propos anodins, elle l'informa qu'il pouvait se présenter au comptoir du greffe de la Cour fédérale, rue McGill, où se trouvaient les jugements rendus en matière d'immigration. Il n'aurait qu'à s'identifier, remplir une fiche et demander à consulter le dossier. On le lui remettrait sans poser de question, les dossiers de cette cour étant, comme tous ceux des autres cours, du domaine public.

— Je peux envoyer quelqu'un, si tu veux. Tu n'as qu'à me dire ce que tu cherches.

— Non, je préfère y aller moi-même, car, justement, je ne sais pas trop ce que je cherche. Ni même s'il se trouve un dossier au nom de Loucka… Si oui, je vais l'analyser sur toutes les coutures et je verrai bien…

Après que Monique eut conclu en lui donnant l'adresse de la Cour, Letendre rendit à Marion son portable.

— C'est rue McGill, au coin de la Commune.

Le chauffeur acquiesça.

— Je connais l'endroit. En moins de deux, on y sera.

CHAPITRE 8

L'édifice, imposant et moderne, n'avait aucunement l'allure d'un palais de justice. Ses lignes s'incorporaient harmonieusement avec les autres bâtiments qui l'avoisinaient, des complexes de condos au-dessus de commerces.

— Je peux même vous accompagner, si...

— Non. Ce n'est pas nécessaire, vraiment.

Dès qu'il eut grimpé les quelques marches menant aux portes vitrées, Letendre aperçut un garde de sécurité derrière le comptoir d'information. Il poussa le battant. Les lieux lui apparurent d'une froideur rebutante. Il marcha vers le garde et demanda où se trouvait le greffe.

Le planton ne lui répondit pas d'abord.

Au lieu de cela, il tourna face à Letendre un registre où ce dernier dut inscrire son nom en caractères d'imprimerie, préciser l'heure de son arrivée, et signer. Le gardien de sécurité, qui portait un uniforme gris n'ayant rien de joyeux, examina la signature. Puis, sans laisser tomber son masque, d'une voix inutilement autoritaire, il dirigea le visiteur vers sa droite.

— C'est là.

Une paroi de verre courait sur toute la longueur de l'immense vestibule.

Et, derrière, un autre comptoir coupait en deux une vaste salle. Le visage éclairé par l'écran cathodique de leur ordinateur, des fonctionnaires travaillaient devant des rangées de classeurs. Le temps que Letendre s'approche du comptoir, une femme repoussait sa chaise et venait l'accueillir :

— Vous désirez ?

Elle avait un accent à couper au couteau. Cet accent était familier à Letendre : il traînait des relents de celui de Loucka. Toutefois, contrairement à ce dernier, la jeune femme en imposait d'entrée de jeu et son expression appelait le respect.

— J'aimerais consulter un dossier. Vous pourriez me dire comment procéder ?

L'attitude rigide de la préposée l'intimidait. Au point qu'il avait la certitude que si elle l'éconduisait, il ne protesterait même pas. Mais il n'en fut rien. Sans se départir de son attitude austère, elle l'assista :

— Vous devez remplir une des fiches, là (elle avait tendu le doigt vers une table garnie d'un petit bloc le long de la baie vitrée) et me la remettre. Je vous apporterai le dossier.

Après l'avoir remerciée, Letendre s'exécuta et fournit le nom d'Ales Loucka et le sien, puis remit sa carte à la fonctionnaire.

— Vous ne connaissez pas le numéro du dossier ?

Letendre haussa les épaules, l'air de s'excuser :

— Non…

Je ne suis même pas certain qu'il y en ait un. C'est maintenant qu'on va m'indiquer la sortie.

Il se trompait.

— Si nous n'avons pas trop de dossiers à ce nom, ce sera vite fait ; autrement… je ne peux pas vous dire.

Et elle partit dans le dédale des classeurs au fond de la grande pièce.

Letendre jeta des regards autour de lui. Cette nouvelle démarche se révélerait peut-être vaine car, à bien y penser, il ne disposait de rien de concret susceptible de relier Loucka à la Cour fédérale. Pendant qu'il attendait, il eut comme une intuition, un signal d'alarme qui alluma son esprit, sentiment innocent mais qui vint ensuite le titiller et le mettre sur les nerfs : sa rencontre avec Sylvain Morin ne risquait-elle pas qu'on l'incrimine dans la disparition tragique du vendeur de livres ? Si d'aventure le propriétaire révélait la visite de Letendre, la police établirait nécessairement un lien.

— Monsieur…

La préposée posait sur le comptoir un épais dossier.

— Vous pouvez vous installer là – elle montrait à nouveau la table près de la vitre – pour le consulter. Vous me le rapporterez ensuite.

Le dossier sous le bras, Letendre s'inquiétait : comment allait-il s'y retrouver dans toutes ces chemises contenant des documents et des procédures auxquelles il ne connaissait rien ?

Mais c'était là anticiper le pire : dès qu'il ouvrit la première chemise, il tomba pile sur un document de format légal qui ne prêtait pas à confusion et qui lui donnait clairement tout ce qu'il cherchait.

Sous la mention JUGEMENT en en-tête, il trouva dans la section *Demandeur* le nom d'Ales Loucka suivi d'une adresse, le 7, rue Notre-Dame Ouest. Venait ensuite la décision. C'est ainsi qu'il apprit que Loucka était arrivé au Canada en 1991 – sans passeport – en provenance de la Tchécoslovaquie. Il avait demandé l'asile politique, qui lui avait été refusé. Il en avait appelé. Suivait l'inventaire d'une série de nouvelles procédures, et sa demande, rejetée. Par conséquent, et conformément au dispositif de cette décision, il devait quitter le Canada au plus tard le 24 décembre 2005, faute de quoi il serait expulsé par les autorités de l'Immigration.

Un raisonnement s'imposa aussitôt à Letendre : pourquoi éliminerait-on un immigré la veille de son expulsion du pays ? Si l'on souhaitait s'en débarrasser, il suffisait de le laisser partir. C'était sans risque et sans nécessité de tremper dans un crime.

L'esprit chauffé à bloc, il continua de tourner les pages, mais n'y dénicha rien d'autre qui puisse l'intéresser. Il s'obligea tout de même à un deuxième examen afin de savoir qui avait représenté le Tchèque devant la Cour fédérale d'appel. En vain. Sa totale ignorance de ce genre de dossier était peut-être responsable de son échec… N'abandonnant pas la partie, il révisa le tout une fois de plus, en prenant bien son temps. Il ne trouva pas davantage.

Il ne lui restait plus qu'à rapporter le dossier à la fonctionnaire. Tout sourire, avec des mots choisis, il s'informa auprès d'elle s'il y avait un moyen de savoir qui était l'avocat de M. Loucka.

La femme ne dit mot, mais s'en référa à la première chemise du dossier. Son doigt alla directement sous la signature du jugement. Semblant satisfaite, elle releva la tête :

— Il n'y en a pas. M. Loucka s'est représenté lui-même.

Letendre tapota pendant quelques instants de deux doigts sur le comptoir et, s'efforçant de donner à sa question un ton d'innocence, il poussa son audace :

— C'est normal ?

— C'est courant, oui. Parce qu'ils ne disposent pas d'un permis de séjour, bien des immigrés n'ont pas accès au marché du travail. Ils sont vite sans le sou. À moins de bénéficier du soutien de leur famille, ils ne peuvent se payer un avocat.

Toujours dans son rôle, Letendre acquiesça, comme un bon élève ayant compris. Voyant cela, la préposée demanda de son timbre monocorde :

— Vous avez d'autres questions ?

— Je ne crois pas, non...

Sur le coup, rien ne lui venait. Cependant, il était persuadé que dans le taxi, voire plus tard chez lui, surgiraient sûrement d'autres interrogations auxquelles la fonctionnaire aurait pu répondre.

Il dut se contenter de soupirer, l'air de quelqu'un pris bêtement en défaut.

— Je vous remercie mille fois, madame.

Il allait prendre congé quand il fut rappelé à l'ordre.

— Un instant... Vous devez signer ici, en laissant votre adresse. Il en est ainsi pour toute personne qui consulte nos dossiers.

Ce disant, la femme lui indiqua sur le rabat du dossier le formulaire de fermeture de consultation.

Lorsqu'il quitta les lieux, son bloc-notes garni de renseignements, un air de contentement chantait en lui, et c'est avec une fierté toute puérile qu'il annonça à Marion :

— J'ai trouvé son adresse et j'ai appris qu'il allait être expulsé du pays.

— Quand ?

— Le 24 décembre, la veille de Noël...

— Pour ça, il aurait fallu que les officiers de l'Immigration le trouvent…

— Facile. Son adresse était au dossier.

— Vous l'avez bien prise en note ?… Alors, on y va.

— Maintenant ?

— C'est comme vous voulez…

S'en référant de nouveau au principe de l'importance capitale des quarante-huit premières heures, Letendre décida d'aller de l'avant. Puisque Marion était disponible, aussi bien…

— En ce cas, nous allons au 7, rue Notre-Dame Ouest.

Marion eut un hochement de tête :

— Vous en êtes certain ?

— Oui. Je n'ai pas pu me tromper, c'est trop simple.

— Alors on a un problème…

— Pourquoi ? Cette adresse n'existe pas ?

— Oui, mais il n'y a là que des bureaux, pas d'appartements.

Voilà autre chose !

— Il se trouve que je connais très bien cet édifice. Il est occupé exclusivement par des bureaux d'avocats. Si vous voulez mon avis, Loucka aura donné l'adresse de son avocat.

— Mais la préposée au greffe m'a pourtant bien dit qu'il s'était représenté lui-même.

— En cour d'appel, oui, mais avant ? Dans ma voiture, j'ai souvent des avocats. Certains se lient très facilement et ils me racontent leurs bons coups ou leurs misères. Ainsi, j'ai fini par apprendre que bien des clients ayant perdu leur cause finissent par en appeler eux-mêmes. C'est presque toujours une question de coûts.

Letendre grimaça de dépit:

— On n'est donc pas plus avancés.

— Comme vous êtes vite pessimiste, monsieur Letendre!

Le regard de Marion paraissait tout joyeux dans le rétroviseur.

— Allons! On sait maintenant d'où venait Loucka, depuis quand il était au Canada... Et l'énigme devient intéressante car, comme vous le dites vous-même, pourquoi avoir tué un immigrant qu'on allait expulser du pays? C'est une bonne question, et vous savez comme moi que sans bonne question, il n'est pas de réponse valable...

Comme le disait Hemingway...

Letendre se gratta le menton.

— Vous marquez un bon point, Marion.

Puis il regarda dehors. C'était de nouveau le centre-ville, la rue Sainte-Catherine, la rue Jeanne-Mance qui rejoindrait l'avenue du Parc. Mais non, Marion vira à droite sur la rue Sherbrooke.

— Je vais aller prendre l'avenue Mont-Royal par le boulevard Saint-Laurent. Ça nous évitera l'échangeur des Pins. Il doit y avoir un bouchon: les travaux vont encore durer deux mois.

C'est à cet instant que Letendre se demanda si Loucka avait de la famille au Canada. Question importante car, si tel était le cas, il pourrait obtenir des informations le concernant en interrogeant ses proches. Il comprit du coup que c'est ce dont il aurait dû s'informer auprès de la fonctionnaire de la Cour. Si Loucka ne pouvait fournir avec sa demande un parrainage de sa famille au Canada, est-ce que cela n'aidait pas à comprendre pourquoi il avait demandé l'asile politique? Il fuyait son pays, pourquoi?

À cause du régime politique qui régnait alors en Tchécoslovaquie ? Mais puisqu'on lui avait refusé l'asile, c'est qu'on estimait qu'il n'était pas menacé par le régime en place dans son pays, alors ?

Ses idées continuaient de se bousculer dans sa tête lorsque la voiture atteignit l'avenue Mont-Royal. Les piétons étaient si nombreux que Marion dut manœuvrer avec lenteur et une attention soutenue :

— C'est toujours pareil ici. Les gens font leurs courses à pied. Dans ce quartier, on marche, on marche…

— C'est bien, non ?

Marion se concentra sur sa conduite au lieu de répondre.

Quelques instants plus tard, il s'immobilisait devant le 49, rue des Ormes, et Letendre eut envie de garder Marion encore un peu.

— Vous rentrez prendre un café ?

Le visage du chauffeur s'éclaira. Visiblement, il n'attendait que ça.

À l'intérieur, ils retirèrent leur pardessus et Marion suivit Letendre dans le bureau de son hôte qui l'y invita à prendre un siège.

Mais Marion demeura debout à examiner les lieux avec un air d'approbation.

— C'est beau, chez vous. Et ces livres : je vous crois maintenant, vous êtes collectionneur… ou maniaque !

Letendre sourit.

— Les collectionneurs sont des maniaques.

— Et qu'est-ce que vous avez là ? Une bouteille de grenache !

— C'est un cadeau d'un ami. Chaque année, il se rend en vacances en Espagne et en ramène une provision. Je me suis souvenu de cette bouteille hier, et je l'ai sortie pour le temps des fêtes, car je l'oublie toujours au fond de ma réserve.

— Il est collectionneur lui aussi ?

— Non, écrivain, il habite Brive, Brive-la-Gaillarde.

Marion semblait sur le point de demander quelque chose mais n'osait pas. Letendre devina :

— Vous en désirez un verre ? On pourrait ouvrir la bouteille.

— Vous croyez ?

Il semblait excité comme un enfant à qui on offre son chocolat préféré.

— Mais oui, mais oui.

Un quart d'heure plus tard, ils causaient comme de vieux amis que rien ne pressait, Letendre appréciant l'attitude sans détour, simple et franche, de Marion. L'effet du grenache était apaisant. Letendre s'alourdissait pendant que son compagnon s'adressait à lui plus mollement.

Tournant son verre entre ses doigts, il réfléchit tout haut :

— Loucka aura probablement quitté son domicile canadien pour fuir les agents de l'Immigration qui devaient l'expulser. Il n'aura rien pris, sauf des livres. Pour donner le change, il aura laissé son appartement en état afin que l'on croie qu'il s'était absenté pour une courte période et qu'on ne se mette pas à sa recherche. D'autant que c'est bientôt le congé des fêtes. C'est sans doute pourquoi il avait loué un meublé.

Se reservant, il fit de même pour Marion, qui ne s'y opposa pas.

— Mais son assassin, lui, savait qu'il avait loué l'appartement de Pointe-Saint-Charles. Il devait le surveiller depuis un bon moment et n'attendre qu'une occasion.

Marion s'avança sur le bord de son fauteuil, les coudes sur les genoux, jouant lui aussi avec son verre par une sorte de mimétisme :

— Il est possible que l'assassin ait même ignoré que Loucka devait être expulsé.

— Vous me faites peur… Cela voudrait dire qu'il n'y aurait aucune relation entre l'expulsion imminente et l'assassinat.

— … mais cela expliquerait pourquoi on l'a tué même s'il allait quitter le pays la veille de Noël car, pour en revenir à votre propre raisonnement, si l'assassin l'avait su, peut-être ne se serait-il pas donné cette peine.

— C'est vrai.

Letendre constatait tout ensemble la divergence d'hypothèses devant lui en ne perdant pas de vue que la découverte du mobile d'un crime pouvait aider à le résoudre. À l'inverse, il devait reconnaître qu'un acharnement excessif sur un point déterminé pourrait lancer ses réflexions sur une mauvaise piste. Il lui fallait plutôt considérer chaque théorie en survol et se faire une vision d'ensemble. C'est dans le rapport entre l'une et l'autre que la vérité risquait de pointer. Bien conscient de sa propension à exagérer, il se donna comme leitmotiv de ne pas s'emballer sur un détail. Pas en début d'enquête en tout cas : plus tard, plus loin, peut-être.

— Beaucoup de choses nous échappent encore, monsieur Marion. Votre idée de vous intéresser à la communauté tchèque de Notre-Dame-de-Grâce, ou de Westmount, est excellente. Qui sait si vous ne trouverez pas des Loucka, comme on le souhaite ?

— J'ai l'intention de commencer par une recherche dans l'annuaire téléphonique et sur Internet, puis de me rendre sur place.

— Aux différents domiciles, sans prévenir ?

— Je trouverai bien une parade.

Letendre eut un air entendu.

— Souhaitons-nous bonne chance.

Le téléphone abrégea leurs politesses. C'est Adrien qui s'annonçait.

— Oui, tu peux venir. Maintenant, lui dit Letendre.

Marion en profita pour prendre congé, autrement il allait se laisser envahir par la torpeur.

— J'y vais. Je vous fais signe dès que j'aurai du nouveau.

Letendre l'accompagna vers la sortie. Le soleil flambait tout autant, mais le froid ne fléchissait pas.

— Je crois qu'on est bons pour quelques belles journées.

— ... et un beau Noël blanc dimanche.

Ils se quittèrent en projetant de se revoir avant le week-end.

Dans son bureau, Letendre se remit devant son ordinateur et ouvrit le fichier de l'*Affaire* pour y noter les derniers développements.

Adresse permanente d'Ales Loucka : inconnue.

Le proprio du 333, rue Centre, Sylvain Morin, ne sait rien de son ancien locataire.

Celui-ci avait payé la location pour un mois, un mois seulement, à l'avance, et prévenu qu'il quitterait les lieux ensuite.

Personne ne semble connaître Loucka, ou même l'avoir croisé, dans le quartier de Pointe-Saint-Charles.

Il est arrivé sans passeport au Canada en 1991. L'asile politique lui a été refusé.

Pas de famille à Montréal?

Aucun avocat ne le représentait devant la Cour fédérale d'appel de l'Immigration.

Son avocat de première instance a son cabinet au 7, Notre-Dame Est, où Loucka avait élu domicile légal.

Loucka devait être expulsé du Canada le 24 décembre. Il avait épuisé tous ses recours.

Il appuya sur la touche « *entrée* » de son clavier et se relut. Momentanément, il eut envie d'ajouter les hypothèses qui lui étaient venues depuis le matin, toutes les considérations qu'il avait soulevées avec Marion. Mais il craignit trop de s'enfermer dans des raisonnements qui l'empêcheraient d'en envisager d'autres et d'orienter son enquête dans certaines directions au détriment d'une exploration plus ample.

Il fut tiré de sa jonglerie par le timbre de la porte d'entrée.

Au moment même où il repoussait son fauteuil pour aller ouvrir, le visage réjouissant d'Adrien apparut devant lui. Car, depuis que Letendre l'y avait autorisé, le jeune Camerounais se contentait de sonner puis entrait aussitôt. D'habitude, il prévenait Letendre en le hélant depuis le vestibule ; mais ce matin, ayant aperçu son ami de l'extérieur, il avait jugé cette précaution inutile.

Il avait apporté des muffins chauds qu'il avait glissés dans un sac sous son blouson. Il en tendit un à Letendre :

— J'aurais aussi pris des cafés, mais avec le froid qu'il fait, je serais arrivé ici avec des boissons *dégueu...*

— Je vais nous en préparer deux bonnes tasses.

Si Letendre trichait ainsi avec sa règle de ne pas boire plus de deux cafés par jour, c'est que les derniers événements l'avaient exténué et que le grenache, bu dans la chaleur douillette de la pièce, l'avait un peu ramolli. Adrien s'assit, et les deux chats vinrent aussitôt quêter ses caresses. Il toisa la bouteille encore débouchée sur le coin du bureau.

— Tu en veux, lui proposa Letendre?

— Mais vous savez bien que je n'aime pas les apéros, les digestifs et toutes ces liqueurs qui ont un goût sucré! Alors pourquoi je devrais faire le sacrifice d'en boire?

Letendre rit en quittant son bureau vers la cuisine.

Adrien flatta distraitement l'Être et le Néant, puis s'avança vers l'un des rayons de la bibliothèque. Sur le plus haut, il prit *Les Campagnes hallucinées* d'Émile Verhaeren, dans sa dernière édition chez Labor éditeur, qu'il ouvrit, au hasard, sur «Tous les chemins vont vers les villes».

Du fond des brumes
Là-bas, avec tous ses étages
Et ses grands escaliers, et leurs voyages

Le temps de le dire, et son corps tout entier scanda le rythme qu'il se faisait dans sa tête, et c'est à la manière d'un chanteur de rap qu'il débita le poème. Letendre prit tout son temps avant de revenir, savourant la musique que l'Africain donnait aux mots du poète d'Anvers. Il revint avec des cafés alors que tombaient les derniers vers de la première strophe:

En vol replié sur les maisons
C'est la ville tentaculaire

— C'est *cool*, ça, *man* !

— Si Verhaeren t'a entendu, il a trouvé cela magnifique.

— Je pense que si vous me prêtez ce bouquin, je vais y trouver d'autres bonnes *tounes*.

— Je veux bien, mais ne l'égare surtout pas.

— Vous pouvez me faire confiance.

Par la force des choses, ils parlèrent ensuite de Loucka.

— On l'a peut-être tout simplement tué pour ses livres, fit Adrien.

La remarque interpella un moment Letendre, qui se mit à réfléchir tout haut :

— Je ne crois pas que ce soit si simple. Il aurait fallu que l'assassin soit informé que Loucka détenait des ouvrages de grande valeur, et sache qu'il les aurait avec lui à Pointe-Saint-Charles. Enfin, on ne tue pas pour de vieux livres… Du moins, il me semble.

Après une pause, il lâcha :

— Il faut un assassin qui connaisse à la fois la valeur des livres et l'endroit où les revendre.

— À moins qu'il ne soit commandité.

Ils se turent. Les idées de Letendre se dérobaient. Adrien continua :

— Si c'est le cas, l'assassin a peut-être déjà revendu ces livres à un bouquiniste. Facile : la police ne l'ayant pas signalé, les bouquinistes n'ont aucune raison de soupçonner leur provenance illégale.

— Là encore, Adrien, j'ai le sentiment que c'est une théorie qui ne nous mène nulle part. Ou l'assassin est lui-même collectionneur ou il a agi pour le compte d'un collectionneur. Dans le dernier cas, on ne retrouvera aucun de ces livres en magasin.

Adrien remarqua que son ami semblait profondément dubitatif.

— Et puis, comment savoir… Il faudrait rendre visite à tous les bouquinistes. Sans compter qu'à part *Les Liaisons,* on ignore ce que l'on cherche.

— Mais si le tout avait été vendu en un seul lot ?

— L'acheteur n'aura pas encore eu le temps de les mettre en place.

Adrien ne lâcha pas prise.

— Le voleur s'est peut-être empressé de s'en débarrasser, ce qui aura donné aux bouquinistes deux bonnes journées pour les classer.

Un sourire égaya le visage d'Adrien, qui prit une voix enjôleuse pour faire une délicate mise au point sans offusquer son ami.

— Vous connaissez tous les libraires de livres anciens et tous les bouquinistes de Montréal… On pourrait leur demander s'ils ont eu récemment de nouveaux arrivages : ils vous savent collectionneur.

Letendre sourit à son tour, reconnaissant là le caractère conciliant de son jeune ami africain. Ses arguments portèrent :

— Je vais y réfléchir.

Il ouvrit un tiroir et en tira un calepin dont il tourna rapidement les premières pages :

— J'ai la liste ici.

Il la parcourut des yeux, l'air circonspect.

— Ils sont tous là, mais l'un d'entre eux ne m'inspire pas particulièrement confiance. Si celui-là, précisément, vient d'acquérir un lot, il ne nous le dira pas car déjà, à différentes reprises, il a été accusé de recel. Il achète des tas de livres sans s'informer de leur provenance, et des bouquinistes concurrents se sont plaints de retrouver chez lui des livres qu'on leur avait volés la veille.

Il évalua encore un peu la suggestion d'Adrien. Et concéda.

— Je vais quand même leur téléphoner à tour de rôle.

Ils se séparèrent sur ce mol engagement de Letendre, auquel Adrien ne donna pas vraiment foi. Et il n'avait pas tort.

CHAPITRE 9

Elle s'appelait Hana Pravdova. C'était une belle sexagé-
naire. Elle aurait pu aisément passer pour une ambassa-
drice de son pays. Ses lunettes rondes épousaient parfaitement des yeux tout aussi ronds, et la noblesse de ses
traits était accentuée par une belle chevelure argentée
joliment ramenée en chignon au-dessus de sa nuque. Sa
peau, encore fraîche, tranchait sur ses expressions tout
en retenue, comme le timbre de sa voix.

Cette rencontre résultait des toutes premières démarches de Marion. Ayant posé des questions à gauche et à
droite dans le quartier Notre-Dame-de-Grâce, il avait
entendu parler de la présidente de l'Association tchèque,
et pressé Letendre d'aller la voir.

Au téléphone, lorsque ce dernier s'était présenté,
Hana Pravdova avait paru bousculée, coupant court à
ses questions en s'excusant. Elle devait s'occuper de sa
vieille mère à demi paralysée. Mais elle pourrait le recevoir le lendemain, avant-veille de Noël, car elle rentrerait
tôt du travail – elle était secrétaire de direction pour une
firme d'ingénieurs –, avant le départ de l'aide-infirmière
qui s'occupait régulièrement de la malade.

Il flottait dans la maison un parfum de luxe sans
ostentation. Beaucoup de murs lambrissés, de vitres
biseautées, de tapis épais, le tout baignant dans une
atmosphère de quasi-recueillement. Letendre lorgna

d'emblée trois bibliothèques de bois verni garnies de magnifiques reliures. S'en approchant, il distingua quelques titres intéressants. Mais c'est ouvert sur une table basse à côté d'une photo ancienne qu'il reconnut, dans une édition qu'il connaissait, celle de 1928 chez René Kieffer à Paris, un fameux roman de Pouchkine, *Boris Godounov.* Avec la permission de son hôtesse, il admira de plus près le remarquable ouvrage orné de dessins en couleurs hors pagination et dont chaque feuillet de texte était imprimé sur un fond de couleur sable.

Avant de rendre visite à Mme Pravdova, Letendre avait fait ses devoirs. Il s'était rendu, rue des Pins, au consulat tchèque, où on lui avait remis de la documentation sur le pays et plus particulièrement sur la ville de Prague. Il avait eu droit aussi à des cartes routières et même à deux courtes histoires du pays.

L'ancienne ville, abondamment illustrée dans les deux publications consulaires, promettait au visiteur la splendeur d'une cité vierge de toute construction moderne dont le style aurait altéré sa remarquable tradition architecturale, vieille de plusieurs siècles, alors que la pierre imposait sa noblesse et que l'on construisait pour l'éternité.

Un survol de l'ensemble des documents avait suffi à attiser son intérêt pour cette ville et ce pays dont il connaissait trop peu l'histoire complexe. Pour le moment, il devait plutôt profiter du temps – qui allait être bref, anticipait-il – passé en compagnie de madame Pravdova pour compléter le peu qu'il savait à propos de l'homme de rien.

Afin d'aborder son propos par la bande, il fit remarquer, quitte à passer pour un flatteur :

— Je vois que vous parlez parfaitement notre langue. Vous êtes au Canada depuis longtemps ?

— Depuis plus de vingt ans maintenant. Mais je parlais français avant d'immigrer.

Elle se pencha légèrement, et à la manière gracieuse et un peu surannée de tourner sa cuillère dans sa tasse puis de la retourner sur sa soucoupe, Letendre eut l'impression qu'il avait vraiment affaire à quelque diplomate, ou aristocrate. S'étant appuyée au dossier coussiné de son fauteuil, la noble dame reprit :

— Vous devez savoir que, jusqu'au début du vingtième siècle, on parlait français à Prague. Aujourd'hui encore, même si l'allemand s'est imposé, la culture française y demeure très présente.

Letendre vit dans ces propos l'ouverture qu'il cherchait pour se rapprocher de ce qui le préoccupait :

— Croyez-vous qu'aujourd'hui les grandes bibliothèques de votre république recèlent toujours des livres en français, comme ce fut longtemps le cas ?

— Absolument. Plus encore, ces livres sont de très grande valeur, car il s'agit presque toujours d'éditions originales ou très anciennes. Nous avons à Prague, à la bibliothèque de la faculté des Arts de l'université Charles, toute une section française que fréquentent des étudiants qui, depuis la chute du régime communiste, nous viennent de toutes les parties de l'Europe. La renommée de nos cours de littérature française a franchi depuis longtemps les frontières.

— Intéressant...

Puisqu'elle le mettait sur la piste, Letendre y alla franchement :

— La chute du mur de Berlin ou, pour vous reprendre, celle du régime communiste, a-t-elle été précédée d'une période instable, floue ?

Il crut bon de préciser sa pensée :

— Je veux dire, est-ce qu'on a pressenti à un certain moment que le mouvement était irréversible et qu'on allait soit vers l'effondrement, soit vers la libération ?

— Bien sûr. Et ce furent des années très difficiles, car nous devions refréner notre enthousiasme, et continuer de souhaiter ardemment cette liberté que nous devinions à portée sans pouvoir pour autant manifester notre fol espoir. Nos gens vivaient comme en cage, à imaginer ce que ce devait être à l'extérieur. Et puis, nous avions la nette impression que le régime, dans un dernier sursaut, se faisait plus répressif. La méfiance à l'endroit des délateurs était à son comble : nous en voyions partout...

Letendre se fit plus incisif :

— Considérant, justement, que le régime communisme reposait sur la délation, croyez-vous que la perspective d'un changement radical aurait alerté certains mouchards craignant la vengeance de leurs victimes ou de leurs proches ?

— Non seulement je le crois, je l'affirme en toute connaissance de cause. Des familles ont été décimées sur des générations. Des femmes, des hommes ont été livrés aux autorités par des gens qui voulaient s'en débarrasser, souvent pour des motifs strictement personnels n'ayant rien à voir avec les intérêts du parti. La dénonciation donnait évidemment des privilèges, comme d'être soigné diligemment au besoin... Ceux qui s'y livraient étaient eux aussi affamés de liberté. Leur marchandage leur permettait de circuler sans entraves dans le pays, dans certains cas de le quitter, et de contourner plusieurs restrictions imposées par les autorités à la majorité. Dans tout ce qu'on raconte à propos de la chute du communisme, c'est une réalité qu'on oublie souvent. Alors, vous comprenez combien les délateurs ont pu s'affoler.

— Et ils auraient fui le pays afin d'échapper à la sanction de ceux qu'ils avaient vendus au régime?

— Exactement.

— Ils ont fui au Canada?

— Et ailleurs. Ce n'est pas facile d'établir des statistiques, car vous comprendrez bien que, où qu'ils soient allés, ces réfugiés continuent de se terrer. Parmi eux, il s'en trouve sans doute dont on ignore le passé et qui vivent ici incognito. Plusieurs ont changé de nom.

Changer de nom! Et si Ales Loucka était un nom d'emprunt?

— Vous croyez que certains ont pu falsifier leurs papiers?

— Avec la complicité des anciennes autorités communistes, tout est possible… D'autres sont tout simplement arrivés au Canada puis se sont évaporés dans la nature. Ils se sont fait appeler autrement. Il est facile d'arriver dans un patelin et de se présenter sous tel ou tel nom. On ne leur demandera pas de produire un document officiel.

Letendre acquiesça, l'air tout de même sceptique. La dame perçut son embarras.

— Vous recherchez quelqu'un?

— C'est un peu ça, oui. Mais en plus compliqué…

— Vous voulez dire?

— En fait, je cherche un mort. Ou plutôt, je cherche à connaître qui était une personne décédée il y a quelques jours. Il s'appelait, ou se faisait appeler, Ales Loucka.

— Ce nom ne me dit rien…

Hana Pravdova avait adopté une expression parfaitement neutre et semblait ne pas comprendre exactement où Letendre voulait en venir. Ce qui ne devait guère la préoccuper, car elle passa à autre chose :

— Vous savez, mes compatriotes s'adaptent bien à Montréal. Même si nous sommes nombreux dans ce quartier, nous ne nous cantonnons pas dans des ghettos. Vous trouverez des Tchèques dans tous les quartiers de la ville.

Letendre avait terminé son café et ne disait plus rien. Il faisait un peu lourd dans ce salon, tout compte fait ; mais il serait bien resté encore sans autre raison que de converser de tout et de rien, pour goûter à satiété cette ambiance confortable au calme parfait. Dehors, sur l'avenue Notre-Dame-de-Grâce, les voitures devaient se succéder sans relâche et les piétons s'impatienter aux coins des rues, le visage levé vers les feux de circulation en souhaitant qu'ils tournent au vert.

— Je peux vous donner les coordonnées d'une amie de la faculté des Arts de l'université Charles. Elle est secrétaire à l'Institut des langues romaines, un des départements de cette faculté. J'ai son adresse de courriel.

— Ce serait très gentil de votre part.

— Attendez-moi, je reviens.

Elle sortit de la pièce pour revenir à peine une minute plus tard.

— J'étais déjà devant mon ordinateur lorsque vous êtes arrivé, alors il m'a été simple de la trouver. La voici.

Elle lui remit un bout de papier où elle avait tracé, d'une écriture fine : mtlaskal.sekretariat@taa.cun.cz

— J'oubliais. Vous permettez ?

Elle reprit le papier et écrivit le nom de son amie: Maria Tlaskal.

— Je l'ai connue ici, à Montréal. Elle était venue visiter de la famille. C'était il y a quatre ans. On a aussitôt sympathisé et depuis, on s'échange des courriels. Tenez, je vais lui écrire à votre sujet, si vous n'avez rien contre.

— Rien du tout, bien au contraire.

Letendre se leva, hésita encore quelques instants. Il était tenté de faire une allusion à ces livres qui ornaient les bibliothèques, de revenir à ce *Boris Godounov* sur la table, mais il se dit qu'il ouvrirait là un sujet de conversation inépuisable et qu'il n'en avait pas le temps. Alors, à regret, il se contenta de remercier Mme Pravdova.

Et, par précaution, il ajouta:

— Je peux communiquer avec vous si nécessaire?

— Quand vous voudrez...

Il osa aller encore plus loin:

— Je vous laisse mes coordonnées. Peut-être que, vous-même, après mon départ, il vous reviendra quelque chose...

— Peut-être...

Il prit congé, persuadé qu'il allait se souvenir de l'odeur de cette maison, qu'il ne pourrait jamais la confondre avec une autre.

CHAPITRE 10

En sortant de chez la présidente de l'Association tchèque, Letendre aperçut un taxi en maraude. Il leva le bras et la voiture s'arrêta à sa hauteur.

Le temps était beau. Dans ce quartier bien tenu, les rues étaient réjouissantes, et ça sentait les fêtes. Des décorations de bon goût habillaient les devantures, et sur les trottoirs, bien dégagés, les gens allaient sans hâte.

Rue Sherbrooke Ouest, il demanda au chauffeur de s'arrêter momentanément devant un marchand de journaux, et jusqu'à Outremont, il scruta les quotidiens, anglais aussi bien que français, à la recherche d'une mention à propos du meurtre d'Ales Loucka. Ses efforts ne donnèrent rien jusqu'à ce qu'il tombe sur le *Journal de Montréal*, en page 16 :

Dans le quartier Pointe-Saint-Charles, mardi matin, les policiers ont retrouvé le corps d'un homme d'une quarantaine d'années décédé probablement au cours de la nuit ou encore, tôt le matin. Il s'agirait du quatre-vingt-septième meurtre de l'année. L'individu aurait été tué d'une balle dans la tête. Un des locataires du 333, rue Centre, où a eu lieu le drame, a alerté des policiers qui patrouillaient dans le quartier.

Selon les premiers rapports, l'homme était inconnu de la police et on ne lui connaîtrait aucune famille. L'enquête

*a été a confiée au sergent-détective Vincent Labrosse du
SPVM.*

Dans un esprit optimiste semblable à celui de Marion
qui savait tirer des indices de la moindre information,
Letendre conclut que l'article, quoique laconique, lui
apportait une donnée importante : la victime ne semblait
pas faire partie du monde interlope. Les ressources du
fichier des criminels ne seraient d'aucune utilité pour
retrouver l'assassin. Voilà donc que cet outil, auquel il
aurait pu déplorer de ne pas avoir accès, n'allait finalement pas lui manquer. En outre, la lecture des quotidiens
lui dictait que Loucka n'avait fort probablement aucune
famille au Canada. Cette quasi-certitude lui permettait
presque d'anticiper la conclusion des démarches de
Marion et de délaisser sans remords cette hypothèse.

Lorsqu'il arriva chez lui et qu'il s'installa derrière son
bureau, l'image de Loucka étendu sur le dos s'imposa
soudain à lui, faisant surgir une question toute bête :
qu'avait-on fait du corps ? On l'avait sans doute mis dans
un sac de plastique et glissé dans le corbillard qu'il avait
croisé avec Marion. Après qu'on eut pris ses empreintes
digitales, effectué des relevés dentaires et pratiqué une
autopsie à l'institut médico-légal, il devait maintenant
reposer dans un des tiroirs frigorifiés de la morgue, rue
Parthenais.

Quel usage ferait-il des informations que lui avait
données Mme Pravdova ? Il ressassa leur conversation,
s'entêta à s'en souvenir le plus exactement possible.

J'aurais dû prendre des notes…

Et à propos de notes, il se souvint de l'adresse de courriel de cette amie qu'elle lui avait donnée. Il prit le bout

de papier qu'il avait glissé dans son portefeuille et s'installa devant son ordinateur. Sous la forme d'une lettre conventionnelle, il entreprit de lui écrire un courriel.

Mme Maria Tlaskal
Institut des langues romaines
Université Charles
Prague

Chère madame,

Vous ne me connaissez pas mais je viens de rencontrer une de vos amies, ici à Montréal, Mme Hana Pravdova, qui m'a donné cette adresse pour que j'entre en contact avec vous.

Il en arrivait au motif de son message et hésitait. Il se frotta les mains en se relisant. Il changea *Chère madame,* pour *Madame,* estimant la formule plus correcte, bien qu'un peu sèche, et poursuivit :

Vous est-il possible de m'informer à propos de la composition du corps professoral de l'université Charles pour la période précédant tout juste la chute du régime communiste : plusieurs professeurs ont-ils quitté l'université dans la foulée de cet événement ?

Il se trouvait malhabile mais il continua, quitte à revenir bonifier son texte :

À vrai dire, j'aimerais savoir si vous pouvez me donner des noms de professeurs masculins qui auraient alors quitté le pays.

Et pourquoi ne pas y aller directement ?

Vous serait-il possible de m'informer si un nommé Ales Loucka a enseigné chez vous jusqu'en 1989 ?

À demi satisfait, il conclut :

Je sais que vous n'avez aucune obligation de me répondre. Je l'apprécierai donc d'autant.
En vous remerciant et au plaisir de vous lire, je demeure votre obligé.

Paul Letendre

Voilà ! Ce n'était peut-être qu'une ligne jetée à l'eau, mais c'est à lancer sa ligne qu'on court la chance d'attraper quelque chose.

Il occupa l'heure suivante à relire la documentation qu'on lui avait remise au consulat général de la République tchèque. Puis il téléphona à la mission diplomatique pour savoir si on pouvait accéder aux bureaux de la faculté des Arts de l'université Charles entre Noël et le jour de l'An. On l'informa que tous les services desservis par les facultés demeuraient en fonction, sauf l'enseignement, et que les bibliothèques étaient ouvertes.

C'est quand il eut raccroché que lui vint l'idée de se rendre à Prague. D'abord, il ne la considéra pas sérieusement puis, au fur et à mesure qu'il évaluait la minceur des indices qu'il avait recueillis, il se dit que la seule façon de faire avancer son investigation serait peut-être de se rendre là d'où venait l'homme de rien. Il y découvrirait peut-être de ses traces, voire les réels motifs de son départ. Ou de sa fuite… Et s'il devait ne rien trouver, il pourrait toujours rapporter une belle fournée de livres rares. Ce dernier motif ressemblait à une excuse, mais est-ce que ce genre d'excuse ne constituait pas son fonds de commerce puisque, de plus d'une manière, il vivait des livres ?

Des livres… Il pensa à ceux de Franz Kafka, le fameux auteur né à Prague, au *Procès*, à la *Métamorphose*… Aussi à ce magnifique album sur la ville des origines de l'écrivain tchèque, dont un ami lui avait fait cadeau. Pour contenter son plaisir en éveil, il alla prendre l'album au salon, sur le manteau de la cheminée. En tournant les pages, il eut le sentiment d'une ville triste et se souvint de l'atmosphère de ce magnifique roman, *Une ville grise*, de Pierre Bourgeade, qu'il entreprit ensuite de retrouver – l'avait-il encore ? – dans les rayons de ses bibliothèques.

La sonnerie du téléphone vint le tirer de sa réflexion.

— Paul ? C'est Monique. J'arrive dès que possible. J'en ai fini avec mon procès. Tu ne peux savoir combien j'ai hâte d'être avec toi pour le week-end.

— Le plus tôt sera le mieux. Je me languis déjà…

— À t'entendre, tu n'as rien d'autre à faire que de m'attendre.

Il ne la détrompa pas.

— C'est à peu près ça.

Il eut envie de lui confier sa décision de se rendre à Prague (l'avait-il vraiment prise ?), puis il s'avisa qu'il aurait tout le temps pour ce faire pendant les quelques jours qu'ils allaient partager et il se contenta d'un :

— À tout à l'heure.

Après une légère collation, il décida de se rendre à la boutique de sa fille. Il avait l'intention d'y prendre la *Correspondance de Kafka*, dont la lecture pourrait le mettre dans l'ambiance.

La bouquinerie bourdonnait, les tablettes et les étals s'éclaircissaient.

— J'ai dû puiser dans la réserve!

Christine arrivait derrière lui alors qu'il observait combien les tables étaient dégarnies.

— Est-ce que tu n'aurais pas quelques livres dont tu voudrais te débarrasser, papa?

— Je peux en profiter pour faire un bon élagage de mes rayons. J'en ai quelques-uns en tête, auxquels je ne me suis jamais intéressé finalement et que j'ai achetés il y au moins dix ans, va savoir pourquoi.

— Je pourrais venir les prendre à l'heure du souper.

— Parfait. Marché conclu.

Remarquant qu'il regardait autour de lui d'un air inquisiteur, Christine prit les devants:

— Tu cherches quelque chose?

— Oui. Est-ce que tu n'avais pas la *Correspondance de Kafka*?

— Comme tu dis, je l'avais. Elle est partie hier.

— Pas de chance…

Il se renfrogna. Christine le trouva même taciturne. D'habitude, il s'informait du commerce et là, rien. Il en avait presque l'air bougon.

— C'est ce meurtre qui te tracasse?

Il se tourna vers sa fille le sourcil relevé, s'efforçant de sourire.

— Pas vraiment. C'est vrai que j'y pense beaucoup, cependant. Trop peut-être, tu as raison.

— Je te connais: maintenant, tu ne décrocheras pas tant que tu n'auras pas trouvé *Les Liaisons*. Depuis la disparition de maman, quand tu décides de voir le fin fond de quelque chose…

Elle avait raison, et ce comportement avait sa charge de remords. Pour ne pas alourdir le moment, il éluda la remarque pertinente d'une boutade.

— On est comme on est.

Son regard fit le tour de la librairie puis revint sur Christine, qui réaménageait la disposition des ouvrages sur les tables de manière à ce qu'elles paraissent moins dépouillées.

— Dis-moi, est-ce que tu n'aurais pas des livres sur Prague?

— Des guides touristiques, tu veux dire?

— Pas nécessairement.

— De toute manière, je te rappelle que je ne garde pas de guides touristiques. J'ai, à la rigueur, des romans ou des récits qui s'y déroulent, ne serait-ce qu'en partie. Et il y aurait bien sûr la biographie de Kafka...

— Mais c'est une idée! Je crois l'avoir chez moi.

— Pourquoi est-ce que tu t'intéresses à Prague maintenant?

— Ales Loucka était d'origine tchèque...

— Je vois... Et si tu parlais à ton ami l'ambassadeur?

L'idée amusa Letendre. Jules Gauthier était un de ses amis les plus proches. Il l'avait connu dans les Caraïbes alors qu'il était responsable de la mission diplomatique dans un pays aux villes surpeuplées et aux campagnes désertes, où la chaleur cuisait les meilleures intentions. Il en résultait que la population demeurait d'une indolence à décourager même les plus ambitieux. Et, au reste, l'endroit offrait peu de moments agréables aux diplomates en poste. La plage et le *piña colada* faisaient peut-être les délices des touristes, mais ce n'était toujours que des images d'Épinal: au quotidien, la vie n'y avait rien d'idyllique.

Même réfugié dans le luxe climatisé de l'ambassade, Jules Gauthier ne parvenait pas à faire abstraction de la vie ardente qui battait à l'extérieur, et c'est cette conscience des autres, ce refus de se cantonner dans une personnalité protocolaire, qui avait favorisé son rapprochement avec Letendre, venu pour évaluer la bibliothèque des pères Blancs. Sur le point de rentrer en France, les religieux désiraient vendre leurs livres à l'Alliance française. Pendant les week-ends, alors que Letendre n'avait rien d'autre à faire que de lire ou de se faire bronzer à la piscine de l'hôtel (ce qu'il prisait très peu), les deux hommes avaient pris l'habitude de se rencontrer chez Jules pour se perdre dans de longues conversations. D'abord, ils avaient parlé abondamment de leur profession respective, puis, le sujet s'épuisant, ils en étaient venus aux anecdotes de la vie de chacun. L'ambassadeur avait des histoires à remplir une douzaine de bons livres, histoires qui ravissaient chaque fois Letendre par leur couleur exotique et originale. Peu à peu, leur amitié s'était scellée sur un intérêt commun : la littérature. Jules Gauthier n'était pas un lecteur aussi passionné que Letendre, mais c'était un lecteur avisé et compétent qui connaissait bien et goûtait véritablement le monde littéraire. Il avait des lettres, aurait-on dit de lui.

Après les Caraïbes, son ami avait été tenu d'accepter un poste à Ottawa. Pendant trois ans, il avait alors dû parcourir le monde à titre de représentant de son pays dans les colloques universels sur l'environnement. Letendre et lui s'étaient revus chaque fois que Jules passait par Montréal. Puis Jules était reparti en poste à l'étranger. À Paris, cette fois, auprès d'un organisme économique international.

Sans doute que dans ses multiples pérégrinations de par le monde Jules avait eu l'occasion d'aller à Prague !

— Tu as raison, dit Letendre à sa fille.

Il avait acquiescé, après une longue pause où Christine l'avait deviné en train de réfléchir.

— Tu as bien raison, répéta-t-il, je vais téléphoner à Jules.

Christine, toute fière de sa suggestion, lança à son père quand il quitta le magasin :

— Ne pars surtout pas sans me le dire !

Comment avait-elle deviné qu'il comptait se rendre à Prague ? Pour toute réponse, Letendre lui sourit. Non, il n'allait pas repartir sans prévenir son entourage, dont il appréhendait un peu les réactions. Trouverait-on sérieux un voyage aux résultats aussi aléatoires ?

En revenant rue des Ormes, il se rappela qu'il était plus que temps de penser à acheter des cadeaux, des *étrennes,* comme il se plaisait à dire. Quoi cependant ? Question difficile qui le hantait chaque année. Il n'empêche qu'il s'en sortait quand même chaque fois plutôt bien. Et il pressentait que ce serait un réel plaisir de se perdre dans les rayons des grands magasins, dégoulinant de lumière joyeuse et de clients, anxieux comme lui de dénicher les présents les plus appropriés. Habituellement, il détestait se frotter à la foule des grandes surfaces, mais la période des fêtes était exceptionnelle : elle lui rappelait ses éblouissements d'enfant quand il accompagnait sa mère. Il lui semblait que les rues étaient alors plus enneigées et les pères Noël, qui brandissaient des clochettes en mendiant pour l'Armée du Salut, plus nombreux. Mais les musiques des fêtes étaient toujours les mêmes et cela suffisait pour le ramener en arrière, pour qu'il retrouve cet état intérieur qui l'animait enfant. Ces mélodies lui faisaient l'effet de la madeleine de Proust.

Quand il arriva chez lui, il était de bonne humeur. L'ambiance festive l'avait conquis, et c'est avec un certain entrain qu'il entreprit de trier ses livres pour en donner à Christine. La tâche se révéla aisée car, dans la multitude, il pouvait choisir sans trop d'hésitations. Il dut cependant faire appel à sa raison quand il considéra les vingt-neuf volumes des *Œuvres complètes* de Guy de Maupassant, aux Éditions Louis Conard (1907/1910). Mais il se rappela la décision qu'il avait prise ces derniers temps : ne plus conserver de livres qu'il ne lirait pas.

Quand il eut rempli trois cartons (dont il craignait que le fond lâche lorsqu'on les soulèverait pour les transporter), il se sentit tout poussiéreux et monta se rafraîchir.

Lorsque Monique arriva, elle le trouva tout frais, les cheveux encore humides.

— Tu fais les choses en grand pour me recevoir, dit-elle, dans une chaude accolade.

Il allait nier et expliquer pourquoi il avait dû prendre une douche au milieu de l'après-midi quand il s'avisa que ce ne serait pas plus mal que Monique croie que c'était pour elle.

— Il faut ce qu'il faut !

Ils passèrent à la cuisine où Monique déballa ce qu'elle avait apporté.

— Je suis passée chez le Belge.

C'était un traiteur de l'avenue Laurier où ils allaient souvent acheter des plats cuisinés. Elle avait aussi acheté des fromages, dont la seule vue mit Letendre en appétit.

— J'ai rapporté un bon bordeaux de Paris, dit-il.

Il alla chercher la bouteille à l'étage, où il l'avait laissée en vidant ses valises. Monique le suivit. Quand il fit mine de sortir de la pièce, il l'aperçut dans l'encadrement de la porte. Elle le provoquait, le regard coquin, les bras croisés.

— Il est encore tôt pour manger. Non ?

En guise d'approbation à cette proposition prometteuse, il en rajouta :

— Surtout que j'ai l'habitude de manger tard…

Et quand Monique fut dans ses bras et qu'il l'entraîna vers le lit, il eut ce mot :

— J'ai l'impression d'étreindre mon premier amour.

CHAPITRE 11

L'Être et le Néant ronronnaient sur l'édredon. Venu de la rue, le bruit des voitures faisait comme une rumeur feutrée.

— La neige a repris, pensa Letendre en ouvrant les yeux.

Monique et lui s'étaient endormis un bon moment, et il se demanda si ce n'était pas déjà la nuit avancée. Du bout des doigts, il récupéra sa montre sur la table de chevet : il n'était que 18 h 30. Délibérément, il se tourna vers Monique qui, aussitôt, d'une voix toute menue, le prévint.

— Je ne dors plus.

Elle bougea. Les chats sautèrent sur le tapis.

— J'y pense !

— Quoi donc ?

— Christine devait venir prendre les cartons de livres que j'ai préparés pour elle cet après-midi.

— Peut-être devrais-tu lui téléphoner ?

Ils étaient nus tous les deux et par une espèce de pudeur qu'il ne s'expliquait même pas, Letendre hésitait à sortir du lit.

— Tu as ton portable près de toi ? Ça m'éviterait de descendre dans mon bureau.

— Mais n'as-tu pas un appareil dans ta chambre ?

— Tu as raison, mais il était défectueux et j'ai dû en acheter un autre.

Monique s'appuya sur les coudes et jeta un regard circulaire.

— Et tu l'as installé où ?

— Bien… Il est là… dans sa boîte…

— Ce qui est très utile, ironisa Monique qui lui reprochait parfois sa tendance à la procrastination quand il s'agissait des choses domestiques.

Sans quitter le lit, elle fit glisser son sac posé sur le sol, y plongea une main fouilleuse et tendit son portable à Letendre.

— Tu veux composer pour moi ? lui demanda-t-il en lui donnant le numéro de Christine, qui répondit aussitôt.

Le souffle court, elle l'informa qu'elle ne viendrait que plus tard, car elle était débordée.

— Je me répète, mais ça marche très fort, tu sais.

— Tant mieux !

Monique suggéra alors qu'ils se chargent eux-mêmes de la livraison.

— N'envoie personne, nous allons te les apporter.

Monique se leva la première. Elle fut intriguée par une tache lumineuse dans l'encoignure du mur sous la grande fenêtre.

— Et cette vitre, elle aussi attend d'être installée ?

— Oui. Un des carreaux est fêlé. Regarde, là, en haut à gauche… Il faut le remplacer, c'est pourquoi j'ai fait tailler cette vitre sur mesure. On doit venir incessamment la mettre en place.

— Si j'étais toi, je la rangerais ailleurs, car les chats risquent de la faire basculer…

Sur ce conseil de précaution, tout en pressant un drap contre elle car elle commençait à avoir froid, Monique marcha vers la salle de bains pour refaire sa toilette.

Lorsqu'elle revint dans la chambre, Letendre était déjà descendu. Elle le retrouva dans son bureau, affichant un air songeur. Devinant qu'il hésitait à lui parler, elle prit place devant lui après avoir libéré un fauteuil d'une pile de livres qu'il avait décidé de conserver. Son intuition ne l'avait pas trompée, car Paul entreprit de lui raconter sa visite chez Hana Pravdova. Lorsque finalement Monique en conclut, comme lui, qu'il n'était pas vraiment plus avancé, Letendre jugea le moment opportun pour lui annoncer son intention de se rendre à Prague.

— Pourquoi Prague, précisément, et pas une autre ville ?

— Parce qu'il s'y trouve la seule faculté où l'on conserve des éditions originales, ou très rares, de grandes œuvres de la littérature française...

Des explications supplémentaires s'imposaient :

— On ne trouve plus d'ouvrages comme l'édition originale des *Liaisons dangereuses* de Laclos que dans le circuit professionnel, c'est-à-dire chez les bouquinistes spécialisés ou, à la rigueur, sur quelques sites Internet de collectionneurs bien nantis. Quand j'ai appris l'origine de Loucka, je me suis rappelé une de mes conversations avec un bouquiniste de la rue des Saints-Pères, à Paris. C'était il y a longtemps, peu après la chute du mur de Berlin. Il m'a expliqué qu'à cause de leur isolement du reste du monde, ne pouvant s'en procurer des rééditions, les pays de l'Est ont veillé avec un soin jaloux à la conservation d'un lot important d'éditions originales des grands classiques français. Ces considérations en tête, je me suis posé la question : les livres de Loucka pouvaient-ils provenir de son pays, l'ex-Tchécoslovaquie ?

Monique l'interrompit :

— Mais comment donc les aurait-il eus en sa possession ? Ces objets rares doivent être protégés comme des tableaux de maîtres, non ?

— C'est vrai. Mais malgré leurs infinies précautions, les grandes bibliothèques européennes ont eu leur part de vols de précieux incunables. Ainsi le *Pentateuque*, constitué des cinq premiers livres de la Bible, fut vendu aux enchères pour 30 000 dollars (c'était donné !) par un nommé Michel Gravel. Il l'avait dérobé de la Bibliothèque nationale de France. Toujours à Paris, il y a eu l'affaire des *Commentaires du Grand Alfonso Dalboquerque*, le célèbre Portugais ayant découvert les Indes. Cette fois, c'est un préposé de la bibliothèque de l'Arsenal qui se l'était approprié. Sa filouterie lui a rapporté la coquette somme de 120 000 Euros. Enfin, récemment, j'ai lu dans un magazine spécialisé publié en Angleterre qu'un directeur de la Bibliothèque nationale du Danemark a subtilisé pendant des années des œuvres de valeur. Le plus incroyable, c'est que ses héritiers ont pu les revendre pour pas moins de 10 millions d'Euros !

Monique avait adopté son attitude d'avocate. L'expression concentrée, elle jonglait avec ces derniers propos.

— Si je comprends bien, partant de l'idée qu'en identifiant l'assassin de Loucka tu mettrais la main sur ton précieux Laclos, tu en viens à une autre, qui consiste à établir la provenance des livres au sujet desquels il avait passé une annonce pour remonter à son meurtrier.

— Disons plutôt que je crois qu'aucune de deux approches ne peut être négligée.

— Tu es certain que ce Loucka n'a aucune famille ici ?

— Pas absolument, mais c'est ce que je crois. La police aussi, d'après ce que j'en sais. Il faudrait peut-être retourner à la Cour fédérale pour consulter à nouveau son dossier, car j'ai omis cette vérification lorsque j'y suis allé. Je n'y ai pensé qu'après…

— Je vais envoyer quelqu'un du bureau. Et tu n'y as trouvé aucune adresse ?

— Si. Mais il s'est révélé que c'était celle d'un avocat, sans doute celui qui a présenté la première requête de Loucka devant le tribunal administratif de l'Immigration.

— Quel avocat ?

— Comme je te l'ai dit, je n'ai vu qu'une adresse, le 7, rue Notre-Dame Est.

— Alors, c'est forcément Me Lewis Decker : c'est le seul avocat en immigration dans l'édifice Camilien-Houde.

— Je vois… Dis-moi, pourrais-tu appeler ce confrère ?

— J'y pensais justement. D'un autre côté, pourquoi ne le fais-tu pas toi-même ? Tu récolterais tes informations de première main et tu pourrais demander des précisions dès que les questions te viendraient en tête.

— Cela a du sens, j'en conviens. J'ai cependant une réserve. Étant donné qu'il va parler procédures, je ne saurais l'interroger adéquatement. Tandis que toi… et puis, entre confrères, tu pourrais obtenir une information privilégiée, à savoir si Loucka est le véritable nom de l'homme de rien. Il me faudrait aussi son adresse à Montréal, voire ailleurs au Canada, depuis son arrivée au pays.

— Possible, oui… En ce qui concerne son nom, je serais très étonné que ce ne soit pas le sien : tu sais, si les demandeurs d'asile détruisent souvent leur passeport avant de débarquer aux pays, ils donnent cependant leur vrai nom pour ne pas ensuite être taxés de mauvaise foi par la Cour d'immigration.

Opinant de la tête, Letendre se rangea aux arguments de Monique. Puis, il passa à l'autre objet de ses réflexions.

— Bon. Et mon idée d'aller à Prague ?

Elle fit un signe de la main signifiant que cette décision lui échappait.

— Tu fais comme tu veux. Je ne crois pas que ce soit mauvais. Et tu cours la chance d'y dénicher des trésors…

Letendre se détendit. Une fois de plus, Monique se révélait sa complice.

— C'est exactement ce que je me suis dit.

Il jeta un coup d'œil sur l'antique pendule que lui avait léguée sa mère, et il calcula mentalement.

— Il est trop tard pour joindre Jules à Paris. Je sais bien qu'il est un couche-tard, mais là, ce serait déplacé.

Il était près de vingt heures, et ils n'avaient toujours pas fait leur livraison à la librairie, lorsque Christine arriva sans prévenir. Letendre lui trouva la mine tirée. Bien plus, on aurait dit qu'une certaine gêne la tenaillait. Elle chercha aussitôt le regard de son père et, se faisant quasi implorante :

— Papa… Il faut que je te parle.

Letendre se rembrunit.

— Qu'est-ce qui t'arrive ?

— Rien d'inquiétant, mais je dois t'en parler.

D'elle-même, Monique décida de les laisser seuls et se retira dans la cuisine où, de toute manière, elle s'apprêtait à mettre le couvert.

— Alors ?

Christine prit place près du fauteuil de son père et se donna une meilleure contenance en ramenant ses mains nouées vers sa poitrine. Puis un sourire timide se dessina sur ses lèvres :

— C'est que... J'espère que tu comprendras, je ne pourrai pas réveillonner avec toi demain.

Letendre se retint de manifester quelque émotion pour ne pas freiner ce qu'il devinait être une confidence importante. Christine enchaîna :

— Voici... Je ne t'en ai pas parlé, mais j'ai rencontré récemment quelqu'un et... nous nous aimons vraiment bien. Il m'a demandé de passer le réveillon chez lui. Ce n'était pas mon idée, mais je dois dire que par les temps qui courent, j'ai peu de temps pour lui, pour nous, je veux dire.

Elle releva la tête et changea de ton.

— Je reviendrai dîner avec toi dimanche, le jour de Noël.

— Je le connais ?

Il se sentait plus curieux que déçu.

— Oui.

Sa curiosité monta d'un cran.

— C'est toi qui me l'as présenté.

Letendre était médusé.

— Je ne vois pas...

Les lumières qu'ils avaient installées en guirlande sur la balustrade du balcon jetaient à présent des lueurs multicolores sur le visage de Christine et faisaient briller ses yeux. Content du bonheur de sa fille, Letendre ne la pressa pas.

— C'est François Métayer.

— François... Le journaliste ?

Elle se contenta de petits hochements en guise de réponse.

— Et tu me le cachais?

— Tu me connais, je voulais d'abord être certaine.

— Certaine de quoi? Vous allez vous marier?

— Mais non, papa, sois sérieux, voyons! Seulement, je voulais être sûre que nous étions... que nous formions un couple...

— Tu es amoureuse?

— Qu'est-ce que tu crois? Follement!

Les amours de Christine... Elle était romantique comme d'autres sont poètes. La première fois – sa mère vivait encore avec eux – Letendre avait tout de suite vu dans ses yeux que quelque chose chamboulait la vie de sa fille. Elle était rentrée d'un week-end à Québec avec une amie, Nicole ou Colette, Letendre ne s'en souvenait pas trop, et elle, habituellement si volubile, n'avait presque pas commenté son voyage. Mais ses regards avaient tout dit: elle fixait sans cesse un point imaginaire, la tête dans les nuages, l'esprit totalement ailleurs.

Letendre s'était un peu inquiété, jusqu'à ce que Christine reçoive un appel. Alors, il avait compris. Il avait déjà remarqué ces expressions chez les amoureux qui conversent, tout charme dehors, avec une voix à la fois enjouée et tendue. Non, il ne se trompait pas, il en était persuadé. Il avait demandé:

— Il s'appelle comment?

Christine s'était brusquement refermée et était disparue dans sa chambre sur un:

— C'est personne que tu connais!

Elle avait 16 ans. C'était une adolescente réservée, toujours le nez dans un livre. À l'occasion, une amie venait la voir, manger et même coucher à la maison. Sans plus. Sa solitude ne lui était pas une contrainte : Christine était un être qui aimait la vie et qui s'accordait parfaitement avec elle-même.

Ce premier amour avait duré un été. Puis, tôt en septembre, Letendre avait remarqué que la mine de sa fille avait changé. Il avait aussitôt compris, mais il s'était gardé d'intervenir cette fois. La rupture n'avait pas jeté Christine dans le drame : pendant une dizaine de jours, elle avait cuvé sa peine avec une certaine tendresse, comme pour ne pas détruire ce qui allait devenir – elle le devinait sans doute – un joli souvenir.

Et il y en avait eu d'autres. Toujours des amours de midinette, aurait-on dit. Il fallait que ses prétendants se montrent galants et doux. On n'aime pas comme on fait son marché, disait-elle. Une relation amoureuse est l'occasion de moments privilégiés qui doivent éviter les ornières de la banalité. Alors, elle aimait les fleurs et les sorties sentimentales, et jamais rien ne devait être ordinaire ni vulgaire.

En somme, elle aimait comme les héroïnes de ces livres, aux amours plus grandes que nature.

Avec l'âge – elle avait maintenant près de trente ans –, ses sentiments avaient pris de la maturité, mais elle demeurait une éternelle romantique, et le genre d'hommes avec lesquels elle aurait accepté de partager sa vie couraient de moins en moins les rues. Il n'empêche que même si elle ne devait jamais se marier, pour son père jamais elle ne serait une vieille fille.

Pour Letendre, Christine était un personnage de roman d'amour.

— Papa ? Tu es où, là ? Je te disais que…

— Ne crains rien, je t'écoute. Mes idées vagabon-
daient, je pensais à toi…

Il chassa ses derniers mots d'un geste de la main.
Et :

— C'est une excellente nouvelle, ça, que tu réveillonnes
avec ton amoureux. Demain soir, je penserai combien tu
es heureuse, et ça compensera ton absence.

L'humeur de Christine changea du tout au tout pour
devenir franchement joyeuse, et il proposa :

— Tu manges avec nous ?

— Comment, vous n'avez pas encore mangé ? Il est
presque vingt et une heures !

— Disons… que nous avons perdu un peu de temps.

— Je croyais que Monique préparait des plats pour le
réveillon à la cuisine.

Ils soupèrent dans une ambiance de fêtes, et lorsque
Christine fut prête à partir, la soirée était fort avancée.
C'est alors que Letendre lui reparla de son nouvel
amour :

— Tu sais comment je l'ai connu, ton François ?

— Oui : il a rédigé un article au sujet de cet auteur
québécois qui avait repiqué des pages quasi complètes
d'un roman d'Henri Troyat, plagiat que tu avais découvert et dont tu lui avais parlé.

— Et c'est avec ce sujet qu'il s'est présenté à la rédac-
tion du *Journal*.

— Il ne l'a pas oublié, je t'assure.

— Dans ce cas, peut-être qu'il ne serait pas tout à fait
impoli de ma part de lui demander un petit service en
retour. Qu'en penses-tu ?

— Je ne crois pas, non ; mais c'est à lui que tu devrais
t'adresser.

— Justement, ce n'est pas tout à fait mon intention. Plutôt, je me demandais si toi, tu ne pourrais pas lui faire part de ma requête.

Christine fit une moue espiègle.

— Quelle est cette requête ?

— Peu de chose. J'aimerais qu'il regarde de près le meurtre d'Ales Loucka. *Le Journal* a publié un article à ce sujet avant-hier. Tu l'as lu ?

Il fit une courte pause pendant que sa fille acquiesçait.

— Il pourrait proposer à son rédacteur en chef de mener sa propre enquête. Au *Journal*, ils ont des moyens que je n'ai pas. Il réussirait probablement à obtenir auprès de la police des informations privilégiées. Par exemple, où en sont les investigations. Seulement ça, ce serait déjà pas mal. Tu comprends ?

— Et il devrait te communiquer ces informations ?

— Avant de les publier, bien sûr. Penses-y un peu, si c'était possible de mettre la main sur le premier tome des *Liaisons,* et pourquoi pas, sur d'autres éditions originales…

— Tu n'as pas à me convaincre. Je vais lui en parler et il va se mettre en contact avec toi.

— Donne-lui mon adresse électronique. Il pourra ainsi me communiquer ses informations au fur et à mesure. Puis, j'y pense : pourquoi ne viendrait-il pas prendre le repas de Noël avec nous ?

— Bonne idée. Je vais lui demander.

Elle regarda sa montre :

— Il faut que je rentre maintenant. Il est près de minuit, et la journée de demain risque d'être encore plus exigeante.

Après le départ de sa fille, Letendre eut comme un sentiment de soulagement : il avait la nette impression de ne plus être seul dans son rôle d'investigateur, pour lequel il s'estimait parfaitement incompétent.

Le lendemain, pendant que Monique en profitait pour étirer son sommeil, il résolut d'étudier la proposition de cession de ses droits à un éditeur allemand que son agent français lui avait fait parvenir par courriel. Plusieurs paragraphes le firent sourciller. Il les cocha pour en discuter avec Monique, puis ouvrit un nouveau fichier qu'il intitula *Voyage à Prague*. Il y inscrivit certaines notes qu'il compléterait au cours des prochains jours au fur et à mesure qu'il obtiendrait les informations nécessaires à son voyage. Alors qu'il allait consulter le calendrier et vérifier son agenda pour arrêter une date de départ, quelqu'un frappa légèrement dans la baie vitrée et il vit le visage réjoui de Marion. Letendre lui fit signe d'aller à la porte où il vint lui ouvrir.

— J'ai du nouveau !

Le chauffeur de taxi suivit Letendre sans même se débarrasser de sa canadienne, se contentant d'enlever ses bottes en sautillant dans l'entrée. Il prit place exactement devant Letendre suspendu à ses lèvres.

Au moment où il allait enfin déballer ce qu'il apportait de nouveau, Monique apparut, serrant autour de son cou la robe de chambre de Letendre qui descendait jusqu'aux chevilles.

— M. Marion, je vous présente mon amie Monique.

— Je l'ai deviné. C'est-à-dire… En vous voyant là, j'ai tout de suite compris que vous étiez avocate et comme Monsieur Letendre m'avait dit que…

— Car vous savez reconnaître une avocate en robe de chambre, une robe de chambre d'homme en plus ?

— Ce n'est pas le vêtement, c'est l'allure, l'expression... Je suis chauffeur de taxi et à force de m'amuser à deviner la profession des gens que je fais monter, j'en suis arrivé à juger assez bien mes clients.

Letendre vint à sa rescousse.

— Marion est en train de nous expliquer qu'il est physionomiste. Assieds-toi avec nous. Il m'a dit qu'il avait du nouveau à propos du meurtre de Loucka.

Sans attendre qu'on lui demande, et sur un ton enthousiaste, Marion se lança :

— Je suis retourné dans l'arrondissement de Pointe-Saint-Charles pour conduire un client à la Maison Saint-Gabriel. En revenant, j'ai fait le détour puis remonté la rue Centre. Quand je suis passé devant le 333, j'ai ralenti, évidemment. L'ayant à peine dépassé, j'ai vu dans mon rétroviseur un jeune homme qui en sortait. J'ai immobilisé la voiture. Le type est entré dans le café-bistrot *La Petite Planète*. Je l'ai suivi. Jouant l'innocent, je l'ai abordé en lui disant que l'autre jour, en déposant un client en face du 333, j'ai été intrigué par l'attroupement de curieux, les voitures de police, tout le bazar quoi! mais que je n'ai jamais pu savoir ce qui s'était passé. C'est un garçon tout ce qu'il y a d'aimable, et il a paru heureux, fier peut-être, de parler de l'événement avec quelqu'un qui n'en savait rien. Il m'a d'abord raconté la partie que l'on sait déjà, et je me suis montré intéressé comme si j'apprenais tout ça. À la fin, je lui ai demandé s'il connaissait la victime. Il m'a répondu que non. Est-ce qu'il l'avait déjà vue? Non plus.

Marion vit le visage de Letendre en dire long sur sa déception. En revanche, Monique affichait un grand intérêt. Le chauffeur de taxi se réjouissait intérieurement de l'effet qu'aurait ce qu'il lui restait à dire. Il se permit même une diversion :

— À propos, le garçon qui jouait devant l'immeuble de Loucka et à qui vous avez parlé à deux reprises… Eh bien ! il a très certainement vu l'assassin lorsqu'il a passé ses journaux ce matin-là. Il l'aura vu arriver et repartir…

Letendre ouvrit la bouche, mais Marion devança la question qu'il allait sans aucun doute poser :

— Il ne vous l'a pas dit, parce qu'il ne le savait pas.

— Vous me dites qu'il a vu un homme pouvant être l'assassin et qu'il ne le sait pas ?

— Exactement.

Letendre, de plus en plus dubitatif, n'eut d'autre choix que de demander à Marion de poursuivre.

— Mon petit jeune homme m'a donc dit qu'il ne connaissait pas du tout Loucka. Je lui ai alors parlé plus précisément du matin où on a découvert le corps et lui ai demandé s'il avait remarqué la présence d'un étranger dans les parages. Non plus, sauf que…

Il s'avança sur son siège et dressa un index pour bien marquer sa révélation.

— Sauf qu'à six heures environ, il a vu la voiture d'un livreur de pizzas stationnée devant le 333…

Le visage de Marion affichait un visible étonnement.

— Et je vous demande, moi : qui donc se fait livrer de la pizza à six heures du matin ?

Letendre eut un air d'entendement.

— En effet…

Mais après quelques secondes de silence, pendant lesquelles il réfléchit intensément, il constata, piteux :

— Je ne sais pas pourquoi, mais on dirait que plus j'en sais dans cette affaire, moins j'ai l'impression d'en savoir. Un livreur de pizzas… Combien y en a-t-il dans la ville ?

Est-ce que votre homme vous a donné le nom du restaurateur?

— Non. Il n'y a pas porté attention. Faut le comprendre...

Letendre ne cacha pas sa déception.

— C'est normal que tu te sentes perdu, fit remarquer Monique. C'était pareil pour moi à la faculté et ça n'a pas changé: quand je prépare un procès, plus j'avance et plus je me rends compte combien j'en ignore.

Sa remarque ne dissipa aucunement l'espèce de découragement qui prenait Letendre.

— Mais je constate encore jusqu'à quel point je n'y connais rien en matière d'enquête judiciaire et combien je suis sans moyens. Le plus novice des policiers a des outils pour travailler. Moi...

— Maigret n'utilisait pas de moyens complexes pour traquer les assassins, fit remarquer Marion. On tue toujours pour les mêmes motifs et on meurt toujours de la même manière, en perdant la vie....

Letendre ne put faire autrement que de sourire. Et puisqu'il ne servait à rien de s'appesantir davantage, il décida qu'il n'avait pas le droit de se laisser abattre ainsi.

— Bon: c'est ce soir que l'on réveillonne! Vous voulez bien, monsieur Marion, nous conduire au centre-ville? Monique et moi, nous allons magasiner.

— Vous vous y prenez tard!

— Vous connaissez une autre façon de faire ses emplettes de Noël, vous?

— Moi, les quelques cadeaux que je donne, je me les procure à Québec quand j'y vais l'été. Et je les fais emballer à la boutique de Noël située rue de Buade.

Alors, les courses à la dernière minute, je laisse ça à mes clients.

— Vous ne savez pas ce que vous manquez! lança Letendre avec bonhommie.

Puis, plus sérieusement, il révéla qu'il s'était déjà procuré le cadeau de Christine sur Internet: un forfait spectacles de la Place-des-Arts.

CHAPITRE 12

Ce fut un après-midi de fou. On eût dit que des émeutiers avaient pris d'assaut les grands magasins, où il était impossible de trouver un commis. Au rayon des cosmétiques, Letendre parvint à peine à s'approcher des produits en solde et il dut user d'un stratagème pour qu'on s'occupe de lui : il s'appuya soudain sur la surface vitrée d'un présentoir en portant une main à son cœur, et, respirant à grands coups, crispa l'autre comme s'il était victime d'un spasme sévère. Alertée, une vendeuse (qu'il n'était pas parvenu à repérer auparavant) vint aussitôt vers lui.

— Monsieur, ça ne va pas bien ? Je vais appeler la sécurité.

— Non, ne vous donnez pas cette peine.

Et il fit mine de prendre quelque chose dans sa poche qu'il porta à sa bouche en ajoutant :

— Cette petite pilule fera l'affaire.

— Vous en êtes sûr ? Il vaudrait mieux que vous preniez tout votre temps avant de vous relancer dans les allées.

— Vous avez raison. Justement… Vous pourriez m'éviter d'avoir à me rendre dans d'autres rayons…

Du doigt, il montra un ensemble de produits où dominait une bouteille de parfum Opium.

— C'est ce que je voudrais offrir à ma femme.

Non seulement la jeune fille s'empressa-t-elle de le servir, mais elle lui offrit même d'emballer l'ensemble, ce qu'il accepta sans scrupules. Elle l'accompagna à la caisse et lui tendit un coupon.

— Revenez dans dix minutes et présentez ce coupon : on vous remettra votre paquet.

L'incident avait réjoui Letendre. Il décida d'attendre sur place le cadeau bien emballé de Monique, qu'il alla rejoindre ensuite devant les ascenseurs, au rez-de-chaussée, tel qu'ils en avaient convenu.

L'instant d'après, ils sortaient tous deux du magasin et se frayaient un chemin dans la foule jusqu'à la première station de taxis, où ils durent attendre longuement qu'une voiture les prenne.

Pour tuer le temps, ils bavardèrent légèrement et c'est alors que Letendre eut cette remarque venue de nulle part :

— Ma femme faisait ses emplettes de Noël vers la fin de novembre. Elle disait que non seulement cela lui évitait d'être prise dans la folie des derniers jours, mais qu'en plus, elle bénéficiait de rabais intéressants.

— Tu y penses encore ?

— Tous les jours, je crois. Depuis celui où elle a disparu…

Quand ils descendirent de voiture devant le 49, des Ormes, en contraste avec l'effervescence des magasins, la grande maison leur sembla d'un calme quasi mortuaire. Pour l'égayer, Monique illumina le sapin et Letendre posa sur la platine qu'on lui avait offerte quelques années auparavant, à Noël justement, un disque de chansons traditionnelles.

Ils mangèrent ensuite, frugalement, voulant se garder de l'appétit pour leur petit réveillon à deux.

À vingt et une heures, ils se rendirent à la messe de Noël des enfants. Letendre eut soin de prendre avec lui un volume de la Pléiade, ouvrage pouvant aisément être confondu avec un missel, et pendant l'office, l'air recueilli, il lut de bonnes pages du *Journal* de Julien Green, alors que Monique était, elle, vraiment à ses dévotions. Même agnostique, Letendre savourait chaque année cette pause d'un peu plus d'une heure dans la belle église Saint-Viateur. Sur le parvis, le couple serra des mains et offrit ses meilleurs vœux à des gens rencontrés pour la plupart une fois l'an, en cette occasion.

Ils rentrèrent à pied, Monique se pressant contre Letendre comme une jeune amoureuse fière d'être en couple la nuit de Noël.

Sans cérémonie, Letendre lui remit son présent et elle l'imita. Il fut des plus surpris de se voir offrir un portable car, fit-il remarquer, il n'avait aucunement besoin d'un tel gadget.

— Moi, je crois que si. Ne serait-ce que pour que tu cesses de quémander celui des autres.

Elle souriait, mais sa remarque était sérieuse, estima Letendre, un peu mal à l'aise.

Pendant qu'ils réveillonnaient d'une fondue au fromage et d'un Pouilly-Fumé, une tradition établie par la femme de Letendre et que ce dernier veillait à perpétuer, Jules Gauthier téléphona.

— Joyeux Noël, mon vieux Paul !

— Où es-tu ?

— Mais… à Paris !

— Il doit être horriblement tard chez toi, non ?

— Quatre heures trente du matin... On a fêté à la Chancellerie puis à l'appartement. Les enfants sont arrivés du Canada en fin de journée seulement et il a fallu courir les prendre à Roissy. Je ne te parlerai pas des bouchons de circulation... Ouf! Les lumières sont éteintes et je suis le seul qui ne soit pas encore couché. Alors, j'ai pensé t'offrir mes vœux.

— C'est gentil. J'allais justement t'appeler demain à la première heure.

— Chacun son tour, souviens-toi que l'an dernier c'est toi qui l'avais fait pendant notre réveillon.

Ils échangèrent pendant quelque temps des propos sans conséquence, et quand il lui parut qu'ils avaient épuisé leurs éphémérides, Letendre passa aux choses sérieuses:

— Toi qui as voyagé partout dans le monde, est-ce que tu pourrais me parler un peu de Prague?

— Je ne suis jamais allé à Prague... C'est l'une des seules villes où je n'ai jamais mis les pieds. Mais je sais, car on me l'a tant de fois répété, que c'est un endroit absolument magnifique. La ville de Kafka.

— Pour moi, c'est surtout la ville de Rilke.

— Bien sûr, j'oubliais combien tu vénères l'ancien secrétaire de Rodin.

— Il était l'ami de Cézanne aussi.

Jules eut un rire bon enfant. Il reconnaissait bien là son ami, avide d'avoir le dernier mot dans leur petit jeu de Qui sait quoi?

— Je vois que tu demeures un passionné de littérature.

— C'est une passion qui va grandissant. Prague est aussi la ville de Musil... Tu sais que Mitterrand avait pris des cours pour apprendre à le lire?

Pour ne pas être en reste, Jules mit son grain de sel :

— Non, mais j'ai appris qu'il aurait fréquenté Milan Kundera, un autre auteur célèbre né à Prague.

Avant même que Letendre ne puisse le relancer, il fit dévier leur propos.

— Mais pourquoi me demandes-tu si je suis déjà allé à Prague ?

— Parce que je dois m'y rendre, fort probablement dès cette semaine, et j'aurais aimé avoir tes impressions sur la ville. Tu n'as pas ton pareil pour distinguer les traits caractéristiques des lieux où tu vas et tu les rapportes si habilement que je me disais que tu pourrais me donner quelques informations utiles…

— Hélas ! pas cette fois, Paul. Mais dis-moi, pourquoi ce voyage, si ce n'est pas trop indiscret ?

— Pour affaires, disons.

— Des affaires de vieux livres, encore ?

— Je préfère le terme de livres rares ou anciens mais, essentiellement, oui. Je te raconterai tout ça dans le détail quand on se reverra.

— Ce sera pour bientôt, je serai au Canada début février.

— Nous en profiterons pour manger au restaurant du nouvel hôtel qui vient d'ouvrir devant le Palais des congrès. On en dit beaucoup de bien.

— En attendant, jusqu'aux Rois, si tu as besoin de moi, tu peux m'appeler à l'appartement.

Quand Letendre raccrocha, Monique revenait vers la table avec une bûche au chocolat dont ils prirent chacun un généreux morceau : cela aussi, c'était dans la tradition, quel que soit l'appétit qui leur restait encore.

La table avait été montée pour quatre personnes, en prévision du dîner du lendemain alors que Christine viendrait à la maison accompagnée de François Métayer, et Monique décida de ne pas desservir les deux couverts qu'ils venaient d'utiliser, remettant le tout au lendemain matin.

Le silence de la maison se referma sur eux comme une chape douillette.

Le lendemain matin, pendant que Monique vaquait à ses affaires, Letendre s'installa devant son ordinateur pour magasiner en ligne un billet d'avion. S'il trouva facilement un vol direct d'Air Canada pour le 27 décembre avec retour le 12 ou le 13 janvier – en classe économique seulement –, il en fut tout autrement pour l'hébergement. Tous les hôtels semblaient absolument hors de prix, autour de 425 Euros la nuit, et c'est bien par hasard qu'il en trouva un dans la vieille ville, à coût raisonnable. Il réserva aussitôt au *Julian*.

Puisqu'il était bien installé devant son écran et qu'il avait retrouvé son entrain, il en profita pour rappeler le fichier de l'affaire Loucka. Après une révision sommaire, il ajouta :

Marion a parlé à un locataire qui lui a dit avoir aperçu un livreur de pizzas devant l'immeuble de Loucka autour de six heures du matin, le jour du meurtre. Mais il ignorait à quel restaurant appartenait la voiture de livraison.

Il avait cette impression récurrente de ne pas avoir véritablement avancé depuis qu'il s'était penché sur le cadavre de Loucka. Seulement des hypothèses, et il estimait qu'elles tenaient surtout de l'imagination de Marion et de la sienne. En revanche, une petite voix intérieure l'inclinait à suivre l'appel de son intuition et il ne doutait pas un instant qu'il lui fallait aller à Prague. Restait à déterminer la manière dont il s'y prendrait là-bas.

Le bruit des plats que remuait Monique à la cuisine lui rappela que c'était Noël et que Christine allait bientôt arriver. Il aurait tout le temps de planifier son séjour à Prague le lendemain ou, mieux, seul avec ses cogitations, lorsqu'il serait à bord de l'avion : il disposerait alors de neuf heures pour fignoler ses plans.

Christine et son compagnon arrivèrent à midi pile.

Selon la tradition, la fille de Letendre souhaita un joyeux Noël à son père en lui plaquant deux gros becs sur les joues alors que ses lèvres étaient encore froides de l'extérieur. Elle lui tendit une bouteille de vin, un Sangiovese qu'il aimait tant, et oublia un moment de présenter son ami qui se tenait sagement en retrait dans le vestibule.

— Oh ! Tu connais François...

— Bonjour et joyeux Noël, François. Bienvenue !

Un peu embarrassé, l'interpellé serra la main qu'on lui tendait.

Mince, la fraîche trentaine, il s'était vêtu pour les circonstances d'un pantalon noir et d'une chemise beige du plus bel effet, rehaussée d'un nœud papillon couleur lavande.

Serait-ce un cadeau de Christine ? Ce serait son genre...

Il avait des yeux sombres, si sombres qu'ils lui donnaient un regard sévère, mais un visage ouvert et une expression intelligente.

Avant qu'il eût à trouver quelque chose à dire, Monique se présenta et surprit un certain ravissement dans l'expression du journaliste. Cela lui plut. Aussi elle lui sourit en retour, et c'est d'une voix joyeuse qu'elle suggéra :

— Pourquoi ne prendriez-vous pas un petit apéritif pendant que Christine et moi, nous nous activons dans la salle à manger ?

— Je ne suis pas fort sur les apéros, vous savez.

Un autre, pensa Letendre, qui plaida pour la boisson brune :

— Ce n'est rien d'offensif : du grenache, tout léger...

François et lui se dirigèrent vers le bureau, et Monique se retira avec Christine. On les entendit ouvrir et fermer les portes d'armoires, déposer de la vaisselle sur la table. Puis, l'une d'elles glissa un CD dans le lecteur et un air de Noël interprété au piano par André Gagnon monta dans la maison en une rumeur diffuse.

Letendre s'installa derrière sa table de travail et réfléchit un moment pour trouver le ton qui conviendrait. Il se surprit à aller directement au but :

— Es-tu un peu au courant de ce meurtre, à Pointe-Saint-Charles ? Vous en avez glissé un mot dans le *Journal*.

— À peine. Mais je sais à quoi vous faites allusion, car c'est moi qui m'occupe des chiens écrasés. Enfin... c'est une façon de dire. Il faut bien commencer quelque part.

— Quelles sont tes ambitions, si je peux me permettre ?

— J'aimerais devenir chroniqueur judiciaire.

— Justement, à propos de cet assassinat ?

— Je n'en sais que le peu qu'on en a écrit. C'est Benoît Lapierre qui a rédigé l'article et nous n'en avons pas parlé entre nous.

— Tu parles du Lapierre qui a son émission de télé ?

— Et de radio. Il connaît le monde judiciaire comme le fond de sa poche, policiers, avocats, juges, et même criminels. Il m'a pris sous son aile. Je ne pourrais être mieux parrainé.

C'est mieux que je ne l'aurais cru.

— Je voudrais te demander s'il t'est possible d'en apprendre un peu plus, de savoir par exemple où en sont les policiers dans leur enquête. Tu vois ce que je veux dire ? Rien de vraiment indiscret, seulement comme si tu suggérais de faire un suivi pour les lecteurs.

Métayer l'écoutait, attendant la suite.

— Tu pourrais éventuellement obtenir plus que cela. Sait-on jamais…

François parut un peu gêné et hésitant, comme s'il n'osait pas poser la question qui lui brûlait les lèvres. Il se décida enfin :

— Mais, si vous me le permettez, pourquoi cette affaire vous intéresse tant ?

Il rougit presque de son audace.

— Christine ne t'a rien dit ?

— Pas vraiment, non…

Letendre prit donc le temps de tout lui raconter et conclut :

— Bien sûr, tout cela doit demeurer, disons, en famille.

— Vous avez ma parole et ma parole aussi que je vais tenter de vous obtenir le plus d'informations possible sur la progression de l'enquête.

Christine saisit ces derniers mots au moment où elle entrait dans la pièce.

— Alors vous en avez fini avec vos cachotteries ?

Elle était joyeuse comme une enfant : un peu plus et elle tapait des mains.

— Venez, on passe à table !

Dans la salle à manger, que Letendre n'utilisait jamais ou presque, les femmes avaient mis le couvert des grands jours et au centre de la table, le rouge de cinq feuilles de gui célébrait Noël de belle manière. François avait apporté une bouteille de vin lui aussi, mais on ouvrit la bouteille de Sangiovese, car Letendre n'appréciait pas du tout le Merlot.

Le soleil faisait des taches claires sur la nappe à cause des rideaux qui filtraient ses rayons, on aurait dit qu'ils mangeaient sur un tableau impressionniste. Le dîner s'étira jusqu'à très tard dans l'après-midi, d'autant qu'on attendit que chacun ait terminé son vin avant de servir la bûche glacée.

Le temps du repas, Letendre oublia Ales Loucka et Prague. En fin de journée, lorsque Christine et François partirent et qu'il se retrouva de nouveau seul avec Monique, il lui fit remarquer :

— Ça fait du bien de se vider la tête.

— Surtout que cela ne t'arrive pas souvent, ajouta-t-elle, pince-sans-rire.

Ils eurent envie de paresser encore un bon moment mais, pratique et prévoyante, Monique proposa plutôt de finir de préparer la valise, car elle n'allait pas pouvoir revenir avant le départ de Letendre : le lendemain, elle était attendue chez sa sœur à Québec.

Letendre avait lu qu'en raison des températures hivernales de Prague, et de la forte humidité de la Vltava traversant la ville, les touristes avaient intérêt à bien se couvrir en janvier. Aussi ses bagages s'alourdirent de vêtements chauds et même d'une paire de bottes fourrées.

— N'oublie pas de les porter.

Quand Monique le quitta, il n'était que vingt et une heures, mais Letendre décida d'aller au lit afin d'accumuler du repos en vue de la prochaine étape qui l'attendait.

Il fut réveillé vers les six heures du matin : le téléphone sonnait. Il mit un peu de temps à se rappeler qu'il lui fallait descendre répondre dans son bureau, ce qu'il fit en maugréant.

— Paul ?

C'était de nouveau Jules.

— Tu me prends au saut du lit, ou, plus exactement tu m'as fait sauter du lit.

— C'est vrai qu'il est tôt chez toi. Tu m'excuseras… Mais comme je savais que tu partais aujourd'hui…

— Demain…

— Tu pars demain seulement ? J'avais mal compris… Bon. Toutes mes excuses, mais je voudrais quand même te dire qu'après ton appel d'hier, je me suis souvenu que j'ai une amie là-bas.

Letendre n'était pas encore tout à fait réveillé.

— Où ça, là-bas ?

— Mais à Prague ! J'ai une amie que j'ai connue en Algérie, à l'ambassade de France. Elle est maintenant en poste à Prague en tant qu'attachée culturelle. Je viens de l'avoir au téléphone. Si tu l'appelles maintenant pour confirmer que tu es d'accord, elle pourrait t'attendre à l'aéroport.

Le combiné coincé entre l'oreille et l'épaule, Letendre s'était dirigé vers la cuisine où il s'était fait réchauffer un reste de café au micro-ondes.

— C'est une excellente idée, Jules. Je te remercie. Mais accepterais-tu de le faire à ma place. Tu la connais et…

— Bon, je m'en occupe. Je te donne sa description. Elle est blonde, je me la rappelle assez jolie et grande, dans la trentaine. De toute manière, je vais lui suggérer qu'elle se présente avec un carton portant ton nom bien en évidence.

— D'accord. Et merci encore !

— Tu crois faire un détour par Paris en rentrant ?

— Ce n'est pas prévu… Mais sait-on jamais ? Mon éditeur parisien essaie de me convaincre de signer un contrat avec les Allemands, ce que je ne prends en considération qu'à certaines conditions. Il y a une mince possibilité que j'aille en discuter de vive voix avec lui.

— Donc j'aurai peut-être la chance de te voir bientôt ?

— Si l'on peut appeler ça de la chance.

— Sacré bougon, va ! Allez, à bientôt.

— À bientôt, Jules.

Le bip-bip du four à micro-ondes annonçant que le café était chaud se déclencha au moment même où Letendre raccrochait.

Cette amie de Jules qui l'attendrait à sa descente d'avion, c'était une bonne nouvelle. Il ne perdrait pas de temps à s'orienter en arrivant à l'aéroport ou même à se demander quel pourrait être le meilleur moyen pour se rendre en ville, puis trouver son hôtel. Il aurait pu aussi bien prendre un taxi, mais il couvait toujours un fond de méfiance lorsqu'il était à l'étranger. Surtout qu'il avait lu quelque part que les chauffeurs de taxi de Prague forcent le prix des courses. À tel point que le maire de la ville avait dénoncé leur comportement lors d'une séance d'information à l'attention des agents de voyage et les avait priés de prévenir leur clientèle.

Il occupa le reste de l'avant-midi à consulter plus en avant l'ensemble des ouvrages rapportés du consulat de la rue des Pins, s'attardant sur une des deux histoires de la République tchèque que la jeune femme lui avait données. Il sortit de sa lecture plus confus que jamais à propos de la Tchécoslovaquie et de la République tchèque, et de toutes leurs alliances ou mésalliances au cours des siècles. Les passages sur la révolution de velours de Václav Havel firent néanmoins remonter dans son esprit des événements auxquels il s'était réellement intéressé en 1989. Puis, pour lui-même, il s'obligea à dégager quelques point saillants : Havel n'était plus président ; la République tchèque et la Slovaquie s'étaient définitivement séparées le 25 novembre 1992 ; enfin, le 16 décembre de la même année, un État tchèque indépendant avait été créé. S'étant opéré sans drame, ce dénouement n'avait pas accaparé les médias internationaux.

Il prit des notes qu'il ajouta au fichier de sa préparation de voyage. Aussi, il écrivit un courriel à Maria Tlaskal pour l'informer qu'à Prague, il descendrait au *Julian*.

Le reste de la journée, puisque tous les commerces et même les banques (il avait besoin d'Euros) étaient fermés, il se plongea dans la lecture de certains passages des *Voyages* de Paul Morand. C'était une activité à laquelle il se livrait souvent avant de partir, surtout dans un pays qu'il ne connaissait pas. Il rompait ainsi avec sa routine pour se mettre en état, comme il disait, de curiosité, disponible et avide de découvertes. Cela lui permettait en outre de se détendre avant les tensions du voyage. Il s'attarda au texte relatant la première visite de l'auteur à

Bucarest (*je n'oublierai jamais ma rencontre avec elle…*) intitulé *Entre Danube et Carpates.*

L'esprit satisfait, il mangea les restes du réveillon, regarda ensuite à la télé un long documentaire sur la crise du pétrole et se prépara à la suite des événements.

CHAPITRE 13

Le lendemain, Marion vint le prendre à deux heures de l'après-midi.

Auparavant, Letendre s'était entretenu avec Monique qui était revenue de Québec dans la nuit.

Le chauffeur de taxi affichait son enthousiasme habituel.

— Pendant votre absence, je vais pousser l'enquête de mon côté, annonça Marion.

« Je n'en doute pas un instant », se dit Letendre, heureux de constater la ténacité de son partenaire d'enquête.

— Je vous fais confiance, Marion.

— Pour commencer, je vais m'incruster dans le secteur de la rue Sherbrooke Ouest où ils se tiennent surtout – je veux dire les Tchèques. Puis je vais retourner rôder du côté de Pointe-Saint-Charles, on ne sait jamais…

Letendre ne le relança pas. Il avait les idées ailleurs. Afin de s'enquérir s'il pouvait se procurer des Euros, c'est en vain que toute la matinée il avait tenté de communiquer avec sa succursale bancaire. Il avait composé le numéro de son directeur de compte pour tomber sur un répondeur l'informant que ce dernier était présent, mais dans l'impossibilité de répondre. À la fin du message enregistré, dans l'éventualité où, justement, il n'obtiendrait pas de réponse, on lui donnait les coordonnées d'une autre personne-ressource. Sa nouvelle tentative n'avait pas été plus fructueuse : un répondeur l'avait renvoyé à un autre officier, lui aussi présent mais dans l'impossibilité de répondre. De guerre lasse et à la limite de sa patience, il avait rappelé le numéro général de la succursale. Cette fois, un boniment enregistré (un autre !) l'avait dirigé vers ce qui s'était révélé le siège social de la banque. Là, on lui avait répondu qu'on ne pouvait rien pour lui et qu'il devait passer par sa succursale ou encore, communiquer avec un autre numéro, qu'il s'était empressé de composer avant de l'oublier : c'est ainsi qu'il était tombé sur une préposée qui parlait anglais et ne comprenait pas pourquoi il s'adressait à Toronto pour obtenir des Euros de sa succursale à Montréal !

— Vous savez Marion, il est plus facile de nos jours de braquer une banque que d'entrer en communication avec elle.

— Ah ! ça... La prochaine fois, je vous accompagnerai. Nous nous présenterons au comptoir couverts de cagoules et nous clamerons : « Haut les mains, nous voulons parler à quelqu'un ! » Qu'est-ce que vous en dites ?

— Je pense que vous vous moquez de moi !

— Oh ! si peu, vous pouvez me croire.

La circulation étant fluide, ils furent à l'aéroport Pierre-Trudeau en moins d'une demi-heure. Il n'y avait pas foule là non plus, et le taxi trouva aisément un espace pour se garer le temps que Letendre descende et que Marion décharge ses bagages.

— Je voyage trop lourd, réfléchit tout haut Letendre. Il faudra que je demande à Jules comment il s'y prend, lui qui part régulièrement pour le bout du monde avec l'équivalent d'un porte-document.

Ils échangèrent une poignée de main et Marion promit d'être là lorsque Letendre rentrerait de Tchécoslovaquie.

— De République tchèque, le corrigea Letendre. Ne vous en faites pas, moi-même je confonds souvent.

Les voyageurs pour Prague qui attendaient devant le comptoir d'Air Canada étaient beaucoup moins nombreux que ceux qui allaient à Paris et, en moins de quinze minutes, Letendre faisait enregistrer ses bagages.

C'est alors que les choses se gâtèrent.

Lorsqu'il présenta son passeport, la préposée sourcilla et son regard, insistant, fit plusieurs allers et retours du document au visage de Letendre. Pour une raison qu'il s'expliqua mal, au lieu de s'enquérir à propos de cette attitude, il s'efforça de garder un visage impassible, comme l'aurait sans doute fait quelqu'un ayant quelque chose à se reprocher. Au bout d'un moment, la jeune femme referma le passeport, feignit (malhabilement) de sourire et s'excusa :

— Attendez-moi un instant, s'il vous plaît, je reviens.

Elle disparut derrière une cloison. Au bout de quelques minutes, Letendre pensa se retourner pour s'excuser auprès de ceux qui attendaient derrière lui, mais il n'en eut pas le temps : l'hôtesse revenait accompagnée de deux hommes en uniforme, des agents de l'Immigration, des agents de sécurité ou peut-être même, pensa Letendre, des policiers.

— Monsieur, si vous voulez nous suivre.

Comme dans un film de catégorie B ou dans un épisode de mauvaise télésérie, on l'entraîna en le tenant par les coudes.

— Mais… Et mes bagages ?

— Ne craignez rien. On s'en occupe.

Justement, c'est ce que je crains…

On le mena dans un réduit derrière une grande pièce emplie d'hommes vêtus du même uniforme, de pupitres et d'écrans cathodiques, de téléphones, et d'un grand tableau sur lequel était projeté un plan de l'aérogare où scintillaient des points lumineux.

On le fit asseoir et on lui dit d'attendre. Avait-il seulement le choix ?

Sans un mot de plus, on referma la porte sur lui.

Deux heures quinze. Son avion partirait sans lui.

Il n'eut pas à patienter très longtemps. Un homme, en civil, à l'allure affable et qui eut la courtoisie de frapper avant d'entrer, vint le voir. D'une voix posée et aimable, mais avec un fond de fermeté dans l'expression, il lui demanda, ou plutôt lui fit remarquer :

— Comme ça, monsieur Letendre, vous nous faussez compagnie ?

— Je ne comprends pas.

— Peut-être avez-vous oublié ?

— Oublié quoi ?

— L'autre matin, rue Centre, à Pointe-Saint-Charles ?

— Je ne vois toujours pas.

— Mon collègue, le sergent-détective Labrosse, vous avait demandé de rester à la disposition de la police.

— Ah ! ça…

Letendre tombait des nues : il n'avait pas pris cet ordre au sérieux et l'avait aussitôt oublié. Il trouva tout de même le moyen de parer :

— Puisque personne ne m'a rappelé depuis ce temps…

— Ce temps ! C'était il y a une semaine à peine, monsieur Letendre. Et puis, c'est le temps des fêtes…

— Admettons. Quand même, je croyais qu'on m'aurait téléphoné. Un meurtre, c'est important. Puisque vous ne l'avez pas fait, j'en ai conclu que vous n'aviez pas besoin de moi.

L'homme le sondait plus qu'il ne le regardait. Pendant un long moment, il demeura silencieux, et ce mutisme mit Letendre de plus en plus mal à l'aise. C'est sans doute ce que le policier – car c'en était un, indubitablement – souhaitait.

— Et vous partez où, monsieur Letendre ?

Il connaissait la réponse à cette question, Letendre en était persuadé, mais répondit comme si de rien n'était :

— À Prague.

— Et pourquoi ?

Letendre fut pris de court et comprit qu'il devait mentir. D'abord, il jeta :

— Comme touriste.

Ensuite, réfléchissant à toute allure, il trouva une explication tout près de la vérité, ce qui facilitait le mensonge.

— Je suis collectionneur de livres et j'ai un ami, ambassadeur du Canada auprès d'un organisme économique international, en poste à Paris (tout cela se glisse bien dans une conversation, se dit Letendre, content de lui). Il m'a informé qu'à Prague, une institution plus que centenaire et réputée pour son inventaire d'ouvrages en édition originale de grandes œuvres françaises fermait ses portes. Il connaît là-bas une personne qui pourra me faire visiter la librairie avant la vente aux enchères qui se prépare. Cela me permettra de faire une meilleure sélection. Alors vous comprendrez que je m'y rends aussi vite que possible. Non seulement je suis collectionneur, mais les livres anciens constituent mon gagne-pain.

— Et elle s'appelle comment, cette librairie ?

— Ça... je ne peux vous le dire. Enfin, je vous le dirais si je le savais. Mon ami m'a seulement prévenu qu'une dame viendrait me chercher à l'aéroport pour m'y conduire. Je n'ai pas posé davantage de questions.

— Elle s'appelle comment, cette dame ?

— Je ne le sais pas non plus, car ça n'a aucune importance. Elle sera là. Mon ami voulait que je l'appelle, mais je lui ai demandé d'arranger les choses avec elle pour moi. Puisqu'il la connaît de longue date, c'était plus simple. Elle doit m'attendre à la descente de l'avion. Elle aura un carton avec mon nom écrit dessus.

Il y eut un moment de flottement.

— C'est la vérité.

— Vous êtes un drôle de coco, monsieur Letendre. Quitter le Canada entre Noël et le jour de l'An pour vous rendre à Prague rencontrer une inconnue et acheter de *vieux livres* (il avait prononcé ces deux derniers mots comme s'il s'agissait d'une expression vulgaire)...

— C'est connu, les collectionneurs sont tous un peu fous...

Et Letendre rit. Seul.

— Attendez-moi ici, je reviens.

Où veux-tu que j'aille, enfermé à double tour ?

Quelque chose lui disait que la seule manière de se sortir de cette situation absurde était de rester parfaitement calme.

Cette fois, l'attente fut plus longue. Il était deux heures cinquante-cinq.

J'ai définitivement raté mon avion.

Alors il lui vint une idée à laquelle il aurait dû penser avant : Monique ! Il se leva et alla frapper à la porte. À sa grande surprise, on lui ouvrit aussitôt.

— Je voudrais téléphoner.

L'officier à qui il s'adressait ne dit mot. Il se tourna, se pencha et débrancha un des appareils qui se trouvait sur son bureau et vint l'installer dans la pièce où se tenait Letendre.

— Voilà, dit-il, laconique.

Sans un mot de plus, il sortit en refermant le battant sur lui.

Quelque peu interdit par cette attitude aussi anonyme que froide, Letendre mit quelques instants à se ressaisir. Il prit le combiné et composa le numéro de Burnstein, Pollack et Miron. On l'informa que Monique était à la bibliothèque du Barreau. Déçu, il raccrocha, non sans avoir demandé qu'elle le rappelle au numéro qu'il lut sur l'afficheur. C'était un coup d'épée dans l'eau : lorsqu'elle retournerait au bureau, son avion serait parti et lui, en route pour Outremont... À moins qu'on le garde sous surveillance ou, même, en cellule ?

Cinq minutes plus tard, l'homme vêtu en civil revint, accompagné cette fois de nul autre que le sergent-détective Labrosse.

Le policier était d'humeur taciturne. Il portait un habit de couleur anthracite qui, sur une chemise bleu pâle avec cravate assortie, était d'un chic détonnant dans les circonstances. Sans doute avait-il dû quitter quelque repas cérémonieux pour venir à l'aéroport, démarche qui, visiblement, le contrariait.

De fait, il arrivait de chez ses beaux-parents, qui habitaient les hauteurs de Westmount. Il avait épousé leur fille unique (après un divorce difficile), quelques mois auparavant, seulement.

Moins âgée que lui d'une dizaine d'années (il en avait 39), personne de fragilité apparente et dont le charme était marqué d'une féminité aiguë, étrangement, cette dernière venait de se joindre aux forces de l'ordre et rêvait d'une carrière d'enquêteur. Son père, un ancien officier de la Gendarmerie royale, pas peu fier qu'elle suive ses traces, l'encourageait dans cette voie.

La jeune femme, répondant au nom de Juliette, nourrissait de grandes ambitions pour son nouvel époux. De manière insistante, elle était quelque peu entêtée, elle ne cessait de le pousser à prendre du galon, et lui était partagé entre son adhésion à une telle aspiration et le caractère par trop autoritaire de sa compagne. Chose certaine cependant, son amour pour Juliette était total et il en était si manifestement épris que ses collègues l'avaient surnommé Roméo.

— Monsieur Letendre, on me dit que vous allez à Prague, pour affaires? demanda-t-il d'un ton sceptique.

— Oui, pour affaires, insista Letendre en y mettant le plus de conviction possible.

— Quelles affaires?

Letendre lui répéta mot pour mot ce qu'il avait déjà dit. Les deux hommes – qui avaient très certainement longuement discuté de son cas – se consultèrent du regard et parurent s'entendre sur une décision.

— Vous pouvez y aller, lâcha Labrosse, mais je vous redonne ma carte et, s'il vous plaît, j'insiste! informez-moi de votre retour, car nous pourrions avoir besoin de vous, comme je vous l'ai déjà mentionné.

Pendant que Letendre accusait le coup de cette excellente nouvelle, le sergent-détective Labrosse demanda encore:

— Quand revenez-vous?

— Le 12 ou le 13 janvier.

Les policiers se levèrent.

— Allez! On y va.

Ils quittèrent la pièce. Letendre leur emboîta le pas. C'est devant le bureau du gardien de sécurité qui lui avait remis le téléphone que retentit le son d'une clochette au timbre clair qui fit se tourner les têtes, y compris celle de Letendre. Il ne comprit pas tout de suite que c'est vers lui que se dirigeaient tous les regards. Il haussa les épaules, étonné :

— Qu'est-ce qu'il y a ?

— C'est un portable qui sonne, l'informa Labrosse, un léger reproche dans la voix.

Dans un mouvement imprévisible, il revint vers Letendre, plongea une main dans la poche intérieure de son manteau.

— Voilà, c'est le vôtre.

Il tendit à un Letendre ahuri le portable que Monique lui avait offert.

— Je vous prie de m'excuser, j'avais complètement oublié. Vous comprenez, je l'ai eu à Noël et…

Visiblement, cela n'intéressait personne.

— Allo ? Monique, c'est toi ?

Par discrétion, les hommes s'éloignèrent, ce qui le fit paniquer : sans eux, il n'avait aucune chance de rattraper son avion.

— Non, restez. J'en ai pour une seconde.

Ils demeurèrent quand même à distance.

Letendre expliqua la situation à Monique. Il eut soin de désamorcer ses inquiétudes en l'informant que les choses s'étaient arrangées et qu'il pourrait fort probablement prendre son avion.

— C'est trop simple, lui dit Monique.

— Comment trop simple?

— Je t'expliquerai… Est-ce que tu n'as pas un avion à prendre?

— Justement, je dois embarquer…

— Appelle-moi demain.

Il acquiesça, lui promettant de le faire promptement lorsqu'il serait à Prague.

À partir de cet instant, les choses se déroulèrent très vite. Letendre ne revint pas dans la grande salle des départs. Au lieu de cela, on lui fit prendre tout un dédale de corridors (l'envers du décor, s'amusa à croire Letendre) et il déboucha directement à l'entrée de la rampe d'embarquement où l'attendait la personne du comptoir à qui il avait remis son passeport, qui le lui rendit après avoir composté sa carte d'embarquement. En souriant – pour de vrai cette fois – elle lui annonça que ses bagages étaient déjà à bord.

Ensuite, il dut presque courir pour atteindre la porte de l'appareil que deux agents de bord s'apprêtaient à refermer.

Ce n'est qu'une fois assis, sur un siège trop étroit, qu'il prit conscience qu'il n'avait pas raté son avion et qu'il s'envolerait pour Prague dans les prochaines minutes.

CHAPITRE 14

Il prit le temps de reprendre son souffle et d'acquiescer à l'expression aimable de sa voisine, une dame aux cheveux blancs dont l'échancrure minimaliste du chemisier blanc laissait entrevoir une croix dorée qui donnait à penser qu'elle pouvait bien être une religieuse. Puis il jongla avec les derniers événements. Il ne mit pas longtemps pour admettre que l'intervention dont il venait de se sortir n'avait rien de bien extraordinaire : sur la scène du meurtre, Labrosse lui avait bel et bien demandé de rester à la disposition de la police. Non, ce qui était inquiétant, c'est qu'on l'ait laissé partir aussi aisément. «C'est trop simple», lui avait fait remarquer Monique, la voix inquiète.

Trop simple en quoi ?

Il s'était si profondément plongé dans ses réflexions que les annonces usuelles du commissaire de bord suivies de celles du pilote le prirent par surprise. Regardant distraitement les instructions concernant la sécurité sur l'écran minuscule au dossier du siège devant lui, il déplora de ne pas avoir pu se procurer des magazines avant d'embarquer et souhaita que les hôtesses en offrent. Peut-être s'en trouvait-il dans les espaces prévus à cette fin contre la cloison divisant les cabines ? Quand il fit mine de se lever, on pria les passagers de demeurer assis et d'attacher leur ceinture : on allait décoller.

Trop simple… Les mots de Monique tournaient, tournaient dans sa tête. Son intuition l'éclaira : si on l'avait laissé partir, c'est qu'on croyait qu'il se rendait en République tchèque pour mener sa propre enquête. Ce qui était exact. On allait le faire suivre – oui, c'est ça, le prendre en filature – en espérant qu'il trouve quelque indice qui ferait avancer l'enquête. Quelqu'un était sans doute monté dans l'avion pendant qu'on le retenait à l'aéroport, quelqu'un que la police avait dû mander à toute vitesse pour se rendre à Prague avec mission de ne pas perdre Letendre de vue.

— Monsieur ? Vous désirez des journaux ?

Il avait failli laisser passer l'occasion. Il prit *Le Devoir*, *La Presse* et *Le Point*.

Il porta une main dans la poche intérieure de sa veste pour prendre ses lunettes, et ses doigts rencontrèrent la boîte dans laquelle il n'oubliait jamais de mettre quelques Gravol avant de partir en voyage. Il se félicita de ne pas les avoir oubliés. Il avala deux comprimés, persuadé qu'après une bonne heure de lecture, il pourrait s'assoupir pendant presque tout le reste du vol.

De fait, peu après le décollage, il rangea les journaux et le magazine dans le filet, abaissa le dossier de son siège et ferma les yeux en pensant aux derniers mots de Jules Gauthier :

— Elle t'attendra en tenant un carton avec ton nom dessus.

La belle affaire : celui qui m'a pris en filature ne la ratera pas non plus, tiens ! Ce n'est donc pas à l'aéroport que je pourrai le semer.

Tout bien considéré, il s'avisa qu'il disposait d'un sérieux avantage : la personne qui le filait ignorait qu'il avait deviné être suivi. Il s'arrangerait donc pour brouiller les pistes. Cela pourrait être amusant.

Et il s'endormit en imaginant un personnage chafouin qui lui collait aux basques dans une ville aux murs rouges comme le parti communiste, grouillante de gens aux visages tristes qui l'enviaient de s'y promener librement.

Il se réveilla tout chiffonné, le bras gauche ankylosé.

— Vous avez bien dormi ?

Sa voisine, les yeux pétillants derrière des lunettes toutes modestes – *oui, il n'y a pas de doute, c'est une religieuse* – le regardait avec un sourire maternel.

— On arrive bientôt (il faillit ajouter « ma sœur ») ?

— Je crois qu'on va l'annoncer dans les prochaines minutes.

Letendre sentit le besoin impérieux de se dégourdir les jambes. Il s'excusa et parvint à se glisser dans l'allée sans heurter sa voisine. Se dirigeant vers l'arrière, il se surprit à dévisager les passagers l'un après l'autre, tout en supputant ses chances de reconnaître le policier chargé de le suivre. Était-ce cet homme avec un complet sombre et les cheveux trop courts, ou cet autre, bâti comme un athlète et qui lisait un roman d'Ed McBain ? Puis non, ce devait être ce grand gaillard, l'air stoïque, qui avait ouvert une mallette sur ses genoux et consultait des documents. Mais une jeune femme à ses côtés se lova contre lui et tendit ses lèvres : un couple en voyage de noces, conclut Letendre reconnaissant combien, contrairement à Marion, il n'était pas physionomiste.

Il se rendit aux toilettes et, s'aspergeant le visage, il se trouva l'air fatigué.

Lorsqu'il eut repris sa place, le pilote annonça que l'appareil amorçait sa descente vers l'aéroport de Prague.

Il aida la religieuse à descendre sa valise du porte-bagages, ce qui lui rappela de prendre aussi le manteau qu'il y avait rangé. Une tension sourde l'agitait. Tant qu'il ne serait pas à l'air libre, il n'allait pas cesser, comme chaque fois qu'il atterrissait à l'étranger, d'appréhender les procédures de débarquement, de douane et de récupération des bagages. Mais le tout se déroula sans anicroche. Vingt minutes plus tard, il franchissait le dernier tourniquet lui permettant d'entrer en République tchèque.

Il fut parcouru de l'enthousiasme habituel qui le saisissait lorsque des événements de sa vie constituaient une première pour lui.

Ce qu'il vit d'abord, c'est son nom sur un carton porté à bout de bras. En cette période des fêtes, la salle des arrivées était bondée. Des enfants couraient partout et embarrassaient leurs parents qui tentaient de les raisonner ; des jeunes gens venus manifestement pour accueillir qui son mari, qui sa femme, qui un amoureux, qui une amoureuse, s'irritaient des grouillements de cette foule et au lieu d'être heureux à la perspective d'étreindre un être cher, ils maugréaient.

Fixant son nom écrit sur un carton rudimentaire, Letendre remonta le courant de la foule et parvint devant une jeune femme à qui il aurait aimé dire quelque chose de brillant. À sa courte honte, il ne trouva que :

— C'est moi…

Des cheveux abondants, d'un blond naturel, un sourire timide mais charmant, une silhouette juvénile, elle était vraiment jolie. Elle devait avoir environ vingt-cinq ans selon l'estimation de Letendre qui – Monique le lui avait plusieurs fois fait remarquer – était très mauvais dans ce genre de spéculation. Aussi devait-elle plutôt être dans la trentaine.

— Vous êtes monsieur Letendre ?

— C'est moi, répéta-t-il bêtement.

— Je m'appelle Alexandra Silhanova, dit-elle en lui tendant la main dans un élan de bonne humeur presque enfantin. Jules Gauthier m'a demandé de venir vous accueillir.

— Enchanté.

— Vous avez vos bagages ?

— Oui.

— Dans ce cas, allons-y.

Ils partirent d'un pas pressé vers la sortie. À les voir, on aurait dit des gens en fuite tellement ils marchaient vite. Letendre appréciait ce rythme qui, d'une part, achevait de le réveiller et, d'autre part, rendait sûrement très difficile la tâche du limier que Labrosse avait mis à ses trousses.

Une impressionnante Peugeot noire, portant l'insigne de l'ambassade de France, les attendait devant la file des taxis et le chauffeur s'avança aussitôt pour prendre les valises de Letendre.

L'air était sec, mais il soufflait un vent froid.

Lorsqu'ils furent installés dans la limousine, Alexandra engagea la conversation :

— Jules Gauthier m'a téléphoné le jour de Noël : une belle surprise ! Presque un cadeau. Vous le connaissez depuis longtemps ?

— Environ sept ans.

— Je l'ai connu en Algérie. Il a dû vous dire aussi que j'étais attachée culturelle à l'ambassade de France, et lui à celle du Canada. Nous nous sommes d'abord croisés dans différentes cérémonies, puis à l'occasion de cocktails donnés par nos missions diplomatiques respectives.

— Je vois.

— J'aimais beaucoup sa compagnie. Il n'a pas son pareil pour raconter mille et une anecdotes à propos de ses séjours de par le monde. Chacune vaut bien une nouvelle de Somerset Maugham.

— Lequel est son auteur préféré.

— Vous savez ça ?

— Mais bien sûr ! Et ce qu'il aime par-dessus tout de cet auteur, c'est sa nouvelle à propos de ces mondaines de la côte d'Azur…

— *Les trois grosses dames d'Antibes.*

— C'est ça, oui.

La voiture roulait sur une autoroute qui n'avait rien d'exotique, et Letendre y jeta un coup d'œil blasé.

— Nous serons à Prague dans environ dix minutes, l'encouragea Alexandra.

Elle disait vrai car, dans ce qui parut à Letendre un laps de temps très court, ils s'engagèrent dans une bretelle de sortie et Alexandra annonça :

— On y est.

Presque aussitôt, Prague surgit devant eux.

Hérissée de clochers, sous un ciel ensoleillé mais légèrement brumeux – sans doute cette fumée dont parlait Kafka dans sa correspondance et dont il ne connaissait pas vraiment l'origine –, la ville semblait s'enrouler sur elle-même, un peu comme la ville de Québec, pensa Letendre. De nombreuses toitures de couleur ocre s'étalaient entre les silhouettes dénudées de grands arbres qui bordaient le serpent scintillant de la Vltava. La masse imposante d'un château dominait la ville et, derrière, pointaient les flèches d'une cathédrale dorées par le soleil. Le tout composait un ensemble parfaitement équilibré de beauté et de pittoresque. Mais surtout, il y avait ce pont, un pont de pierres, grises ou cuivrées selon l'angle de la lumière montant du fleuve. Aucune voiture sur ce tablier de carte postale, que des piétons avançant sans hâte entre les hautes statues qui le bordaient.

Letendre était si absorbé par le spectacle qu'il sursauta un peu quand Alexandra lui fit remarquer :

— Saisissant?

— D'une beauté saisissante.

— Je vais vous conduire à votre hôtel puis me rendre à mon travail.

— Bien sûr, je comprends. De toute manière, je dois dormir un peu.

Bientôt la voiture glissait devant l'hôtel *Julian* où elle s'immobilisait.

— Que diriez-vous si je venais vous prendre, disons, à dix-huit heures, pour manger?

— Vous n'avez pas à me donner de votre temps, vous savez. Je peux bien attendre à demain. J'aurai simplement quelques renseignements à vous demander, des renseignements dont je n'ai même pas idée maintenant tant j'ai la tête embrouillée.

— Mais non, j'y tiens. Et cette fois, on parlera de vous plutôt que de Jules Gauthier.

— Je ne peux vous garantir que ce sera aussi intéressant. La vie d'un collectionneur de livres n'est pas très aventureuse.

Le chauffeur alla prendre les valises dans le coffre de la voiture et accompagna Letendre jusqu'à la réception. Une très jeune fille se tenait derrière le comptoir, occupée

à consulter un écran cathodique pendant qu'elle piano-
tait à toute vitesse sur le clavier. Lorsque Letendre arriva
à sa hauteur, elle s'arrêta net.

— *Dobrý den!*

— Bonjour. Je m'appelle Paul Letendre et j'ai
réservé…

La réceptionniste crut bon de le rassurer aussitôt.

— Je parle français.

Elle trouva aisément sa réservation, lui fit signer une
fiche et appuya sur une sonnette. Un garçon en livrée,
stylé, se présenta, prit la clef et les bagages et invita
Letendre à le suivre.

Le décor était chargé : des miroirs, des dorures, des
tentures grenat… Sans doute était-ce un ancien hôtel
particulier. Comme à Paris, les ascenseurs étaient des
dimensions d'un mouchoir de poche et d'une remarquable
lenteur. Au sixième étage, la chambre (numéro 6287) de
Letendre se trouvait à l'extrémité d'un couloir si silencieux
et si sombre qu'on aurait dit un corridor de salon funé-
raire.

La chambre était superbe cependant, bien meublée et
bien éclairée. Mais Letendre remit à plus tard le plaisir
de savourer le confort des lieux. Il versa un généreux
pourboire au garçon (il est toujours bon de se faire des
amis à l'hôtel où on logera plusieurs jours…), puis il se
déshabilla en laissant tomber ses vêtements et se précipita
sous la douche.

Dix minutes plus tard, il dormait nu sur le couvre-
pied.

CHAPITRE 15

Il avait fermé les rideaux. Aussi, lorsqu'un bruit, qu'il n'aurait pu reconnaître dans le demi-sommeil où il flottait depuis un bon quart d'heure, l'atteignit, il mit un moment avant de se rappeler où il était. Presque somnambule, c'est seulement lorsqu'il marcha vers la fenêtre, qu'il tira les panneaux de velours et que la ville s'offrit à sa vue qu'il reprit tout à fait contact avec la réalité.

Du dernier étage où se trouvait sa chambre, il pouvait apercevoir, au-delà de la rue Elisky Peskove, la rivière Vltava. À son grand étonnement, des patineurs virevoltaient sur le miroir de l'eau gelée près d'une berge, et il se rappela l'étang du parc Lafontaine, à Montréal, où il allait encore parfois patiner avec Christine, comme dans le bon vieux temps. Vers la droite, les clochers perçaient un léger brouillard cuivré et vaporeux, et composaient avec différents dômes et toitures d'ardoise un tableau coloré d'un remarquable équilibre esthétique. Plus loin, le pont Charles, avec ses lourdes tours qu'il avait aperçues depuis la voiture, s'imposait entre deux rives aux quartiers manifestement riches en architecture classique. Dans les rues, la circulation semblait bien raisonnable, et les piétons déambulaient avec la désinvolture de gens peu pressés. L'effervescence contenue de ces images ramenèrent Letendre au Vieux-Amsterdam et à la Grand-Place de Bruxelles où, cependant, l'ambiance lui avait toujours paru un peu tristounette. Ici, l'émotion qui le gagnait avait quelque chose de joyeux, de pétillant.

Pressé de prendre contact avec cette cité aux abords si invitants, il s'habilla et descendit. Dans le hall, une odeur de café, venue de la salle à manger dont l'entrée était flanquée de grands pots de faïence, vint le chercher. Il faillit succomber, mais il se dit qu'il serait encore mieux dans un bistrot.

Dès qu'il s'engagea sur le trottoir, il sut qu'il ne serait pas déçu. Avec ses devantures travaillées, ornées de reliefs sculptés, et leur noblesse surannée qui datait d'une autre époque, la rue aurait pu être l'allée d'un musée.

Il marcha en direction du pont Charles avec un pur ravissement et, dans une toute petite rue transversale, la rue Lazenska, il remarqua un ancien hôtel particulier sur lequel une plaque commémorait des séjours de Pierre le Grand et, surtout, ceux de Chateaubriand. Il déboucha ensuite dans la rue Mostecká, une étroite artère commerçante bordée d'immeubles baroques. Une enseigne, où sous l'inscription en tchèque, *Malostranské veze,* on avait écrit, *La Petite Côte,* l'intrigua. S'en approchant, il comprit qu'il s'agissait d'un café. Il avisa une table libre en terrasse et y prit place.

Une jeune femme, à l'opulente chevelure noire et à l'allure si racée qu'elle ne correspondait pas du tout à l'image que Letendre se faisait d'une serveuse de bistrot, vint prendre sa commande. Devant cet être exceptionnel, il se sentit un peu embarrassé à l'idée de ne commander qu'un café. Il choisit un décaféiné allongé. Puis non : un expresso corsé. Un éclair boudeur passa sur les lèvres de la serveuse sans pour autant que cela entame son charme, et elle dit, dans un français impeccable :

— J'allonge les décaféinés mais je ne sais pas corser les expressos.

Se moquait-elle de lui ?

Le temps qu'il se pose la question et un rire en cascade, couleur de dents blanches, lui enleva toute suspicion.

En dépit de la fraîcheur du temps, la terrasse était bondée. Cela tenait sans doute au fait que le soleil répandait une lumière particulièrement invitante et faisait paraître, par contraste, l'intérieur de l'établissement bien sombre. La rue grouillait de touristes, faciles à repérer en raison de leurs mouvements tatillons et louvoyants. Ils levaient la tête, regardaient de gauche à droite, affichaient des expressions où se mêlaient l'enthousiasme et l'admiration, et semblaient n'avoir cure qu'on les bouscule un peu quand ils s'immobilisaient au milieu d'un trottoir, embarrassant le flot normal des passants.

Le café était si fort que Letendre se demanda si, tout compte fait, la jeune serveuse ne connaissait pas la manière de corser la caféine... Il réduisit l'âpreté de la boisson en abusant du sucre (trois cuillerées) et il eut ensuite l'impression de boire du sirop. Lorsqu'une cloche sonna, puis une autre, Letendre observa pour lui-même qu'il aurait pu départager les Praguois des visiteurs à leurs seules réactions, les premiers ne semblant rien entendre et les deuxièmes sursautant avant de prendre un air candidement ravi.

Les sonorités répétées mirent ses sens en éveil.

Suis-je suivi ?

Celui qui le talonnait était-il attablé près de lui, ou encore à l'intérieur, dans la pénombre du café ?

Il consulta sa montre. Puisqu'il avait promis à Monique de lui téléphoner, il décida de retourner à l'hôtel pour l'appeler de sa chambre. À sept heures trente, heure de Montréal, elle devait s'apprêter à prendre son petit-déjeuner. En arrivant au *Julian*, il aperçut Alexandra qui lisait dans un des fauteuils de la réception. L'apercevant, elle vint vers lui :

— Vous avez bien dormi ?

— Très peu, mais ça ira…

— Souffrez-vous du décalage horaire ?

— Plutôt, oui. Ça me rend nerveux et… un peu sourd.

La jeune femme eut un éclair amusé dans le regard.

— Ah ! bon… Je connais des gens que ça rend anxieux, mais sourds !

— C'est l'air pressurisé des appareils… Il peut affecter l'ouïe. Dans mon cas, c'est immanquable, j'en ai toujours pour quelques jours avant de me remettre.

— Vous avez mangé ?

— Non. J'ai pris un café dans la rue qui mène au pont Charles.

— À la *Petite Côte* ? Vous auriez dû en profiter, ils servent une excellente nourriture.

— Mais j'ai l'estomac à l'heure de Montréal et je ne prends pas de repas lourd le matin…

— L'appétit vous rattrapera, vous verrez. Je suis venue plus tôt, car nous avons un changement de programme. Plutôt que demain, Stepenka nous attend dès cet après-midi.

— Stepenka ?

— C'est la personne que j'ai prévenue de votre visite à la bibliothèque de la faculté des Arts.

— Pas de problème, je viens avec vous. Mais avant qu'on se rende à l'université, me permettez-vous de faire un appel ?

— Je vous en prie. J'ai un excellent compagnon pour attendre.

Comme elle sortait de son sac un livre à belle couverture, Letendre s'étira pour en connaître le titre. C'était *La Lenteur*, de Milan Kundera.

— Vous savez que Kundera était interdit de publication, ici, dans son propre pays.

— Je sais, oui. Quand le film tiré de son roman l'*Insoutenable légèreté de l'être* est sorti, les journaux en ont beaucoup parlé.

Letendre vint tout près de se lancer sur la touchante interprétation de Juliette Binoche dans cette production, mais l'image de Monique attendant son appel le fit se raviser.

— Je reviens tout de suite.

Il monta à sa chambre, demanda une ligne extérieure et composa le numéro de son amie. Celle-ci répondit au premier coup : elle devait se tenir tout près de l'appareil, ainsi qu'il l'avait pensé.

— Bonjour, Paul, j'ai eu peur de te rater. Je dois rentrer au bureau plus tôt ce matin. Alors, comment vont les choses ?

— Ça va, je fais un bon voyage. Et je ne suis pas du tout certain d'être suivi.

— Tu avais deviné...

— Quand tu m'as dit *c'est trop simple*, peu à peu j'ai compris.

Monique alla droit au but.

— De mon côté, j'ai obtenu un rendez-vous avec Dexter.

— Qui est-ce, celui-là ?

— Lewis Dexter, souviens-toi, l'avocat de Loucka devant la commission de l'Immigration. Je le rencontre à midi. Il a accepté de me donner toute l'information que nous souhaitons sauf, bien entendu, le contenu de ses entretiens avec son client, lesquels restent sous le sceau du secret professionnel.

— De mon côté, l'amie de Jules m'attend en bas pour me conduire à la bibliothèque de l'université Charles.

— Souhaitons-nous bonne chance !

— Comme tu dis…

Ils échangèrent encore quelques banalités et Letendre raccrocha.

Dans le hall, Alexandra n'avait pas bougé et elle l'accueillit avec entrain.

— Alors, on y va ?

Sa voiture était garée sur un terre-plein.

— Il m'a semblé que la limousine ne serait pas nécessaire…

Letendre acquiesça, mais ne put se retenir de noter :

— Vous vous garez comme les Parisiens.

— C'est que les places de parking sont aussi rares. Ici, les autorités tentent par tous les moyens de bannir les voitures de la ville.

— … et vous parlez aussi comme les Parisiens.

— Vous avez raison, *parking, shopping, scotché, best of,* Jules aussi me reprochait ces expressions.

— Ne vous méprenez pas, je ne vous en fais pas le reproche.

— Je ne vous en voudrais pas si c'était le cas, car vous avez raison. Le français se perd en Europe.

La voiture s'engagea dans la rue Elisky Peskove dans la direction opposée à celle que Letendre avait prise auparavant.

— La faculté des Arts, où se trouve la bibliothèque, est à trois coins de rue, place Jana Palacha.

Ils y furent en un rien de temps.

— C'est absolument magnifique, s'extasia Letendre.

— N'est-ce pas ? Cette place est l'une des plus belles de la ville. La rivière la met en valeur en toutes saisons. Tenez, c'est là.

— On dirait un château, ou un palais.

— Cela va de soi, si vous me permettez, car, après tout, nous sommes dans la capitale de la Bohême. L'édifice correspond au prestige de la ville.

C'était vrai : le bâtiment avait la majesté des histoires de princes et de princesses. De beaux arbres imposants le célébraient de leur ramure maintenant dépouillée, et cela n'en attristait pas le moins du monde le tableau.

Pendant un instant, Letendre s'amusa à l'imaginer en été et conclut qu'il devait alors être d'une beauté à couper le souffle.

La voiture s'engagea dans une allée bordée de murets en pierre couverts de lierre.

Elle avait repéré une place de stationnement tout près de l'arche d'entrée gardant la faculté. Cette partie de l'université était autrefois, vraisemblablement, un château bien gardé.

Ils descendirent de voiture. Est-ce que l'air n'était pas meilleur ? Le temps s'était adouci.

— Il fait bon, dit Letendre dans un sourire…

À l'intérieur de l'édifice, ils traversèrent un hall immense dans lequel les lambris de bois doré perpétuaient l'époque où des nobles, sensibles à l'apparat des lieux, venaient entre eux s'y retrouver. Le parquet était moderne cependant, et son revêtement couleur crème reflétait la lumière qui pénétrait par de grandes fenêtres plombées dans leur partie supérieure. Ils s'engagèrent dans un escalier, dont la rampe était certainement d'origine, et Letendre se retourna pour contempler la perspective de la vaste pièce :

— On pourrait y donner un bal…

— Justement, on l'a fait. Les invités arrivaient par cet escalier depuis l'étage. La porte que nous venons de franchir n'existait pas, et tout le reste du rez-de-chaussée était occupé par les cuisines, la lingerie, le lavoir et le quartier des domestiques. Mais nous y voilà.

Ils longèrent un couloir aux murs patinés, qui ressemblait à une galerie. Derrière les portes vitrées qui y laissaient pénétrer la lumière du jour, Letendre entrevit des chambres où l'on avait entassé des meubles tous ouvrés, tous élégants. Voyant sa mine ébahie, Alexandra fit remarquer :

— Ce sont des pièces de musée. On les remise ici en attendant que l'on construise l'établissement qui les accueillera. Mais comme les budgets n'ont même pas encore été votés…

Ils arrivèrent dans une nouvelle salle et ils débouchèrent devant le comptoir d'une bibliothèque dont les rayons rejoignaient le plafond haut de dix mètres au moins et dans lesquels des épines, rouge et or, se succédaient.

— Ces livres datent du règne de Rudolphe II, chevauchant entre le seizième et le dix-septième siècle. Le dernier des Habsbourg à résider à Prague avait la réputation d'être le protecteur des artistes et des écrivains. À part certains universitaires ou encore des chercheurs désireux d'étudier cette période trouble de notre histoire, ces livres présentent peu d'intérêt, car ils sont écrits dans une langue inaccessible aux gens d'aujourd'hui. Il n'empêche qu'ils constituent un fonds d'une valeur inestimable.

Dans un silence d'église, quelques lecteurs, installés à des tables disposées en parallèle et surmontées de lampes en laiton, lisaient et prenaient des notes. Letendre se revit à la bibliothèque Mazarine, au cours de son premier voyage à Paris. L'un contre l'autre, savourant cet état de grâce qu'ils s'étaient offert comme une parenthèse dans leur découverte autrement frénétique de la ville, Lise et lui avaient passé tout un après-midi à feuilleter des ouvrages en bénissant les sages qui un jour avaient choisi de les préserver des affres du temps et de l'oubli.

Une femme dans la quarantaine, à la mise impeccable, quitta le pupitre derrière lequel elle travaillait et vint à leur rencontre. Elle salua amicalement Alexandra et, la tutoyant, lui demanda en français:

— Bonjour. Tu ne m'en veux pas d'avoir devancé notre rendez-vous?

— Pas du tout. Je t'amène la visite du Canada dont je t'ai parlé.

La préposée se tourna vers Letendre, la main tendue.

— Monsieur?

— Letendre. Paul Letendre.

Alexandra compléta les présentations.

— Comme je te l'ai dit, M. Letendre est non seulement un grand collectionneur de livres, mais il publie chaque année un ouvrage répertoriant les éditions originales des œuvres majeures françaises dont il donne la valeur sur le marché des connaisseurs.

— Je connais bien son ouvrage…

Elle retourna à son poste de travail et revint avec l'édition 2001 du *Letendre*.

— Celui-là m'appartient, précisa-t-elle. Je me le suis procuré à Paris il y a quelques années chez un bouquiniste des bords de Seine.

— J'espère qu'il vous est de quelque utilité.

— Pas en tant que collectionneuse – je n'en ai pas les moyens – mais en tant que passionnée de littérature et de tout ce qui gravite autour, oui. Et c'est justement dans votre livre que j'ai découvert la valeur faramineuse de plusieurs ouvrages de notre bibliothèque.

Ils s'entretinrent encore un moment sur le monde des éditions anciennes et lorsqu'elle sentit que le sujet s'épuisait, Alexandra les ramena au motif premier de leur présence.

— Monsieur Letendre désirerait te poser quelques questions au sujet des prêts, disons, à long terme, autorisés à certains de vos abonnés.

— Tu veux dire les professeurs ? Car ils sont les seuls à bénéficier de ce privilège, et encore, à la condition de prouver que les ouvrages retenus serviront à leur enseignement. La démarche ne nécessite cependant qu'un bref justificatif.

— Dites-moi, vous notez sûrement ces emprunts sur des fiches ?

La bibliothécaire jeta d'abord un regard amusé à Alexandra, puis rectifia pour Letendre :

— Nous classons effectivement par ordre alphabétique tous les titres qui font l'objet d'un prêt. Mais pas sur fiche, par ordinateur.

— Donc, si je vous donne le titre de certains livres, vous pourriez me dire qui les a empruntés la dernière fois.

La bibliothécaire, de nouveau, eut un regard vers Alexandra. Cette fois, son expression était chargée d'appréhension.

Une conversation, en tchèque, s'engagea à voix basse entre les deux femmes. Par déférence, Letendre s'écarta légèrement d'elles. La bibliothécaire sembla apprécier sa courtoisie et revint vers lui avec un sourire amène.

— En ce qui concerne la sortie des livres à l'usage des enseignants – c'est ce qui vous intéresse, n'est-ce pas ? –, notre système de classement ne procède pas par titres d'ouvrage mais bien par le nom des emprunteurs. Au début de chaque année universitaire, la direction nous remet une liste du personnel autorisé à emprunter des documents.

D'un léger signe de la tête, Letendre manifesta qu'il avait compris.

— Et les professeurs sont tenus de rendre les ouvrages à la fin de l'année ?

— Exactement.

Letendre frémit : il touchait au but.

— Vous disposez donc de la liste des abonnés délinquants ?

— En effet.

La situation devenait de plus en plus sensible.

— Me permettez-vous de vous demander si, en 1989, certains professeurs… certains livres, corrigea aussitôt Letendre, sont disparus.

— L'année de la chute du régime…

La préposée le regarda avec la mine d'une personne qui se doutait de quelque chose sans être tout à fait fixée. Après quelques secondes, elle dit gravement :

— Attendez-moi.

Elle ne mit que quelques minutes avant de revenir.

— Avec les ordinateurs aujourd'hui… Voici : deux professeurs n'ont pas régularisé leurs emprunts en 1989.

Elle lui remit une feuille sur laquelle étaient imprimés deux noms, probablement tchèques ; Letendre fut déçu de ne pas trouver celui d'Ales Loucka.

La déconfiture brouilla ses traits.

Qu'est-ce qui m'a pris aussi d'assumer que Loucka enseignait à l'université de Prague ? En cherchant bien, il doit sûrement se trouver au pays d'autres maisons d'enseignement dont les bibliothèques contiennent des ouvrages en langue française. Et puis, ce Loucka était-il seulement professeur ?

Il avait honte, honte d'avoir une fois de plus, en parfait imbécile, commis une gaffe. Confus, il sourit gauchement et abrégea de lui-même l'entretien.

— Je crois qu'il ne me reste plus qu'à vous remercier.

— Mais je vous en prie.

Comme un enfant penaud, il salua bêtement d'un :

— Au revoir, madame. Et merci...

CHAPITRE 16

Après être sortis de la faculté sans échanger un mot –
Letendre s'étant enfermé dans un mutisme proche de la
bouderie –, ils se dirigèrent vers la voiture. À le voir se
renfrogner au fond de son siège, Alexandra comprit que
l'ami de Jules était d'humeur morose. Une fois les cein-
tures bouclées, tout en faisant démarrer le véhicule, elle
se tourna vers lui :

— Je crois que vous devriez manger un morceau…

— Vous avez raison. Mais je n'ai pas vraiment faim,
mon estomac est complètement chamboulé.

Ils roulèrent pendant un bon moment. Quand
Alexandra emprunta une rue bordée de résidences bour-
geoises ennoblie par endroits par quelques somptueuses
demeures aux abords grillagés, elle chercha à créer une
diversion pour alléger la tension.

— C'est le quartier des ambassades. Celle de la France
n'est cependant pas ici. Nous sommes au palais de Buquoy,
dans Mala Strana, la partie historique de Prague.

Après qu'elle eut effectué un virage sur la gauche, le
décor changea brusquement. Ici on renouait avec la ville,
ses larges trottoirs, ses édifices dont la grande élégance
architecturale sembla ravir Letendre.

— Je vous amène au *Globe*. Ça me paraît idéal dans
les circonstances. D'abord, c'est une librairie, très

fréquentée. Ensuite, on y trouve une salle à manger bien particulière où on ne sert que des repas légers à base de chili, de pâtes au pistou ou de curry. La clientèle est branchée mais je dois vous prévenir : les prix sont un peu salés...

— Ça me va tout à fait.

Son humeur se détendait.

Ils prirent à la dérobée la rue Janovského, une toute petite chaussée, où Alexandra déposa Letendre devant un immeuble quelque peu austère, tout en proposant :

— Et si on dînait ensemble en soirée ? Le temps de rentrer chez moi après le travail pour me changer et je reviens vous chercher. Autour de 20 heures, ça vous va ?

— J'apprécie votre offre, mais vous n'avez pas à vous donner toute cette peine.

— Pas du tout, croyez-moi ! Il se trouve que j'ai fortement envie de parler de livres avec vous. J'aimerais aussi avoir des nouvelles de Jules et du Canada.

— ... du Québec, vous voulez dire.

Alexandra ne releva pas la remarque.

— Mon mari nous accompagnerait volontiers ce soir. Cela vous dérange-t-il ?

— Au contraire. Et si je peux me permettre, que fait-il ?

— Son occupation, son travail vous voulez dire ?

Letendre acquiesça.

— Il est médecin généraliste.

Ils se quittèrent sur une poignée de main et Letendre pénétra dans la librairie après avoir donné à Alexandra son numéro de portable.

Il repéra aussitôt la salle à manger située à gauche en entrant.

L'endroit était plus agité qu'à la *Petite Côte*. Sans doute à cause de la forte présence de touristes, des touristes allemands surtout, qui parlaient fort sur un ton presque agressif. Cette fois, c'est un garçon qui tendit un menu à Letendre et prit sa commande. Ce dernier n'hésita pas à accepter l'apéritif qu'on lui suggérait, une Platane, bière mousseuse que Bohumil Hrabal, l'un des plus grands écrivains tchèques de la seconde moitié du vingtième siècle et qui trouvait son inspiration dans les affabulations fusant au-dessus des tables dans les brasseries populaires, appelait, justement, une *mousse*. En guise de plat principal, il commanda une simple entrée de pâtes.

Il traînait dans les lieux des relents des années sombres. Ou peut-être était-ce le chic propre à cette ville disciplinée ? Avec tant de clients que les garçons étaient quasi à la course, on se serait cru dans une salle bruyante, alors qu'il n'en était rien. Cette ambiance lui rappela quelques tavernes de Zurich où il avait connu ce genre d'agitation feutrée qui l'avait beaucoup impressionné.

Il se tourna vers la fenêtre, comme par réflexe. Le ciel était maintenant d'un bleu foncé, et un vent capricieux décoiffait les passants. Quelque chose de mélancolique suintait de ce quartier, lui semblait-il finalement. En était-il toujours ainsi ?

Au moment où il attaquait ses pâtes, son portable sonna. Cette fois, il n'hésita pas et plongea aussitôt la main dans la poche de sa veste.

— Allô, oui ?

— Vous êtes toujours là ? au *Globe* ?

— Oui. Et vous aviez raison, c'est plus que bien.

— Je suis ravie. Pardonnez-moi de vous déranger en plein repas, mais Stepenka (vous vous souvenez, la bibliothécaire ?) vient de me donner un coup de fil. Elle désire ardemment vous parler. Comme elle est libre dans quelques minutes, nous nous disions qu'elle pourrait peut-être vous rejoindre. Qu'en pensez-vous ?

— Bien sûr. Je vais l'attendre, même si je devais terminer avant qu'elle n'arrive.

— Dans ce cas, je l'appelle à l'instant.

L'effet de la bière sur son estomac l'avait apaisé, tout en provoquant cependant une sorte de repli sur lui-même. Il se sentait dépité, habité de regrets, de remords, presque.

Dans quoi me suis-je encore embarqué ? Me voilà à mille lieues de chez moi, à cheval sur une chimère. Raisonnablement, je ne devrais pas être ici. À chacun son métier : je n'aurais pas dû me mêler de ce qui ne me regarde pas. La résolution d'un meurtre n'est pas du ressort d'un collectionneur de livres.

Comme il avait besoin d'apaiser ses états d'âme avant l'arrivée de la bibliothécaire, il se concentra sur le spectacle d'un groupe d'enfants qui peinaient à enjamber les bords particulièrement élevés d'une chaîne de trottoir. Certains d'entre eux préféraient faire un détour jusqu'à la prochaine intersection, ce qui compliquait la surveillance des deux jeunes femmes qui les accompagnaient. C'est en suivant des yeux une fillette qui traînait rêveusement derrière les plus vigoureux qu'il vit une voiture taxi s'arrêter. Stepenka en descendit.

Il allait lui faire un signe quand son attention fut captée par un homme qui traversait la rue à pas précipités, jetant des regards par-dessus son épaule. L'homme disparut ensuite dans une petite boutique pour touristes et en ressortit, toujours avec l'air d'être aux aguets. Puis il sembla se cacher derrière une espèce de colonne Morris. Ce manège alerta Letendre et raviva son souci d'être l'objet d'une filature. Saurait-il disparaître parmi les badauds et semer ainsi son poursuivant, si c'était le cas? Tout compte fait, peu lui importait: si cela était, cette personne devait connaître toutes ses allées et venues depuis le matin, et cela n'avait entravé en aucune manière sa liberté de mouvement.

Pendant qu'il se perdait ainsi dans ses pensés en buvant sa bière, Stepenka s'était approchée de sa table. Elle portait une de ces longues redingotes comme il en avait vu beaucoup depuis le matin, mais chez des femmes plus âgées – peut-être se trompait-il quant à son estimation de l'âge de la bibliothécaire? – et elle s'assit devant lui sans faire montre de trop de civilité, comme mue par quelque sentiment d'urgence.

— Vous êtes parti trop vite tout à l'heure.

— Je ne voulais pas vous offenser, mais vos informations couvraient tous mes questionnements et j'estimais avoir déjà pris beaucoup trop de votre temps.

— Vraiment? Vous sembliez tellement dépité! En fait, voyez-vous, monsieur Letendre, je crois que vous ne m'avez pas posé les bonnes questions.

Il crut nécessaire de s'expliquer.

— Vous devez comprendre que je ne suis ni policier ni détective. Je n'ai pas l'habitude, les compétences non plus...

— Ce n'est pas ce que je veux dire... Vos questions ne manquaient pas de pertinence, bien au contraire. Seulement, elles étaient – si je peux me permettre – mal dirigées. D'ailleurs, je me serais refusée à vous répondre et même à vous rencontrer si vous aviez été un enquêteur officiel. On a gardé une forte méfiance ici à l'endroit de tout ce qui ressemble à la police. Je sais qu'aujourd'hui ce sentiment est injustifié, mais il est bien difficile de se libérer d'une peur qu'on traîne depuis l'enfance.

— Vous buvez quelque chose? proposa Letendre.

— Volontiers, je prendrais un café.

Elle détacha son manteau et posa son sac sur la table. Letendre en remarqua le fermoir nacré d'une grande élégance. Le regard de Stepenka s'attacha un instant à l'assiette de son vis-à-vis et elle s'informa:

— C'est bon?

— Délicieux à vrai dire, mais tant que je ne saurai pas ce que vous avez à m'apprendre, je resterai un peu sur mon appétit.

Elle eut un sourire engageant.

— Tout dépend comment vous réagissez aux bonnes nouvelles.

Son sourire exprimait néanmoins une véritable mélancolie.

— Voici, monsieur Letendre. C'est tout simple: vous m'avez demandé de vous donner le nom des professeurs qui auraient déserté leur charge à la rentrée universitaire de 1989. Or, la chute du régime communiste n'a eu lieu qu'en novembre. J'ai compris que vous reliez les deux événements. Mais, voyez-vous, même si ce renversement était de plus en plus prévisible, c'était loin d'être une certitude en septembre. D'aucuns pouvaient continuer de croire qu'il ne se produirait pas. Aussi, l'exode des collaborateurs a-t-elle tardé un peu. Ce ne fut qu'après, et seulement après, que certains se sont sentis traqués et qu'ils ont fui à l'étranger. Certains ont mis quelques années à se faire à l'idée qu'effectivement on allait les débusquer, et ils n'ont quitté le pays que lorsqu'ils se sont vus sur le point d'être découverts.

D'un geste gracieux, elle avait sorti de son sac un étui plat argenté, comme Letendre se souvenait d'en avoir vu dans de vieux films américains en noir et blanc.

— Vous permettez?

Lorsqu'elle en extirpa une cigarette pour la porter à ses lèvres, Letendre dut chasser de son esprit le cliché éculé du cinéma américain : un flic retors et revenu de tout donnant galamment du feu à une belle intrigante qui lui fait des révélations. Son moment de distraction dura peu et Stepenka s'expliqua :

— Vous auriez dû me parler des années suivantes, de 1990, 1991… Si j'ai accepté de vous rencontrer, c'est qu'Alexandra se doutait vaguement que votre démarche avait quelque chose à voir avec ces mouchards dont on parle toujours ici avec une certaine appréhension et une grande discrétion. On ne sait jamais si l'on ne s'adresse pas à l'un de leurs parents, l'un de leurs amis… La prudence est de rigueur. Cela explique notre petit conciliabule en tchèque à la bibliothèque, Alexandra et moi. Je vous prie de nous excuser, cela a dû vous paraître impoli.

— Pas du tout. J'ai compris qu'il s'agissait d'une sorte de mise au point nécessaire entre vous avant que vous n'accédiez à ma requête.

Stepenka poursuivit :

— Dans ma famille, deux de mes oncles ont été livrés au KGB. On ne les a pas revus. Pourtant, ils n'avaient jamais fait partie de quelque mouvement subversif. Ce n'étaient que de vaillants commerçants.

Elle fumait en projetant sa fumée au-dessus de sa tête, un coude appuyé sur la table.

— Je ne cache pas que je milite au sein d'un regroupement qui s'occupe de retrouver la trace de ces collaborateurs, ou mouchards, appelons-les comme on veut. Ensemble nous colligeons, de manière, disons, artisanale, tout ce que nous pouvons trouver comme informations ; nous les archivons, puis nous les étudions, les scrutons, les entrecroisons… Jusqu'ici, nous avons déjà identifié une dizaine de ces crapules.

— Et qu'est-ce que vous en faites ?

— Lorsqu'ils sont les auteurs de dénonciations purement criminelles, c'est-à-dire qu'ils les ont faites dans le seul but de se débarrasser de quelqu'un de gênant, par exemple un ennemi personnel, un concurrent amoureux, – j'ai personnellement été l'objet d'une telle manœuvre– nous remettons les preuves et témoignages accumulés à la police. Dans le cas de ceux qui ont agi de bonne foi – même si l'expression vous paraîtra mal appropriée – nous nous contentons de prévenir leur entourage. Ils se retrouvent ostracisés et… je ne voudrais pas être à leur place. Vous êtes sans doute informés que le gouvernement prépare actuellement une législation pour mettre de l'ordre dans tout ça. Car il y a parfois des débordements…

La voix émue, elle se tut pour chasser de la main une vague de fumée.

— Mais oublions cela et revenons-en à vous. Vous désirez savoir en fait quels sont les professeurs qui auraient fui notre pays à cause de la chute du régime en emportant avec eux des éditions anciennes de grande valeur. C'est ça ?

L'expression de Stepenka semblait quêter son approbation. Letendre se crut dans l'obligation de lui dire ce qu'il en était vraiment.

— En somme, oui. Comme vous le savez, je suis collectionneur de livres. C'est une passion et...

Stepanka l'interrompit et poursuivit sur sa propre lancée :

— La plupart des personnes ayant fui le pays dans les conditions que vous soupçonnez l'ont fait après 1989, pour les motifs que je viens de vous expliquer.

Elle ouvrit de nouveau son sac, y replongea la main.

— J'ai ici deux autres listes pour vous. Elles indiquent quels sont les professeurs qui ont manqué à l'appel en septembre 1991 ou 1992.

Letendre accepta cérémonieusement les documents qu'elle lui tendait. Sur la deuxième feuille, il repéra aussitôt le nom d'Ales Loucka. Il ne put réprimer une mine à la fois surprise et enthousiaste. Autour de la table, il lui semblait qu'on se pressait davantage, que le bruit s'amplifiait. Mais cela ne l'intéressait pas. Pas plus que son assiette, dont les pâtes étaient maintenant refroidies. C'est sur le ton d'une constatation qu'il demanda :

— Vous connaissez ces professeurs ?

L'observant pour cueillir sa réponse, il se sentait déjà tellement heureux qu'il aurait volontiers pressé son interlocutrice contre lui. Par contraste, les traits de Stepenka s'alourdissaient et d'une voix blanche, elle prononça ces mots, avec la hargne de quelqu'un qui condamne :

— J'ai eu le malheur de connaître Ales Loucka, oui...

Letendre écarquilla les yeux et regarda autour de lui, comme s'il s'était méfié de quelque oreille indiscrète ou peut-être seulement pour s'assurer qu'il ne rêvait pas. Quand il revint vers le nuage de fumée qui s'échappait des lèvres de Stepenka, il devina qu'elle allait lui faire une révélation majeure.

— Ales Loucka était chef du département de littérature française à l'Université depuis une bonne dizaine d'années. Dans l'organigramme de l'institution, je me trouvais, quoique indirectement, à travailler sous sa responsabilité. Souvent, il venait emprunter des livres ou consulter sur place des ouvrages. C'était un travailleur acharné, et ses élèves le trouvaient exigeant.

Elle chercha ses mots pendant quelques minutes. Puis, écrasant sa cigarette, elle continua :

— Je lui plaisais. Et je dois dire qu'il ne me laissait pas indifférente : j'aime bien les intellectuels effacés au premier abord, et qu'on découvre par la suite brillants. Tout ce qu'il était. Mais un jour, j'ai fait la rencontre d'un chargé de cours, Karel Klaus, dont je suis tombée vraiment, mais vraiment amoureuse. Ales Loucka n'a pas accepté la situation, même si j'ai joué franc jeu avec lui. Notre histoire n'ayant pas dépassé le stade de la séduction, j'ai cru qu'il en était de même pour lui. Cela l'a refroidi pendant quelque temps, mais il a entrepris de me refaire la cour avec une insistance accrue lorsque mon amoureux a été mis en état d'arrestation pour disparaître à jamais.

Ses yeux brillaient comme si elle avait été au bord des larmes.

— Plusieurs mois après les événements de 1989, j'ai appris qu'Ales Loucka était sur la liste des collaborateurs recherchés, et mon intuition me dicte que c'est bien lui qui a vendu Karel. Il n'aura pas été le premier à vendre quelqu'un en échange de faveurs sexuelles ou d'autres privilèges. J'ai bien dit «vendre», car c'est de transaction qu'il s'agit.

Letendre, respectant la pause dont Stepenka avait besoin pour reprendre contenance, laissait monter en lui un flot de sympathie pour cette femme qu'il connaissait à peine et qui venait de se confier à lui comme on le fait à un ami. De son côté, émue, Stepenka respirait à grands coups. À côté d'eux, une nouvelle table s'était remplie et les clients, des touristes qui ne touchaient pas les boissons qu'ils avaient commandées, faisaient tout un joyeux chahut. Ils étaient venus pour voir et ils regardaient, discourant entre eux, affichant une fierté sans réserve d'être là, dans un lieu si évocateur.

— Vous m'avez dit que Loucka vivait à Montréal depuis longtemps?

Stepenka ramenait Letendre à leurs propos. Il eut alors ce geste: il prit les deux mains de cette personne qu'il ne connaissait que depuis quelques heures et les pressa chaleureusement dans les siennes, puis répondit à sa question:

— Je l'ignore. Je sais seulement que votre Loucka est mort la semaine dernière, assassiné.

Stepenka eut une réaction semblable à un haut-le-cœur et ramena – mais sans précipitation – ses mains vers elle.

— Mais alors, pourquoi vous…

Letendre l'arrêta d'un geste apaisant.

— Je vais tout vous expliquer.

Stepenka l'écouta sans l'interrompre, puis lâcha:

— Ce sont donc les livres, et seulement les livres, qui vous intéressent.

— Il faut me comprendre. Il y a dix jours encore, Prague, le régime communiste, les défections, les collaborateurs, les missions punitives, tout cela était bien éloigné de moi. Quand on est en dehors du contexte, les informations qu'on reçoit gardent un caractère théorique un peu irréel …

— Je comprends, oui et… pardonnez-moi si ma remarque a pu vous paraître un reproche.

De nouveau, Stepenka fouilla dans son sac.

— J'ai aussi cela pour vous.

Et elle lui remit quatre feuillets contenant une nouvelle liste d'ouvrages en langue française.

— Ce sont les livres dérobés de la bibliothèque quand certains professeurs ont quitté précipitamment le pays. Sous leur nom, vous trouverez la liste des ouvrages que chacun a emportés avec lui.

Letendre y repéra aussitôt *Les Liaisons*.

— Je peux les garder ?

— C'est pour vous.

Il avait maintenant l'impression d'être en cage, dans cette salle surchauffée. Repoussant son assiette, qu'il n'avait presque pas touchée, il se prépara à quitter les lieux.

— Voulez-vous marcher un peu avec moi ?

— Je regrette, mais je dois rentrer.

Après avoir réglé l'addition, Letendre accompagna Stepenka jusqu'à la prochaine station de taxi. Il lui remit sa carte de visite, y ajouta les coordonnées de son hôtel ainsi que son numéro de portable et la remercia mille fois.

Avant qu'il ne referme la portière sur elle, Stepenka crut bon de spécifier :

— Vous aurez compris, monsieur Letendre, que la petite organisation à laquelle j'appartiens ne recourt pas à des moyens semblables. Le meurtre, je veux dire. Nous n'avons rien à voir avec ce crime.

Letendre la crut et hocha aimablement la tête en guise d'adieu.

Au coin de la rue, un jeune policier semblait s'ennuyer. Letendre lui demanda la direction de l'hôtel *Julian* et décida de s'y rendre à pied.

C'est Monique qui serait heureuse de savoir que je fais de l'exercice…

Se retournant parfois pour vérifier s'il était suivi et constatant qu'il n'en était rien (enfin, lui semblait-il…), il en fut presque déçu. Car à présent il aurait aimé narguer, jouer le vainqueur qui venait de marquer des points dans son enquête alors que celui qui le filait en était sans doute encore à chercher à comprendre les tenants et les aboutissants de cet assassinat d'un émigré à Pointe-Saint-Charles.

Il eut un moment d'inquiétude lorsqu'il entra dans l'hôtel : Alexandra était à la réception. Il l'observa, un peu en retrait. Dans ses dispositions d'esprit, où tout lui paraissait en accord avec lui-même, il la trouva réellement belle, debout dans la pleine lumière qui coulait d'un lustre aux reflets chatoyants. Émouvante même, dans un chemisier blanc aux discrets lisérés de dentelles et une jupe qui épousait ses hanches avant de glisser jusqu'à ses chevilles.

Mais avant de s'en approcher, il ne put réprimer un regard à la fois curieux et admiratif vers ce lustre qui jetait des éclats aussi soyeux. Et avant qu'il ne creuse plus avant l'inquiétude diffuse que faisait naître en lui la présence imprévue de la jeune femme, cette dernière le surprit par une remarque tout à fait désinvolte.

— Vous admirez les cristaux de Bohême, monsieur Letendre ?

Il eut un léger sursaut et se retourna vers Alexandra, qui s'était finalement rendu compte qu'il était près d'elle.

— Je tentais de vous joindre à votre chambre, ajouta-t-elle. J'ai essayé d'abord sur votre portable, mais votre appareil devait être fermé.

Letendre devina qu'il l'avait malencontreusement éteint après son appel au restaurant.

— Je viens tout juste de rencontrer Stepenka. Nous avons passé plus d'une heure ensemble. Grâce à elle, je dispose à présent de toutes les informations que j'étais venu chercher.

— Magnifique ! Mais je suis venu vous dire qu'il me sera impossible de vous rencontrer comme prévu. J'avais oublié le concert de piano de ma fille. Je m'y rends maintenant et comme c'est tout près, je me suis arrêtée ici pour vous prévenir. Mais nous pouvons remettre notre dîner à demain, non ?

— Il le faut, vous ne pouvez décevoir votre fille et rater ce bon moment.

— Vous avez vous-même des enfants ?

— Oui, une fille, moi aussi.

— J'espère que vous vous débrouillerez bien, seul, ce soir ?

— Qu'en pensez-vous ?

Elle sourit et partit en coup de vent, ce qui fit penser à Letendre qu'elle devait déjà être en retard. Au fond, cela l'arrangeait de finir la journée en tête à tête avec lui-même. Il était fatigué, étourdi par tout ce qu'il avait vécu depuis le matin et ne souhaitait rien d'autre que de se reposer et de savourer sa victoire.

En se dirigeant vers les ascenseurs, il se dit que juste avant le lever du soleil, le pont Charles devait offrir la plus belle vue de la ville. Pour s'assurer de pouvoir y être alors, il demanda à la réception qu'on le réveille dès

4 h 30 puis qu'on lui téléphone de nouveau à 5 h, au cas où il se rendormirait après le premier appel.

Avant de monter, il ne put résister à la douce tentation de visiter la salle de lecture du *Julian*. Ce n'était pas une très grande pièce : il n'empêche qu'elle en imposait, avec son décor classique. Dans des tons d'acajou et de cuivre, des rayons chargés de livres couvraient les murs à la faveur d'un éclairage tamisé. Letendre parcourut les titres des volumes richement reliés et trouva les différents tomes de la correspondance de Kafka. Il en prit un (celui de 1902-1924) et se cala dans l'un des fauteuils marron rangés près d'une lampe torchère à abat-jour de tissu fin. Oubliant le temps qui filait, il s'enfonça dans la lecture des lettres de Franz Kafka à ses amis Max Brod et Oskar Pollak, et referma l'ouvrage sur cette ligne : *les mouvantes statues de saints sur le pont Charles.*

De retour dans sa chambre, il se fit servir un léger repas et s'endormit la tête pleine de belles images praguoises.

CHAPITRE 17

Il dormait si profondément qu'il prit l'appel de la réception sans même en avoir conscience. À 5 h 10, on vint frapper à sa porte avec insistance. Groggy de sommeil et agacé par les coups répétés contre le battant, il passa la robe de chambre fournie par l'hôtel qu'il avait jetée au pied du lit et alla ouvrir.

Un garçon d'étage qui, visiblement, souriait davantage de soulagement que de satisfaction, lui adressa quelques mots en tchèque puis, avec des gestes polis mais un air résolu, lui fit comprendre qu'il devait entrer. Letendre se rangea pour le laisser passer. Le préposé se dirigea droit vers le combiné posé sur la table de chevet, raccrocha et il fit une moue éloquente : Letendre devait l'avoir posé par mégarde à côté de l'appareil après avoir répondu.

Letendre en éprouva une espèce de gêne et, comme on avoue une faute, il murmura sur un ton déconfit :

— Merci… Je suis désolé.

On avait sans doute tenté de communiquer avec lui de nouveau à 5 h comme convenu et, en vrais professionnels, on ne s'était pas contenté de tirer la conclusion qu'il était au téléphone. Édifié par tant de perspicacité, Letendre prit la peine de fouiller dans les poches de son pantalon pour donner cinq Euros de pourboire. Si l'on ne s'était pas autant soucié de lui, à la faveur du décalage horaire il aurait pu dormir encore plusieurs heures et rater ainsi son rendez-vous avec l'aube de Prague.

Pour bien secouer ses derniers relents de sommeil, il résolut, contre ses habitudes, de prendre une douche presque froide. Lorsque, vingt minutes plus tard, il se retrouva à l'extérieur devant le *Julian*, il était tout frais et avait l'esprit alerte.

Un brouillard, très fin, subtil même, enveloppait la ville et nimbait la lueur des lampadaires. Des braisillements vibraient parfois derrière les fenêtres des immeubles par ailleurs endormis. Letendre essaya d'imaginer les vies qui y battaient dans des décors inconnus. Même s'il faisait encore nuit, sous l'effet de l'humidité qui exsudait, il pouvait voir suffisamment loin devant dans cette rue qu'il avait déjà empruntée la veille pour se rendre aux abords du pont Charles. Les devantures à dentelles, les balcons gondolés aux allures de loges de grand théâtre, les pilastres aux extrémités chargées d'arabesques, les frises finement découpées, les niches abritant des statues de bronze, tout lui était pure merveille.

Grandir dans un tel lieu devait irrémédiablement inculquer le culte du beau.

Il croisa deux dames d'un certain âge qui pressèrent le pas en le voyant. Il se serait sûrement amusé de leur réaction si un aboiement soudain venu de derrière la barrière d'une cour intérieure ne l'eut fait tressaillir à son tour.

Bientôt, il se retrouva sur une petite place prolongeant le parvis d'une basilique surmontée de la croix de Malte qui – c'est du moins ce qu'indiquait une plaque apposée sur la grille d'un jardin la jouxtant – avait au douzième siècle appartenu à l'ordre maltais. Se dressant à proximité, le palais de cet ordre logeait à présent une bibliothèque ainsi qu'un cabaret.

Maintenant, les premières lueurs de l'aurore commençaient à colorer le haut des immeubles d'une luminosité vacillante.

Rue Mostecká, des camions de livraison déchargeaient des marchandises. Devant une boutique, une femme, cigarette à la main, faisait nerveusement les cent pas.

C'est presque sans s'en rendre compte qu'il s'engagea entre les deux tours qui flanquaient l'entrée du pont Charles, deux tours dissemblables, l'une normande et l'autre d'inspiration gothique, impressionnantes masses sombres, émouvantes dans la demi-pénombre.

Les silhouettes fantomatiques des trente statues qui se dressaient à intervalles réguliers sur les parapets l'intimidèrent. On aurait dit un impressionnant chemin de croix, ou l'allée sacrée de quelque lieu mystique et inquiétant. Sous l'une d'elles, il remarqua un bas-relief illustrant un laboureur avec un diable attelé à sa charrue, et la pensée furtive des légendes sculptées du grand artiste québécois Alfred Laliberté le ramena fugitivement chez lui. Il revit un instant les ébauches maladroites de Christine qui, pendant un temps – elle devait avoir autour de douze ans –, avait exploré le monde du grand maître.

Lentement, il avança dans ce cadre solennel, ses pas se posant respectueusement sur les pavés inégaux que les Praguois foulent depuis des lustres – le guide feuilleté par Letendre dans l'avion parlait de 1503.

Alors qu'il était venu là pour, en quelque sorte, célébrer Prague, au beau milieu des deux rives de la Vltava, un malaise le saisit : la profonde impression de se trouver fin seul au bord du vide. Les événements des derniers jours se mirent à tourner dans sa tête. Il s'embrouilla dans l'écheveau de tout ce qu'il avait vécu depuis qu'il avait été mis en présence du cadavre de Loucka. De sombres sentiments l'assaillirent.

Un moment, il ferma les yeux.

C'est alors que la peur l'étreignit.

Ses réflexions se firent plus incisives. Précisément, il se dit que puisqu'on était allé jusqu'à Montréal pour assassiner l'ancien professeur de littérature française, il ne devait pas s'attendre à ce qu'on le laisse à présent raconter à tous et chacun ce qu'il venait d'apprendre : tout comme le Tchèque, il était devenu un témoin gênant.

Mais, dans un sursaut de lucidité, il se reprocha de se faire des idées : parmi les assassins de Loucka, qui pouvait savoir qu'il se trouvait à Prague et, plus encore, sur le pont Charles à cette heure inusitée, entre nuit et jour ? Ce raisonnement rassurant se brisa lorsqu'il se souvint que Maria Tlaskal, cette amie d'Hana Pravdova, la présidente de l'Association canadienne des Tchèques, n'avait étrangement jamais répondu à son courriel. D'autant qu'avant d'aller prendre son avion, il avait eu l'imprudence de lui en expédier un autre, dans lequel il précisait qu'il descendrait au *Julian*… Était-ce de la paranoïa ? Voilà qu'il décidait qu'elle pouvait représenter l'ennemi, et que ce dernier message qu'il lui avait adressé pouvait lui être fatal.

Se débattant avec ses craintes dans l'ombre menaçante des statues, il scruta les deux extrémités du pont, comme pour s'assurer qu'il était seul.

Mais il ne l'était pas.

Un homme, les mains dans les poches de son imperméable, le visage à demi caché par le rebord d'un chapeau rabattu sur son front, s'engageait entre les masses imposantes des tours qui gardaient l'entrée du pont. Le cœur battant, Letendre estima combien de mètres le séparaient des eaux de la Vltava. Il tenta ensuite de bien distinguer l'étranger qui avançait et son regard revint au fleuve ; il se demanda si l'eau qui courait entre les berges gelées était trop froide pour lui permettre de nager vers l'une ou l'autre des deux rives.

C'est son intuition qui le retint, qui fit qu'il demeura immobile, feignant d'ignorer l'individu qui passa près de lui… sans sourciller.

De soulagement, Letendre soupira comme quelqu'un qui revient à lui et prit la décision de rentrer à Montréal le plus tôt possible.

Il finit tout de même par savourer le fait d'être là, au cœur de cette cité légendaire qui allait bientôt se réveiller. Levant la tête au-dessus des tours, il contempla les murs tranquilles du château de Prague, qui se détachait par petites touches entre les lambeaux de nuit qui glissaient en libérant les premières luisances de l'aube.

Lorsqu'il eut franchi le pont, il s'arrêta devant l'église Saint-Nicolas et aperçut contre la porte latérale légèrement éclairée une affiche annonçant un concert de musique classique (Bach, Haendel et Vivaldi) pour l'après-midi.

C'est Lise qui aurait aimé…

Du temps de leur vie commune, la mère de Christine ne manquait jamais l'occasion d'assister aux concerts donnés dans les églises, surtout quand il s'agissait de musique sacrée. C'est ainsi qu'elle avait fait la rencontre de gens qui l'avaient entraînée dans le bénévolat.

Il se trouvait maintenant dans la vieille ville aux architectures baroques si fascinantes. Il poursuivit sa promenade, jamais rassasié ou repu. À un moment, sur un monticule appelé la Colline de la paix, au milieu d'un parc, il fut saisi par une haute tour métallique, manifestement inspirée de la tour Eiffel, et fut choqué : il ne s'attendait pas à un tel monument à saveur par trop touristique. Peu après, il croisait l'avenue de Paris...

Sa déception s'effaça bien vite dans la ruelle d'Or, où une enfilade de petites maisons étroites, couleurs pastel, couraient à l'intérieur même de l'enceinte du château. Comme pour saluer le retour de la bonne humeur de Letendre, le soleil se levait, et ses rayons enflammaient les flèches de la cathédrale Saint-Guy surplombant le palais royal.

Il avait maintenant l'estomac dans les talons.

Le calme ambiant infusait en lui un profond sentiment de sérénité. Il se sentait bien, quoique nostalgique, comme on peut l'être lorsque la douceur de la vie est telle qu'on n'y croit pas.

Il revint vers son hôtel. Sous le pont Charles, la Vltava frémissait sous la jeune brise matinale, et l'horloge de la tour prismatique de la Mairie de la vieille ville sonna huit heures.

Pas très loin derrière le *Julian,* dans l'étroite rue Liliové, il dénicha un café, le Café Salieri, dont il jugea la décoration joyeuse, humoristique même. Au milieu d'une profusion de plantes vertes, il prit place sur une banquette et commanda un café accompagné d'une énorme gaufre. Des magazines traînaient sur des tables basses et quelques spécimens de la jeunesse praguoise étaient déjà là à discuter, parlant même un peu fort à son goût.

Souvent, ses histoires de voyages avaient été une suite d'espoirs frustrés et d'échecs regrettables. Cette fois, son court séjour à Prague le comblait au-delà de ses souhaits.

C'est lorsqu'il eut terminé sa gaufre que, les coudes dans les miettes, il entreprit de faire le point.

Il avait atteint le but de son voyage. Il n'apprendrait rien de plus et n'en souhaitait pas davantage. On était jeudi. Avant d'entrer dans le restaurant, il était passé devant le marché de Noël sur la place Staromestski tout près. Dimanche, ce serait le premier de l'An. Seul à Prague, que ferait-il ?

Cette filature dont il était peut-être victime, allait-elle se poursuivre, maintenant qu'il en avait terminé avec sa quête de renseignements ? Il ne se considérait plus seulement comme un collaborateur involontaire pouvant conduire la police à des informations utiles : il était devenu un témoin menaçant pour ceux qui avaient comploté et commis l'assassinat de Loucka. La panique qui l'avait saisi sur le pont Charles avait beau s'être dissipée, il lui paraissait encore raisonnable de conclure qu'il avait tout intérêt à quitter les lieux. Dans un réflexe inquiet, il jeta des regards autour de lui pour débusquer quelque individu louche ; il ne vit que des jeunes gens qui s'entretenaient légèrement.

Se sachant non aguerri dans le domaine de l'investigation, il se trouvait également dépourvu dans celui du témoin à abattre. Surtout dans une ville inconnue où il ne disposait d'aucun repère, d'aucun soutien, d'aucun endroit pour se cacher au besoin. Dans les circonstances, il pourrait être victime du pire sans que cela inquiète quiconque pendant des jours.

Oui, je rentre chez nous !

Ce fut presque un cri du cœur : il allait réserver son retour sur le prochain vol d'Air Canada.

Au-delà même du fait de se sentir traqué, il brûlait de connaître le résultat de la rencontre de Monique avec l'avocat qui avait d'abord représenté Loucka et de savoir si Marion avait trouvé des traces de son bouquiniste dans le quartier Notre-Dame-de-Grâce. Aussi, il lui tardait d'apprendre si Christine, à qui il avait demandé de s'enquérir auprès de ses pairs si on leur avait offert un lot d'éditions françaises rares, avait fait mouche, ce dont il doutait. Quant à François Métayer, il avait peut-être tiré de précieux renseignements des forces policières.

Il ne lui restait plus qu'une mission à remplir pour revenir comblé : dénicher des livres anciens intéressants. Puisqu'il avait quitté l'hôtel dans le matin encore vide, et qu'il n'avait vu ni senti quelque présence équivoque, il parvenait presque à se convaincre que, tout compte fait, il ne devait pas être l'objet d'une filature. Même s'il avait lu quelque part que les experts parviennent à suivre leur cible en la précédant, il ne pouvait se rappeler aucun mouvement suspect depuis son départ du *Julian*.

Malgré tout, lorsqu'il sortit du café pour se diriger vers la place Staromestki, il s'arrêta régulièrement devant les vitrines pour voir s'il n'y surprendrait pas le reflet de quelque silhouette douteuse. Rien.

Croisant un couple avec deux jeunes enfants, il eut la bonne surprise de les entendre parler français. Même s'il lui parut qu'il avait affaire à des touristes, il tenta sa chance et s'avança vers l'homme, un personnage à la mine sympathique qui tenait un des enfants sur ses épaules. La fillette, toute blonde et craintive, regardait cet inconnu s'approcher. Letendre lui fit un sourire rassurant et demanda à son père s'il se trouvait une librairie, une bouquinerie plutôt, dans le quartier.

— Mais oui. Traversez la place et de là, prenez la rue Tyrn. C'est tout près. Il y en a quelques-unes. Personnellement, je vous recommande l'*Antikvariat-Ungelt*.

— Pardon?

— Je vais vous l'écrire.

L'homme déposa au sol la fillette, qui agrippa aussitôt la main de sa mère, et sortit un calepin de la poche intérieure de son veston. Il inscrivit le nom de la boutique en caractères d'imprimerie et détacha le feuillet.

— Voilà.

— Je ne sais comment vous remercier.

— Ce n'est rien. Vous vous plaisez à Prague?

— C'est le bonheur! Nous y venons régulièrement, car ma femme est d'origine tchèque.

Celle-ci, blonde comme sa fille, fit un signe poli de la tête.

Leur conversation tourna court quand un chat bariolé passa entre les jambes de la fillette, qui lâcha sa mère pour courir derrière lui. Du coup, Letendre cessa d'être intéressant et toute la famille, le père, la mère et le jeune garçon se précipitèrent pour rattraper l'enfant.

Letendre traversa la place, l'attention rivée sur une maison décorée de personnages mythologiques et dont l'un des angles était flanqué d'un lion de bronze retenant entre ses pattes une sorte de blason.

Aussitôt dans la rue Tyrn, il n'eut aucun mal à trouver ce qu'il cherchait. Une modeste enseigne, sous une lanterne Louis XIX, situait la librairie à la devanture claire parfaitement immaculée. Letendre s'approcha: des rayons de livres, tournés vers la rue, se succédaient derrière les multiples carreaux de deux grandes fenêtres. Il appuya sur la poignée en forme de bec de cane et se glissa dans un labyrinthe d'étagères où gagnait la pénombre à mesure qu'il s'y enfonçait. Il en vint à tout juste entrevoir le dos des livres qui sentaient le vieux papier et qu'il ne pouvait s'empêcher de toucher. Plus il avançait, plus il craignait de ne trouver aucun ouvrage en français. Plusieurs fois, patiemment, il s'efforça de distinguer les titres et le nom des auteurs. Il parcourut de la même manière quelques rayons en corridor, jusqu'à ce qu'il débouche dans un coin bien éclairé où un homme, debout derrière une table, lui sourit en silence pendant qu'il tournait délicatement les pages d'un gros livre ouvert devant lui.

— *Dobrý den!*

— Bonjour, monsieur.

Letendre prit dans sa mallette un petit fascicule, à la fois guide touristique et dictionnaire élémentaire. Laborieusement, il demanda :

— *Mluvíte francouzsky?*

— Bien sûr, je parle français. Vous désirez un livre en particulier ?

— Je cherche de vieilles éditions françaises d'œuvres classiques.

— Dans ce cas, suivez-moi. Il faut venir de ce côté-ci.

Derrière l'homme bâillait une porte qui donnait sur une pièce pas très grande dont les cloisons étaient tapissées de livres. Au centre, des baquets étaient aussi généreusement garnis.

Se méprenant sur l'attitude irrésolue d'un Letendre subjugué par tant de livres offerts à son bon plaisir, l'homme répéta sa question :

— Voilà! Vous cherchez quelque chose en particulier?

— Non... Tout m'intéresse.

Sous l'aimable invitation du propriétaire, Letendre prit alors le temps d'examiner l'inventaire des ouvrages qui le tentaient de leur magnifique reliure. Il ne trouva rien qui ait été édité après 1845. Pour un passionné de son espèce, cette pièce n'était rien de moins que la caverne d'Ali Baba. Après plus d'une demi-heure à se délecter de ses trouvailles, il décida d'arrêter son choix au hasard, un titre en valant bien un autre. Il en retint ainsi une bonne cinquantaine, puis il se rappela combien il était loin d'Outremont. Tant pis, il paya – une somme plus que raisonnable – et il se dit qu'il trouverait bien le moyen de rentrer au pays avec ses trouvailles.

Le libraire, tiré à quatre épingles, ce qu'il n'avait pas remarqué d'abord, lui proposa d'appeler un taxi. En l'attendant, Letendre se permit une incursion dans une boutique voisine de la librairie. On y vendait des souvenirs de Prague. En peu de temps, il débusqua quelque chose à l'intention de Monique, qu'on lui emballa dans un joli paquet.

Quelques minutes plus tard, il débarquait au *Julian* avec son cadeau et ses trois cartons de livres.

Aux anges, mais constatant qu'il était déjà dix heures, il comprit brusquement qu'il n'avait plus de temps à perdre. Communiquer avec sa compagnie aérienne était la démarche qui s'imposait. Après quelques tentatives, où il ne parvint qu'à joindre des répondeurs téléphoniques, il dut convenir qu'il n'arriverait pas davantage à entrer en contact avec un être humain qu'il n'était parvenu à le faire, avant de partir, à sa succursale bancaire.

En maugréant, il prépara ses bagages, résolu à se présenter directement au comptoir d'Air Canada, à l'aéroport. Là, il trouverait bien une justification pour qu'on le laisse monter à bord du prochain appareil en partance pour Montréal. Ou Toronto, ou même New York, d'où il pourrait aisément retourner chez lui.

Alors qu'il s'apprêtait à prévenir la réception de son départ, Alexandra appela. Il l'informa aussitôt de sa décision. Elle en resta bouche bée.

— Mais vous n'êtes arrivé qu'hier...

— Je suis venu ici dans un but précis, comme vous savez. Depuis ma deuxième rencontre avec Stepanka, je l'ai atteint. Je dois poursuivre mes démarches à Montréal maintenant, et ce, sans perdre de temps.

— Nous pourrions tout de même déjeuner ensemble?

— Je crois bien, oui.

— Vous croyez?

— C'est que je désire prendre l'avion aujourd'hui, et je ne suis toujours pas parvenu à joindre Air Canada. Alors je me demande si je ne devrais pas me rendre directement, et au plus tôt, à l'aéroport...

— Quel est le problème avec la compagnie aérienne?

— C'est simple, on ne me répond tout simplement pas. Je me bute à des messages enregistrés qui me font tourner en rond... et en bourrique!

— Je peux vous arranger ça. Donnez-moi vingt minutes et, par les moyens de l'ambassade, je devrais pouvoir dénouer cette impasse.

— Vraiment?

— Ne bougez pas. Attendez mon appel.

Cette fermeté dans la voix lui donna confiance: Alexandra allait réussir à lui trouver un siège. Quand même, il lui restait un fond d'angoisse à l'idée des événements qui allaient maintenant se bousculer – trouver une voiture pour se rendre à l'aéroport, se rapporter au comptoir des vols, enregistrer ses bagages, franchir les portes de sécurité – si effectivement il partait pour Montréal dans les prochaines heures. Il choisit de se détendre et s'allongea. Cela l'apaisa si bien qu'il s'endormit.

Puis, le téléphone sonna de nouveau.

C'était Alexandra. Il y avait un vol en fin d'après-midi, qu'il pouvait prendre à condition de verser une somme de 206 dollars pour modifier sa réservation.

— Vous pouvez confirmer, ça me va.

— Alors je conclus le tout et je passe vous prendre dans la prochaine demi-heure.

Il ne s'opposa pas à une offre si généreuse.

Il attendit Alexandra dehors à côté de ses valises. À la réception, on n'avait pas fait d'histoire et il avait pu annuler le reste de son séjour sans même qu'on lui demande pourquoi. S'il était sorti à la rencontre d'Alexandra, c'est qu'il avait besoin de se rafraîchir, craignant que l'air légèrement surchauffé de l'hôtel ne le ramollisse et ne le rende de nouveau somnolent. Le garçon qui l'avait réveillé à l'aube avait placé ses cartons de livres sur un diable et les avait déposés près de ses bagages.

Comme à son arrivée, c'est une voiture officielle de l'ambassade de France qui vint s'arrêter à sa hauteur. Alexandra en descendit et lui expliqua qu'il aurait ainsi plus de chances de contourner les bouchons de circulation qui pourraient entraver le trajet vers l'aéroport.

— Mais nous allons d'abord manger, et je vous invite à *La Licorne d'Or.*

Ils revinrent à la place de la vieille ville, où Alexandra l'entraîna dans une magnifique maison qu'il avait remarquée plus tôt à cause de ses ouvertures aux pourtours sculptés, toutes différentes les unes des autres. L'absence d'enseigne le surprit et il se demanda pourquoi l'attachée d'ambassade l'y conduisait; mais il comprit bien vite. À peine le temps de franchir un vestibule qu'ils entraient dans une salle à manger longue et éclairée uniquement au moyen de lampes basses sur des tables joliment montées. Des rayons chargés de riches reliures couvraient les murs, à l'exception de ceux donnant sur l'extérieur, qui se partageaient entre de grandes fenêtres et des surfaces ornées de tableaux discrets ou de statuettes reposant sur des socles délicatement ouvrés.

L'endroit était bondé. Néanmoins, ils obtinrent une table sans attendre. Le personnel était en livrée, et c'est un maître d'hôtel stylé qui prit leur commande.

— Nous sommes à *La Licorne d'Or*. Du temps de Kafka, on y tenait un salon littéraire très fréquenté auquel l'auteur participait régulièrement.

Letendre prit le temps d'admirer les lieux, et la présence des livres le ramena à son dilemme, dont il s'ouvrit à Alexandra.

— J'ai trouvé des trésors dans une librairie tout près et j'ai bien peur d'avoir par trop succombé à la tentation. Je me retrouve avec trois cartons, pleins, et je ne suis pas certain de pouvoir les prendre avec moi dans l'avion. J'en doute beaucoup même.

— Je peux m'occuper de ça aussi. Laissez-les moi et je vais obtenir d'un ami de la mission diplomatique canadienne de les faire parvenir à Ottawa par valise diplomatique.

— Vraiment, vous croyez ?

— Faites-moi confiance.

— Je ne sais comment vous remercier…

— Les amis de Jules sont mes amis, et il n'est rien que je ne ferais pour Jules.

Plus détendu, Letendre raconta ensuite ses pérégrinations touristiques du matin. Quand il parla de la ruelle d'Or, Alexandra intervint :

— C'est le lieu le plus couru des touristes. Kafka, encore lui, y a vécu dans la maisonnette qui porte le numéro 22.

Elle poursuivit avec d'autres propos vantant Prague, tant et si bien que Letendre résolut d'y revenir à la première occasion, en vacances cette fois.

Dans le confort de la limousine, il goûta le trajet vers l'aéroport. Souvent, ses départs étaient des courses contre la montre dans des conditions improvisées qui le mettaient sur les dents. Là, il put même oublier qu'il avait un avion à prendre et se repaître une dernière fois des tableaux magnifiques que lui offrait la capitale de la Bohême.

À l'aéroport, le chauffeur arrêta sa voiture dans un espace réservé aux diplomates et aussitôt, deux porteurs se précipitèrent pour ouvrir les portières. Ils prirent en charge les valises de Letendre. Ainsi que les boîtes de livres.

— Non, laissez.

Alexandra fit remettre les cartons dans le coffre, mais Letendre s'interposa un instant pour en ouvrir un et prendre un ouvrage, le premier sur lequel il mit la main. Sans regarder le titre, il le glissa dans son pardessus.

— Ce sera ma lecture de voyage.

Alors qu'il allait se diriger vers le comptoir d'Air
Canada déjà pris d'assaut par des voyageurs en partance
pour Montréal, Alexandra le conduisit plutôt vers une
pièce en retrait où, sur le doré d'une plaque posée à la
porte, il lut, en noir, l'inscription *Salon VIP*. Une hôtesse
les accueillit et demanda à Letendre passeport et billet.
Ensuite, elle les pria d'attendre dans cette pièce aux
fauteuils profonds, à l'abri du bruit et de l'agitation.

Letendre allait donc s'embarquer dans les prochaines
minutes sans avoir à subir quelque tracasserie. En
songeant à ses deux derniers jours, il se sentit pleinement
réconcilié avec lui-même. Il ne s'en cacha pas :

— C'est promis… Je reviendrai à Prague. Bientôt. En
vacances.

— Et je serai heureuse de vous accueillir de nouveau.

Letendre monta à bord avec les passagers de première
classe. On lui avait donné un siège en bout de rangée,
pour qu'il puisse se dégourdir les jambes à son aise
pendant les huit heures de vol.

Quand l'avion eut pris de l'altitude, curieux, il prit le
livre qu'il avait sorti des cartons confiés à Alexandra. Il
s'agissait d'un ouvrage de J. B. Raymond Capefigue, un
auteur qui s'était fait un nom sous la Restauration française dans les années 1850, en publiant un grand nombre
d'essais historiques, dont *Hugues Capet et la troisième
race*, édité en 1845 chez Charpentier, à Paris. Lorsqu'il en
entama la lecture – l'ouvrage s'ouvrait sur une lettre à
propos de la période capésienne –, le style et le propos
lui semblèrent avoir considérablement vieilli. Il en fit tout
de même ses délices le temps d'une trentaine de pages
avant de s'endormir.

CHAPITRE 18

Le décalage horaire crée parfois des situations cocasses. Ainsi, il permit à Letendre d'accomplir une drôle de prouesse : après avoir quitté Prague à 16 heures, au bout de huit heures de vol, il était à Montréal le même jour... à 18 heures. Même si un fond de fatigue l'abrutissait, et qu'en conséquence il se sentait particulièrement tendu, il n'avait aucune envie d'aller dormir, impatient qu'il était de rentrer rue des Ormes pour téléphoner à Monique.

Malgré tout, dans le taxi qui le ramena de l'aéroport, il finit par s'assoupir.

Pendant ses deux jours d'absence, il avait neigé abondamment, de sorte qu'il était difficile de circuler. Camions et chasse-neige encombraient la chaussée. Plusieurs automobilistes s'étaient garés tant bien que mal, et leurs voitures alignées tout de travers rendaient les rues encore plus étroites.

Devant chez lui, Letendre constata avec plaisir que la guirlande du balcon et quelques lumières à l'intérieur était allumées : Christine avait dû passer et avait pris cette précaution pour ne pas attirer les voleurs.

En entrant, il vit qu'elle avait retiré le courrier de la boîte aux lettres et l'avait déposé sur son bureau.

Lorsqu'il eut bu un café fort, il se fit livrer du *Jardin de Toscane* son mets favori, puis téléphona à Monique.

— Où es-tu? Je t'entends aussi distinctement que si tu étais à Outremont!

— … et j'y suis!

— Pardon?

— Je rentre tout juste… Regarde sur ton afficheur.

Monique mit quelques secondes à réagir.

— Mais… tu aurais pu me téléphoner avec ton portable à ta descente d'avion.

Il ne dit rien, quelque peu honteux de faire un si piètre usage du cadeau qu'elle lui avait offert.

— Qu'est-ce qui t'est donc arrivé pour que tu rentres si vite?

— Rien de particulier, mais une fois obtenues toutes les informations que je désirais, j'ai décidé de revenir sans tarder, car plus le temps passe, plus l'assassin s'éloigne…

— Et les livres avec… fit Monique, gentiment ironique.

— Si tu veux… Dis-moi, on pourrait se voir, là, maintenant?

— Bien sûr. As-tu mangé?

— Non, mais je vais le faire à l'instant.

— J'arrive dans quinze minutes. J'ai beaucoup de choses à te dire.

— Moi de même.

Prague lui semblait déjà une aventure lointaine. Les images qui pourtant avaient été si fortes ne lui appartenaient plus, et il n'en gardait que la fulgurance d'une illumination.

Le livreur du *Jardin de Toscane* l'informa que le propriétaire avait décidé de rester ouvert pour la nuit de la Saint-Sylvestre. Voulait-il réserver une table? Il y aurait plusieurs services, de bons vins, et du champagne à minuit.

À minuit, je dormirai.

— Je ne crois pas, non. Mais si je devais changer d'avis, je communiquerai avec votre patron.

— Faites vite : les places s'envolent.

À son arrivée, Monique croisa le garçon.

— Je vois que tu es revenu à tes bonnes habitudes, dit-elle en voyant l'assiette de steak haché garni de frites noyées dans une sauce épaisse.

— J'avais très faim et, franchement, me faire la cuisine après une journée aussi chargée… Tu sais qu'à 5 h 30 ce matin, je me promenais déjà sur le tablier du pont Charles ?

— Ça paraît : tu as des poches d'insomniaque sous les yeux.

Elle se pressa contre lui, et quand il l'embrassa, il trouva ses lèvres chaudes, ce qui lui infusa une nouvelle énergie.

Monique le retint.

— Laisse-moi te raconter à propos de Loucka. Ce que j'en ai appris de Me Dexter.

— Je t'écoute…

— Voici. Lorsqu'il est arrivé au Canada à l'été de 1991, il a demandé l'asile politique en alléguant que le changement de régime de son pays mettait sa vie en danger. Ce motif étant justement l'un de ceux de la Convention de Genève (il permet aux étrangers de ne pas être aussitôt refoulés par les douaniers), on lui a fixé une audition devant la Commission de l'immigration et du statut des réfugiés. Un agent d'immigration privé, un nommé Cauchon, a informé les autorités qu'il pouvait lui trouver un endroit où résider au pays, et du coup une adresse. Il s'agissait d'une pension à Dorval reconnue pour accueillir les immigrés dans sa situation. Cette information confirmée, notre homme a pu pénétrer sur le territoire. « Tu me suis ?

— Aisément, oui…

— Je continue. Peu de jours après, Loucka a donc comparu devant un commissaire. Il a précisé sa situation, répondu à toutes les questions relatives aux motifs invoqués dans sa demande et a été prévenu qu'une décision serait rendue dans les semaines suivantes.

« Mais dans les faits, il faut parfois quelques mois avant que l'on statue sur un tel cas. D'autant qu'à l'époque, la commission était débordée d'affaires semblables.

« Au bout de quatre ou cinq mois, Loucka a quitté la pension de Dorval pour s'installer à Lachine. Treize années plus tard, le propriétaire d'un restaurant de Sainte-Anne-de-Bellevue l'a mis au nombre de ses employés dans sa déclaration de revenus. Il avait embauché Loucka, même sans numéro d'assurance sociale, sur la base que ce dernier lui avait démontré que sa situation était en voie de régularisation depuis son audition devant un commissaire à l'Immigration. Ce restaurateur, lui-même venu de Grèce, est au fait que les dossiers de l'Immigration peuvent traîner pendant des années, pour des raisons parfois quasi inexplicables. Peu de temps après, quand des agents officiels se sont présentés *Chez Georges* avec un mandat d'expulsion à l'encontre de Loucka, le Tchèque, qui était sur place, leur a affirmé qu'il avait bel et bien avisé la commission de son déménagement et donné sa nouvelle adresse à Lachine. Depuis tout ce temps, il était demeuré sans nouvelles, ignorant qu'on lui avait refusé l'asile politique et se croyant en situation légale.

« En fait, la décision ayant été rendue juste après son déménagement, elle ne lui était jamais parvenue. C'est là une situation commune : le Service d'immigration perd régulièrement la trace d'immigrés illégaux. Il s'en trouverait 40 000 actuellement dans cette situation au pays.

« Loucka avait alors retenu les services de Me Dexter pour qu'il le représente devant la Commission. Ensuite, désireux de faire preuve de bonne foi vis-à-vis de l'Immigration, vu qu'il prévoyait un nouveau déménagement, il a élu domicile (légal) au cabinet de son avocat afin de s'assurer que dorénavant toute communication du ministère lui parvienne dûment.

« Me Dexter a présenté une demande à la Cour fédérale pour qu'elle suspende l'avis d'expulsion contre son client et autorise Loucka à contester hors délais la décision rendue au moyen de ce qu'on appelle un "contrôle judiciaire". Le tribunal a accueilli la requête, mais la veille de l'audition, Loucka, prétextant qu'il n'avait plus les moyens de retenir ses services, a remercié son avocat. Il s'est présenté seul devant le juge pour plaider la contestation.

« Après un délibéré de quelques semaines, la Cour a rejeté ses prétentions et émis un nouvel avis d'expulsion. Cet avis devant lui être signifié en mains propres, c'est à Lachine que les agents se sont présentés, au 253 Provost, où ils ont appris qu'il avait quitté les lieux depuis un bon moment… Au restaurant de Sainte-Anne-de-Bellevue, après les avoir informés que c'était la seule adresse qu'il lui connaissait, son employeur a ajouté qu'il le croisait souvent dans le village, le plus souvent au magasin d'alimentation. Lorsque Loucka vint prendre son quart de travail, les agents s'adressèrent directement à lui. Coincé, le Tchèque avoua qu'effectivement il avait déménagé à Sainte-Anne et y donna son adresse (adresse non communiquée à Mᵉ Dexter), information que les fonctionnaires vérifièrent avant de lui remettre l'avis d'expulsion. Loucka avait alors 48 heures pour se rapporter aux autorités et quitter le Canada : mais voilà, avant l'expiration de ce délai, il avait de nouveau disparu...

« J'ai pu obtenir toutes ces informations de Mᵉ Dexter parce qu'il est d'usage qu'un avocat ayant ouvert un dossier à la Cour soit informé de toutes les procédures s'y rattachant par la suite. Et puis, vu qu'il pratique en immigration depuis plus de vingt ans, Dexter est proche des agents du ministère, qui lui rapportent volontiers les vicissitudes diverses de ses anciens clients.

Ils demeurèrent silencieux pendant un bon moment, Letendre réfléchissait pour bien comprendre et mettre chaque élément en place.

— Quelque chose ne colle pas... Pourquoi l'adresse de Loucka à Lachine n'était pas dans le dossier que j'ai consulté ?

— Parce qu'elle ne s'y trouve pas. Le matin de l'audition, Mᵉ Dexter était toujours inscrit au rôle de la Cour et l'adresse légale de Loucka, toujours celle de son cabinet. Le greffe n'avait quand même pas pu modifier ces informations pendant la nuit... Ensuite, le rédacteur du jugement a procédé selon les informations au dossier. À la fin du document, il n'a pas inscrit Mᵉ Dexter, puisque ce dernier n'apparaissait pas au procès-verbal de l'audition. C'est ainsi que toi, tu as appris que l'avocat n'avait pas représenté Loucka ce jour-là, et pris comme adresse de Loucka le bureau de la rue Notre-Dame…

De nouveau, Letendre se réfugia dans le silence. Il hocha finalement la tête et usa d'une expression qu'il ne lui était pas familière mais rendait bien son sentiment :

— J'ai compris, tout baigne…

Une fois les informations de Monique digérées, ce fut à son tour de raconter ce qu'il avait appris à Prague. Monique l'écouta religieusement, puis lui demanda d'être plus précis :

— Selon toi, Loucka aurait été éliminé ici, au Canada, par une association dont les membres traquent à travers le monde les mouchards du régime communiste ?

— On m'a assuré qu'il n'est pas vraiment dans leurs habitudes d'agir de manière aussi extrême, mais peut-être ont-ils simplement confié à quelqu'un installé au Canada la mission de le retrouver, et il y aurait eu dérapage. Il pourrait aussi s'agir d'un individu agissant pour le compte de sa propre famille restée à Prague. On aurait jugé plus facile de l'exécuter chez nous : là-bas, les autorités auraient vite fait un lien. Va donc savoir… Dans tous les cas, ses justiciers ont mis du temps avant de retracer Loucka… Tout est possible.

— Ce qu'ils auraient fait tout juste avant qu'il soit expulsé ? Tu parles d'une coïncidence !

— Peut-être l'a-t-on retrouvé bien avant et attendait-on l'occasion… Les choses se seraient précipitées quand on a appris qu'il était à la veille de son expulsion. Tout le monde peut consulter le dossier de la Cour et, de fait, j'ai vu à l'endos du dossier une liste des personnes qui l'ont examiné comme moi.

Il se bascula dans son fauteuil et croisa les mains derrière la tête :

— Tant d'hypothèses sont plausibles.

— En effet…

Et s'étirant, il ajouta encore :

— Et j'ignore toujours si j'ai vraiment été suivi pendant mon voyage. C'est à se demander si je ne suis pas en train d'inventer cette histoire.

Il était huit heures passées. Le sommeil le rattrapait.

— Tu as les paupières lourdes, tu devrais aller dormir.

— Et toi ?

— Tu m'excuseras, mais je dois rentrer. Cependant, je suis libre demain après-midi. Un stagiaire a commandé l'enregistrement de la dernière audition de Loucka devant la Cour fédérale. Nous l'aurons demain. Qui sait si on ne trouvera pas quelque chose d'intéressant dans les échanges qui s'y sont tenus ?

Malgré ses bonnes intentions, Letendre perdait visiblement le fil de la conversation : il passait et repassait ses mains dans ses cheveux et écarquillait les yeux. Lovés à ses côtés sur la moquette, l'Être et le Néant semblaient dormir, mais quand Monique se leva, ils firent de même.

— Écoute : je nourris les chats et toi, tu montes te coucher. Je vais fermer en partant. Tu avais l'intention de prévenir Christine de ton arrivée ?

— Pas avant demain.

— Je vais lui téléphoner ce soir. Ce sera mieux.

Elle lui prit tendrement les mains pour le tirer de son fauteuil, et se retrouva aux prises avec une personne qui tenait à peine debout. Après l'avoir accompagné dans l'escalier, jusqu'à la chambre, c'est elle qui fit glisser la fermeture éclair de la valise pour en retirer quelques objets de toilette.

— Qu'est-ce que c'est?

C'était la dernière chose qu'il avait placée dans sa valise, essentiellement parce qu'il avait failli l'oublier sur la commode au *Julian*, et quand Monique lut son nom sur le paquet, il mit un moment avant de se rendre compte de ce dont elle parlait.

— Tu as pensé à moi? Seulement deux jours à Prague et tu trouves le temps de me choisir un cadeau?

— Mais ce n'est rien, tu vas voir...

Elle ouvrit le paquet et fut en effet des plus surprises.

— Un chapelet... Paul, tu m'as acheté... un chapelet?

— ... dont les grains sont des cristaux. Des cristaux de Bohême... Je tenais à t'en offrir et je ne pouvais tout de même pas te rapporter un lustre!

Monique rit de bon cœur et commenta:

— Je ne sais plus ce que je préfère chez toi, ton amour ou ton humour.

— Tu es drôle, tiens...

Ce furent ses derniers mots. Étendu de travers sur les couvertures, il dormait lorsque Monique ferma le dernier tiroir dans lequel elle avait rangé ses chemises.

DEUXIÈME PARTIE

Ils avaient prévu de se rencontrer de toute manière, mais pas si tôt.

Les locaux de la fonction publique étant fermés en cette semaine fériée, il avait été aisé de convaincre le juge de tenir leur réunion ailleurs qu'à son bureau. C'est ainsi qu'ils s'étaient retrouvés, rue Fabre, à Montréal, dans le modeste appartement du plus jeune d'entre eux.

Ce dernier manquait à l'appel. Allait-il venir? Son père, qui disposait d'une clef, n'avait pas hésité devant la porte close. Convaincu que son fils dormait encore, il s'était dirigé tout droit vers la chambre. La pièce était dans un désordre total, comme toujours.

— Il aura probablement découché. Nous allons l'attendre un peu...

Ils avaient donc échangé des banalités à mille lieues de ce qui les préoccupait. Après un moment, l'un d'eux avait fait remarquer:

— Peut-être n'est-il pas en état de venir nous rejoindre? C'est la période des fêtes, il a pu faire la bringue hier soir. La jeunesse, on sait ce que c'est...

Il fut interrompu par des claquements empressés de pas venant de l'escalier. L'instant d'après, le retardataire pénétrait dans son appartement. La présence de son père et des autres ne le surprit en aucune manière. Il retira son pardessus tout en s'expliquant, essoufflé:

— *J'ai oublié l'heure. J'étais chez Alexandre, pas très loin.*

Dehors le vent sifflait, à l'assaut de l'ancien triplex.

Comme pour se faire pardonner, le jeune homme proposa de préparer du café, mais son offre tomba à plat. Désireux de procéder promptement, son père le brusqua :

— *On a assez perdu de temps. Viens t'asseoir.*

Dans le petit salon surchauffé, aux rares meubles, la tension était maintenant à trancher au couteau, et on commençait à suffoquer. Toujours contrarié, le père glissa sèchement en aparté au dernier venu :

— *Baisse le chauffage et aère un peu. On étouffe.*

Mais l'interpellé expliqua qu'on venait de calfeutrer les fenêtres et qu'on ne pouvait donc pas les ouvrir. Masquant mal son dépit, il s'empressa de baisser le thermostat. Le père haussa les épaules, décida que le moment était venu et aborda le motif de leur rencontre. D'abord, il se fit rassurant :

— *Nous n'avons plus rien à craindre en ce qui regarde Ales Loucka. Les journaux n'en ont même pas fait état, ou à peine, et de son côté, la police semble avoir d'autres priorités que le meurtre d'un obscur immigrant illégal.*

Cynique, il ne put s'empêcher d'ajouter :

— *On a fait du beau travail.*

— *Et maintenant ?*

Le juge, dont l'élégant costume marine était rehaussé par une chemise aux impressionnants boutons de manchette, tira un peu sur sa cravate et releva le menton.

— *Maintenant ? C'est fini, on peut oublier tout ça ?*

— *Pas vraiment, non. C'est pourquoi je vous ai réunis.*

Il se leva. Après tout, il était leur chef et il se devait d'en imposer, ce à quoi tout son corps participait. Les autres devinèrent qu'il allait leur annoncer une très mauvaise nouvelle.

— Quelqu'un a découvert le fin fond de l'affaire et...

Il coupa court :

— Nous devons l'éliminer.

— Encore !

L'expression avait jailli spontanément de son fils, qui le toisait maintenant avec une expression où perçait un reliquat d'adolescence.

Passant outre, le père se rassit, imperturbable.

— Du calme. Le « maître » va nous expliquer.

Il avait utilisé le mot avec une révérence ironique, ce qui en disait long sur l'estime dans laquelle il tenait celui qui prit alors la parole en s'essuyant le front avec un ridicule mouchoir rouge.

— Voici ce qu'il en est. Dans le portefeuille de Loucka, on a trouvé un billet. Il était rédigé en tchèque, mais en travers figurait le nom de Paul Letendre. Comme le texte était court, je suis parvenu aisément à en faire la traduction avec l'aide d'Internet. Il disait : « Communiquer avec Paul Letendre mercredi matin. »

Le groupe l'écoutait sans broncher.

— Cela ne m'a rien dit sur le moment. Le lendemain de... (il eut une légère hésitation, comme s'il cherchait ses mots)... la mort de Loucka, une personne s'identifiant comme sa sœur m'a téléphoné. Elle m'a dit que son frère devait rentrer à Prague vendredi dernier, le 23, et qu'elle l'avait attendu en vain à l'aéroport. Inquiète, elle a appelé chez lui à Sainte-Anne-de-Bellevue et est parvenue à parler à sa propriétaire. C'est ainsi qu'elle a appris ce que l'on sait... Aussitôt, elle a fait des démarches auprès de

Me *Dexter, qui l'a informée qu'il ne représentait plus Loucka depuis le rejet de sa demande d'asile politique en première instance. Puisqu'elle insistait pour s'entretenir avec quelqu'un qui aurait assisté à la dernière audition de son frère, l'avocat lui a donné mes coordonnées. Elle m'a semblé très vindicative. Elle ne comprenait pas pourquoi l'asile politique avait pu être refusé à Ales et pourquoi il avait dû se réfugier dans le taudis où on l'avait assassiné. Je lui ai expliqué que les procédures avaient suivi un cours normal, que le juge avait appliqué à la lettre la loi canadienne sur l'immigration et que je n'y voyais pas une situation exceptionnelle. Elle a insisté : lorsque son frère lui avait annoncé qu'il serait expulsé du Canada, il lui avait confié qu'il n'avait pas été étonné du rejet de sa demande. Il avait surpris, avant de passer dans la salle du tribunal, une conversation qui, disons, réglait son cas. Avant l'audition… Elle aurait souhaité qu'il précise davantage, mais il s'était contenté de lui promettre de tout lui raconter dans le détail lorsqu'il la verrait à Prague. Elle a clos notre entretien après m'avoir demandé de l'informer lorsqu'on parviendrait à éclaircir le meurtre.*

Il fit des lèvres, en haussant les épaules, la mimique de quelqu'un ne se sentant pas concerné par les événements.

— Après réflexion, j'ai conclu que son appel n'avait rien d'inquiétant pour nous, Loucka ne pouvant plus rapporter à sa sœur cette conversation qu'il a surprise avant son procès. Du coup, je me suis félicité qu'on se soit assuré définitivement de sa discrétion. Il ne fallait pas prendre le risque qu'il parle.

L'expression de l'avocat se fit plus incisive.

— Mais hier, il est survenu un événement qui a complètement changé la donne.

Se tournant vers celui qui lui avait donné la parole, il la lui rendit.

— *Je te laisse raconter, dit-il.*

— *Hier, en fin d'après-midi, je suis allé à l'aéroport Trudeau pour accueillir deux clients en provenance de la République tchèque. À bord de leur avion, il y avait le nommé Paul Letendre… Je n'ai pu faire autrement que de le remarquer, car il a été le premier à se présenter à la porte d'arrivée aux côtés d'une jeune femme trimbalant ses jumeaux dans un couffin garni de guirlandes.*

Il leur sembla que le plancher se dérobait sous leurs pieds. Ils auraient fort probablement tous pris la parole en même temps si le juge ne s'était interposé :

— *Écoutons la suite…*

— *Je n'ai pas mis de temps à faire le lien entre la teneur du billet trouvé sur Loucka, les propos de sa sœur au téléphone et ce voyage de Letendre à Prague. Pour dire les choses simplement, à cause de raisons que je ne parviens pas à saisir, ce dernier s'intéresse de près aux circonstances de la mort de Loucka. Je suis persuadé qu'il est allé à Prague pour rencontrer sa sœur, et que cette dernière lui a rapporté les propos de Louka. Il aura alors tout compris. Le temps qu'il vérifie certaines données, et nous sommes faits.*

Son fils intervint.

— *Mais… On n'y peut rien. C'est connu, il est inutile de se débarrasser d'un enquêteur, un autre suivra qui reprendra le dossier et…*

D'un geste autoritaire de la main, le père imposa de nouveau le silence.

— *Il ne s'agit pas d'un enquêteur, justement, mais d'un simple collectionneur de livres. Rien de plus. Après avoir lu le billet de Loucka, j'ai fait une recherche sur Google à propos de ce Paul Letendre. J'ai appris qu'il est l'auteur d'un argus sur les éditions originales des grandes œuvres littéraires, qu'il collectionne les ouvrages anciens et qu'il habite rue des Ormes, à Outremont. Par curiosité, je suis passé à quelques reprises devant sa résidence. L'avant-veille de Noël, je l'ai aperçu qui sortait de sa maison devant laquelle attendait un taxi. Ça ne pouvait être que lui, car il a verrouillé la porte avant de partir. De là, j'ai bien gardé son visage en mémoire…*

Le juge conclut pour lui-même, mais à voix haute :

— Ce n'est qu'une question d'heures avant qu'il raconte tout à la police.

Il faisait toujours aussi chaud dans ce salon où maintenant la poussière dansait dans le soleil.

D'une voix presque normale, le magistrat trancha :

— Nous n'avons pas le choix. Il faut agir au plus tôt.

Personne ne dit mot. Ils se regardaient, la mine catastrophée, dans un silence qui s'étira jusqu'à ce qu'ils comprennent que la réunion venait de prendre fin. Aucun d'eux ne posa de question, ne manifesta quelque opposition. Ils étaient assommés, regrettant amèrement d'en être arrivés là, conscients cependant de ne pouvoir faire marche arrière.

C'est chacun pour soi qu'ils quittèrent le vieil immeuble, s'en remettant à leur chef qui tenta de les calmer comme il put d'un :

— L'avocat et moi, nous nous en chargeons…

CHAPITRE 19

Il était maussade, ou plutôt soucieux. Une idée, en forme de questionnement, le travaillait : retrouver l'édition originale d'un grand chef-d'œuvre était-il plus important que d'élucider un meurtre ?

Même le bain chaud qu'il se fit couler n'apaisa pas son tiraillement intérieur. Il pensait à l'œuvre de Laclos, au cadavre de Loucka, le tout se superposant et s'entremêlant, lui donnant la nette impression d'être prisonnier d'une situation sans issue.

Soudain il eut peur à nouveau, comme sur le tablier du pont Charles. Mais cette fois, il prit conscience qu'il confondait son sentiment d'angoisse avec l'espèce de fièvre qui le poussait en avant malgré lui, qui lui dictait de poursuivre son enquête, qui lui répétait de ne pas perdre de temps. Cette frénésie d'aboutir à quelque chose, de trouver les dernières réponses, ressemblait à une quête éperdue. Il souhaitait en finir et retourner à sa petite vie tranquille. Pouvoir de nouveau fermer les yeux sans être pris dans un foisonnement d'idées qui tambourinaient contre ses tempes.

On ne fait pas d'omelette sans casser des œufs : il ne pouvait concevoir qu'il avait pu fouiller dans la vie d'un mort, victime de violence, sans que cela porte à conséquence. C'est là que se logeaient ses inquiétudes.

Alors fallait-il prendre le risque de continuer son enquête afin de mettre la main sur le tome un de l'œuvre de Laclos et, éventuellement, sur d'autres éditions originales? Pour cela, seulement? Il n'en était plus tout à fait certain. Ne fallait-il pas poursuivre les démarches à cause de cette hantise profonde, qui l'habitait depuis la disparition non élucidée de sa femme, celle de trouver le fin fond des choses? C'était devenu une manie: prendre la mesure de tout ce qu'il observait chez ses semblables en tentant de tirer le véritable sens de leurs attitudes et comportements. Toujours ce questionnement un peu maniaque: qu'est-ce qui est vrai, qu'est-ce qui ne l'est pas?

De son bureau, il regarda vers le parc. Le vent s'était levé et soufflait la neige. On devinait qu'il faisait froid. Les passants rajustaient leurs écharpes et tenaient leurs vêtements près de leur corps.

Délaissant les scènes de l'extérieur qu'il ne se sentait pas prêt à affronter, il remarqua, en raison de la poussière roulant sous le radiateur, que Mme Tremblay n'était pas venue. Puis il se rappela: la femme de ménage était partie dans sa famille, au Saguenay, pour la période des fêtes.

À neuf heures tapantes, quand il donna un coup de fil à la librairie de sa fille, Mme Boucher l'informa que Christine n'était pas passée à la librairie depuis deux jours.

— Elle ne se sentait pas bien…

Il composa aussitôt le numéro de sa fille, chez elle. Pas de réponse. Dans le climat de ce qu'il vivait depuis quarante-huit heures, il se mit à échafauder les pires scénarios, dont l'un était qu'on s'en était pris à Christine. On? Qui *on*? Et puis, non: il devenait trop fébrile. Pendant qu'il se demandait que faire, la sonnerie du téléphone ajouta encore à sa nervosité et il sursauta, comme si une trompette avait claironné directement dans son oreille.

— Allô !

— C'est moi, Christine.

— Mais où es-tu ?

— Chez François. Je me suis mise au repos pour quelques jours. Monique m'a informée hier soir que tu étais déjà rentré. Dis donc, tu as fait vite !

— J'étais inquiet.

— À quel propos ?

— Là, maintenant, j'étais inquiet à ton sujet. J'ai parlé à Mme Boucher puis téléphoné chez toi.

— Qu'est-ce qui te prend de t'en faire pour si peu ? Il ne t'est jamais arrivé que tu m'appelles et que je sois absente ?

— Je sais, je sais, c'est idiot.

— Et si je venais te voir ? Maintenant ?

— Ce serait très bien. Mais donne-moi quand même une petite heure, je sors du lit.

— C'est comme tu veux. À tout à l'heure.

Il se prépara à manger et se découvrit une faim de loup. Avec son deuxième café, il s'installa devant son ordinateur. Un seul courriel :

M. Letendre,

Je trouve vos deux courriels alors que je rentre de Buda-pest. Au Julian, on m'a dit que vous étiez déjà reparti. Dommage. J'espère que vous êtes parvenu à vos fins même si je n'ai pu être là pour vous apporter mon aide.

Maria Tlaskal

Il s'était donc mépris au sujet de l'amie d'Hana Pravdova lorsqu'il avait eu cet accès de panique sur le pont Charles.

Ouvrant ensuite le fichier de l'affaire Loucka, il ajouta à ses notes :

Ales Loucka enseignait la littérature française à l'université Charles. Il a fui Prague en 1991, emportant avec lui 22 éditions anciennes. Il aurait été un délateur du régime communiste.

Maria Tlaskal n'était pas à Prague lorsque je lui ai fait parvenir mes courriels. C'est pourquoi je n'ai eu aucune nouvelle d'elle lorsque j'étais en République tchèque.

Avant que les choses ne se précipitent, Loucka avait élu domicile à Sainte-Anne-de-Bellevue. Il aurait quitté les lieux lorsque lui avait été signifié son avis d'expulsion du pays.

Monique prendra connaissance du procès-verbal de l'audition devant la Cour d'immigration.

Ces considérations bien inscrites dans son dossier, il planifia la suite.

En priorité, trouver la dernière résidence de Loucka et en apprendre le plus possible à son sujet depuis son arrivée au Canada. Une idée lui vint qu'il décida d'explorer sans tarder. Il téléphona au *Bon Goût* et demanda à parler à Adrien, qui vint aussitôt à l'appareil :

— Monsieur Letendre ? Mais où êtes-vous ?

— Chez moi.

— Mais je vous croyais en Tchécoslovaquie...

— En République tchèque... j'en reviens.

— Là, vous me perdez !

— Dis-moi Adrien, je sais qu'avec ton groupe tu te promènes les week-ends un peu partout dans la province. Par hasard, est-ce que vous vous seriez déjà produits à Sainte-Anne-de-Bellevue?

— Plusieurs fois, oui. Au pub de l'endroit. L'été dernier, on a bien dû y faire six spectacles. Nous aimons bien y aller: c'est en dehors de Montréal, mais pas loin, sur l'île. Ainsi, nos profits ne sont pas grugés par nos frais de déplacement.

— Et tu y connais quelqu'un?

— En fait, je me suis lié d'amitié avec un jeune musicien qui habitait tout près, à Senneville. Grâce à lui, nous y sommes revenus souvent. Pourquoi me demandez-vous ça?

— Viens à la maison après le travail et je t'expliquerai.

— Bonne idée.

Christine était arrivée pendant cette conversation. Son trousseau de clés encore à la main, elle parut un peu étonnée de voir son père dans son bureau.

— Tu es là? Je croyais que tu t'étais recouché, vu que tu m'avais demandé une petite heure.

— Bien non, tu vois. François est avec toi?

— Non, mais il m'a chargée de te remettre des informations. Peu de choses cependant.

— Vas-y.

Elle prit le temps de s'asseoir.

— Ton homme de rien était recherché par les officiers de l'Immigration qui devaient l'expulser du pays.

— Ça, je l'ai déjà appris de Monique hier.

Christine eut une moue de déception.

— Ah! bon…

— Mais je t'en prie, continue.

— Pour le reste, il semblerait que la police tourne en rond. Surtout que les inspecteurs ont d'autres chats à fouetter : le meurtre d'un immigré inconnu, sans famille au Canada, et qui vivait isolé, ce n'est pas dans leurs priorités. Un homme de rien, comme tu le dis toi-même, un petit meurtre de rien du tout, quoi. Ils ont appris qu'il habitait à Sainte-Anne-de-Bellevue où il aurait long-temps travaillé dans une taverne, puis, quelques mois avant sa mort, dans un restaurant, *Chez Georges*. Tu le savais, ça aussi ?

— Je l'ai appris de Monique en rentrant ; mais j'ignore quelle était son adresse.

— Je vois…

Christine se dirigea vers la cuisine.

— Tu permets ?

Sans attendre la réponse, elle alla se verser un café. Lorsqu'elle revint, Letendre la couvrit d'un regard paternel.

— Et toi, comment vas-tu ?

— Je suis fatiguée, sans plus.

— Épuisée, tu veux dire.

C'est vrai que ses traits étaient tirés, même son teint était un peu affadi. Et sa chevelure, son maquillage… D'habitude, elle était plus coquette.

— Je me remets tranquillement.

La voyant qui prenait ses aises dans le fauteuil Voltaire, qu'il utilisait pour sa part si peu qu'il le considérait comme un ornement, Letendre s'approcha pour lui glisser un tabouret sous les jambes.

— J'y pense. François a aussi appris que les policiers n'avaient trouvé aucune pièce d'identité sur Loucka, pas de portefeuille, seulement une de tes cartes de visite dans sa poche de chemise, une carte à l'endos de laquelle était rédigé, à la main, un reçu signé par Louka.

Letendre fit un signe d'entendement, comme s'il en prenait bonne note. Il ne dit mot cependant. Christine comprit qu'elle pouvait passer à autre chose.

— Alors raconte-moi, lui demanda-t-elle, en se réchauffant les mains à la chaleur de sa tasse.

Letendre lui raconta son voyage, mais il omit de mentionner les livres qu'il avait achetés.

— C'est tout ? Aurais-tu changé de profession ? Doit-on s'attendre pour l'an prochain à la publication de *L'Art du parfait détective* au lieu d'une nouvelle édition du *Letendre* ?

Elle se moquait, bien sûr. Letendre comprit qu'elle était curieuse de savoir s'il avait ramené des livres. Il eut envie de la faire languir mais elle lui paraissait si fragile, si petite fille au fond de son siège avec son minois malade, qu'il s'empressa de lui parler des merveilles qu'il avait rapportées.

— Je peux les voir ?

Il lui expliqua que ses acquisitions ne lui parviendraient qu'après le jour de l'An. Christine eut une moue de déception et lui annonça qu'elle devait prendre congé.

— Je fais un tour à la librairie, puis je retourne dans mon cocon.

De nouveau seul, par acquis de conscience mais sans conviction, Letendre jeta un coup d'œil aux éditions de *La Presse* des deux derniers jours. Il ne s'attendait pas vraiment à trouver quoi que ce soit à propos de Loucka. De fait, il n'y avait rien, pas même un entrefilet. Avant de passer à table (il s'était fait réchauffer un plat de pâtes), il regarda sa montre : midi. Adrien n'allait pas tarder. Auparavant, sachant que le seul moment de la journée où il pouvait avoir au bout du fil la présidente de l'Association tchèque était lors de la pause du midi, il mit de côté son repas et composa le numéro d'Hana Pravdova. Il savait précisément ce qu'il voulait lui demander : connaissait-elle au Canada, parmi ses compatriotes, des groupes, des associations, qui se vouaient à la recherche de mouchards communistes ?

Hana Pravdova reconnut aussitôt sa voix et accepta une nouvelle rencontre. Cependant, après l'avoir informé que sa mère venait d'être hospitalisée, elle lui signifia qu'elle le rappellerait dès que possible pour lui fixer un rendez-vous. Dans les circonstances, il n'osa lui objecter que le renseignement désiré de sa part était si simple qu'elle pourrait le lui donner à l'instant au téléphone. Au lieu de cela, il souhaita poliment que sa mère se rétablisse, ce à quoi Hana Pravdova lui rétorqua qu'il y avait peu de chance car sa maman avait 96 ans et était dans un état comateux.

Letendre raccrocha, en proie à un doute inconfortable : allait-elle vraiment le convier à une prochaine rencontre ?

CHAPITRE 20

Son père lui avait enseigné à se méfier des moindres craquements de la forêt. Il lui avait aussi appris à observer toutes choses avec l'idée qu'elles en cachent immanquablement d'autres.

Dans le cloaque des rues de Douala, plusieurs fois ces conseils lui avaient été salutaires. Aux abords de l'hôtel *Aqua Palace*, où il offrait ses services de guide aux touristes fortunés, les voyous pullulaient, la violence ne cessait de larver. Dans la capitale économique du Cameroun, on répétait volontiers que les attaques de serpent étaient plus prévisibles que les revirements d'humeur des pauvres affamés qui hantent les rues, sans nom pour la plupart et invariablement parsemées de flaques d'eau stagnantes grouillant d'insectes à paludisme, cette fièvre maudite qui avait emporté sa mère alors qu'il était enfant. Par la force des circonstances, il avait acquis un sixième sens qui le tenait sans cesse aux aguets, et il était devenu un être observateur et curieux au-delà du commun.

C'était ainsi qu'un soir, il avait remarqué parmi les clients du bar *Le Petit Marseillais* un client qui tranchait nettement sur le reste de la faune ambiante. Sa tenue vestimentaire, sa politesse protocolaire, voire condescendante, et son accent français singulier l'avaient interpellé. Le regard trouble de ce touriste témoignait que l'homme était au bord du *délirium tremens*, et Adrien avait deviné que les compagnons de beuverie de ce dernier allaient profiter de son inconscience pour le détrousser. Le jeune Camerounais connaissait bien la propriétaire de l'établissement, qui tenait aussi le restaurant. Elle lui confiait parfois de menues tâches à la cuisine. Il monta la voir dans son bureau et lui fit part de ses craintes à propos de ce client particulier si bien mis et qui, manifestement, devait être quelqu'un d'important. La tenancière, Mercedès Eoné, était descendue avec lui et tous deux avaient soustrait le Canadien, car c'en était un, à la convivialité douteuse et par trop intéressée des trois locaux réputés arnaqueurs.

Ils l'avaient entraîné dans la salle à manger, fermée à cette heure, l'avaient gavé de café, puis lui avaient suggéré de s'étendre sur une des larges banquettes.

L'homme avait dormi quelques heures puis s'était réveillé en maugréant contre le soleil intempestif qui lui tapait dans les yeux et le mal de tête qui lui martelait le cerveau. Il avait demandé où se trouvaient les toilettes, où il avait vomi. Sa cravate renouée, il avait ensuite tenté de faire disparaître une tache d'alcool sur le revers de sa veste. Après quelques hésitations et beaucoup de gêne, il avait demandé, candidement :

— Dites-moi… Où suis-je ?

C'est Adrien qui avait répondu.

— À Douala.

— Je veux dire… Où ça ?

— Au Cameroun.

— Au Cameroun ! En Afrique ?

Cette constatation avait achevé de le dégriser. Il s'était passé une main dans le visage puis :

— Il est quelle heure et… s'il vous plaît, quel jour sommes-nous ?

— Nous sommes mardi et il est 15 h 30.

— Ah ! Merde…

Il avait aussitôt tenté de rattraper son exclamation en se pinçant les lèvres.

— Et vous êtes ?

— Adrien Betayene. Je travaille ici à l'occasion. Je suis guide aussi.

La propriétaire, qui n'avait encore rien dit, s'avança :

— Et je suis Mercedès, la patronne.

L'homme leur avait serré la main et, ironisant :

— Pour autant que je me souvienne, je suis Gilles Lafleur, ministre des Affaires économiques du Canada.

Adrien avait ouvert de grands yeux et l'homme, sur le ton de la bonne humeur, avait ajouté :

— Eh oui ! tel que vous me voyez.

Intimidée, la patronne avait néanmoins pressenti le caractère opportun de l'initiative d'Adrien. Et pour faire bonne mesure, elle avait mis son appartement à l'étage à la disposition du ministre pour qu'il puisse prendre une douche, offre que ce dernier accepta d'emblée.

Ayant retrouvé sa prestance et sa dignité, le ministre avait demandé ensuite à Adrien de le conduire au premier hôtel décent. C'est ainsi que le jeune Camerounais l'avait accompagné à l'*Aqua Palace* où, lui avait-il expliqué alors qu'ils s'y rendaient à pied, descendaient habituellement les invités de la mission diplomatique canadienne.

— Le nom me dit quelque chose en effet, nota Lafleur.

Aussi, à la réception, il s'était présenté en disant que son bureau avait réservé une chambre en son nom et la préposée s'était montrée particulièrement ravie de le voir.

— Monsieur Lafleur! Mais on s'inquiétait à votre sujet! M. Manga, l'attaché du Haut-Commissariat du Canada, était un peu désespéré de n'avoir pu vous repérer à l'aéroport. Il y aurait eu un changement d'horaire concernant votre vol, si j'ai bien compris? Personne n'en avait été informé.

— Ce qui explique que je n'ai trouvé personne à mon arrivée. Alors j'ai accepté l'offre de ce Camerounais de me ramener en ville. Ensuite je suis allé… je suis allé manger avec eux.

— Et vous avez rencontré Adrien, quelle chance!

— Plus que vous ne pourriez le croire.

— Si vous me permettez, je vais prévenir M. Manga. Il est dans sa chambre, il doit se faire du mauvais sang.

« Du sang de nègre, dirait-on chez nous », ironisa sans malice et pour lui-même Gilles Lafleur.

Les choses s'étaient ensuite arrangées au mieux et le lendemain, le ministre avait fait venir Adrien pour le remercier.

— Sans vous, ma cuite aurait pris les proportions d'un incident diplomatique. Si je peux faire quelque chose pour vous…

Adrien n'allait pas rater l'occasion:

— Pas pour moi, mais pour mon père. Il est sans travail et pourtant il sait tout faire.

— Il sait conduire?

Joseph Manga, qui assistait à l'entretien, était intervenu pour préciser:

— Permettez-moi, monsieur le ministre, mais depuis que notre fidèle Tabi s'est installé au Canada, il se trouve que nous n'avons plus de chauffeur à la mission.

Le jeune Camerounais s'était animé :

— Ça, c'est inespéré. Mon père a longtemps été chauffeur pour l'archevêché. Pendant plus de douze années, en fait. Il a perdu son emploi lorsque le gouvernement a réduit ses subsides à l'Église parce qu'elle avait dénoncé un manque de démocratie durant la campagne électorale.

C'est ainsi que Lafleur avait pris sur lui d'embaucher sans plus de formalités le père d'Adrien.

Pendant les quatre années suivantes, Adrien avait vécu avec son père à Yaoundé, où se trouvait le Haut-Commissariat du Canada. Bientôt, lui aussi avait été recruté par la mission diplomatique comme coursier et, avec l'aide du ministre Lafleur, toujours, qui du Canada avait vu à ce que le dossier chemine diligemment, le père et le fils avaient été autorisés à immigrer au pays.

Il y avait maintenant sept ans de cela, et le père d'Adrien était mort depuis d'un cancer du pancréas. Le jeune homme travaillait alors à Ottawa, dans un magasin d'alimentation. En week-end à Montréal, il avait fait la rencontre d'un groupe de musiciens en quête d'un chanteur de rap, puis de Sonia, ses cheveux roux, sa peau au teint de lait, dont il était devenu amoureux.

Depuis son déménagement à Montréal, Sonia et lui habitaient rue Van Horne dans le quartier Outremont, au rez-de-chaussée d'un duplex, dans la partie est de cette artère, où les loyers sont encore abordables. Ils disposaient de cinq pièces, bien plus que ce qu'il leur fallait, et ils bénéficiaient d'une grande galerie donnant sur une cour d'école. Le couple en était maintenant à épargner des sous pour, avec le temps, se meubler convenablement.

Lorsqu'Au Bon Goût on avait été à la recherche d'un emballeur, la recommandation de Sonia avait suffi pour qu'on embauche Adrien. Depuis, ce dernier ne l'avait jamais regretté, et ses patrons non plus.

Ce midi-là, Adrien quitta le marché en direction de chez Letendre. Il faisait froid sous un ciel bas. La neige accumulée en bordure de la rue Bernard, près de l'avenue Outremont, était souillée par la gadoue que soulevaient les voitures. Bizarrement, les souillures de l'hiver rappelaient immanquablement au Camerounais l'époque difficile de son Douala natal où, sous une chaleur crevante, il courait dans les rues boueuses à la recherche d'une bonne affaire.

Il était vêtu d'un anorak ample, ce qui lui permettait de porter dessous une épaisse veste de laine, et en avait rabattu le capuchon sur sa tête, l'avait soigneusement attaché sous le menton. Ses bottes fourrées lui tenaient les pieds au chaud et il portait les moufles que Sonia lui avait tricotées. Machinalement, de temps à autre, il essuyait son nez humide du revers de la main.

Il aimait peu la neige. Surtout la neige souillée et détrempée de la ville. Au début, à son arrivée au Canada, il avait été séduit par les flocons qui redessinaient en blanc la nature. Mais quand il avait dû pelleter, encore et encore, il avait désenchanté. Maintenant la seule neige qu'il aimait, c'était celle des vacances, dans les stations de ski.

En remontant l'avenue Outremont, comme par réflexe, il leva les yeux sur la rangée d'immeubles jusqu'au parc Saint-Viateur. Les fenêtres semblaient aveugles dans ce début d'après-midi grisâtre, mais il savait que derrière, la vie battait, le quartier étant habité par des familles nombreuses, des familles pour la plupart aisées. Il pouvait en juger par leur tenue vestimentaire recherchée et par le confort de leur foyer quand il livrait leur commande. Rien ne changeait vraiment jamais dans cette avenue que très souvent il arpentait, et le calme y était un trésor bien gardé.

À l'angle de la rue Saint-Viateur, il put apercevoir la résidence de Paul Letendre. Étonnamment, les rideaux du bureau du collectionneur étaient tirés. Par mesure de sécurité, puisqu'on pouvait aisément voir depuis la rue l'intérieur de la pièce chargée de livres richement reliés où se trouvaient l'ordinateur, le télécopieur et la photocopieuse, Letendre prenait la précaution de masquer la baie vitrée dès qu'il sortait. Aussi Adrien en déduit-il que son ami devait être absent : mais ne lui avait-il pas donné rendez-vous ?

Plutôt que de traverser le parc, en diagonale, et d'aller frapper chez Letendre pour savoir si ce dernier, en dépit des apparences, l'attendait toujours, il décida de lui téléphoner. Il retira donc à regret ses moufles épaisses pour mettre la main sur son portable, enfoui dans la poche intérieure de son anorak.

Au même moment, une porte claqua derrière lui et une jeune fille, aux longs cheveux blonds flottant sous un bonnet bleu pâle, dévala l'un de ces escaliers extérieurs que l'on voit amplement reproduits sur des cartes postales de Montréal et prit la direction opposée d'Adrien, qui la suivit furtivement des yeux. Lorsqu'il se retourna vers le parc en ouvrant le rabat de son appareil, il aperçut une voiture s'arrêter devant la propriété de la famille Cohen, chez qui il avait plusieurs fois fait des livraisons. Ce n'était là rien que de très banal, mais pour Adrien qui connaissait par cœur les habitudes locales, l'événement avait nettement quelque chose d'incongru. Que venait faire un livreur de pizzas dans une rue habitée par des Juifs d'obédience orthodoxe lesquels, c'est connu, mangent exclusivement kasher? Jugeant que la scène valait bien une photo, se servant de son portable tout fin prêt, Adrien l'ajouta à sa collection d'images incongrues dont Sonia était si friande.

Le regard attaché à la petite voiture, dont on avait maintenant coupé le moteur et de laquelle le chauffeur ne se pressait pas de descendre, Adrien composa le numéro de Letendre. Avant qu'il n'appuie sur le dernier chiffre, une autre voiture, noire, luxueuse celle-là, se rangea également le long du trottoir, mais de l'autre côté de la rue et en sens inverse de celle du livreur.

Adrien referma son portable. Il se glissa entre deux escaliers, comme s'il avait peur qu'on l'aperçoive, sans trop savoir pourquoi il agissait ainsi.

Son instinct lui dicta qu'il existait une quelconque relation entre les deux véhicules.

Il ne se trompait pas.

Le contact de la BMW coupé, un homme, qui semblait avoir la mi-trentaine, en descendit. Adrien en détailla le visage ferme, les lèvres minces et la chevelure abondante.

Vêtu d'un long manteau noir boutonné jusqu'à une écharpe beige qui débordait de son col, l'individu traversa la rue d'un pas vif, les mains enfoncées dans les poches et le cou dans les épaules, se dirigeant droit vers la petite voiture du livreur. Un instant, il s'arrêta pour jeter des regards aux deux extrémités de la rue, puis, semblant rassuré, il continua de marcher vers la Toyota, dont le chauffeur était maintenant appuyé contre la portière.

Le jeune Camerounais éprouva alors un sentiment similaire à l'état d'urgence qui était le sien lorsque dans les rues de Douala il remarquait quelque comportement inusité. Tendu, voire aux aguets, son attention était maintenant monopolisée par ces deux hommes totalement dissemblables qui tenaient conciliabule dans une avenue d'Outremont. Il prit encore plusieurs photos jusqu'à ce que les deux individus se serrent la main et se séparent. La scène avait duré quelques minutes à peine.

Lorsqu'il reprit sa marche, Adrien pensa compléter sa série de photos par un dernier cliché, celui de la plaque minéralogique de la Toyota blanche. Satisfait, il lorgna ensuite du côté de la propriété de Letendre, faisant face au monument dédié aux combattants canadiens des deux dernières grandes guerres. Les rideaux étaient à présent grands ouverts. Il allait sonner chez son ami lorsqu'il entendit la voiture de livraison démarrer. Se retournant, il la vit effectuer un brusque virage en U puis descendre l'avenue Outremont vers la rue Van Horne.

Letendre s'était assoupi près d'une heure sur le canapé de son bureau. Avant, il avait fermé les rideaux pour se plonger dans une pénombre favorable. Ce n'était pas dans ses habitudes de dormir le jour, sauf parfois en début d'après-midi. La fatigue des derniers jours l'avait rattrapé et, puisqu'il en avait le loisir avant qu'Adrien arrive, il en avait profité.

Il venait à peine de se lever, de dégager la fenêtre et de s'asperger le visage d'un peu d'eau froide que le jeune Camerounais se manifesta.

— Oh! là... Il fait plus froid que je ne l'aurais cru, fit-il remarquer en refermant la porte derrière Adrien.

— Et à Prague, il faisait chaud?

— Pas vraiment, non, mais c'est plus tempéré qu'ici. Il fait combien, aujourd'hui, tu crois?

— Autour de moins vingt. Sans compter un petit vent vicieux qui vous pénètre jusqu'aux côtes.

— Donc, un temps à ne pas mettre un Camerounais dehors, non?

— Comme vous dites…

— Viens… Je vais te donner à boire quelque chose de chaud.

Letendre disparut dans la cuisine pendant qu'Adrien s'installait dans le bureau. En attendant le retour de son ami, il s'amusa à faire tourner les images sur l'écran de son portable. Certaines ne permettaient pas de bien distinguer le visage des deux hommes qu'il avait photographiés, à cause de la buée épaisse qui s'échappait de leur bouche, mais deux ou trois d'entre elles étaient mieux réussies et révélaient assez exactement leurs traits.

— Qu'est-ce que tu fais? Tu vérifies tes textos?

— Non, je regardais les photos que je viens tout juste de prendre.

— Parce que tu peux faire des photos avec ton téléphone portable?

— Comme vous, très certainement. Tous les téléphones portables de la dernière génération sont munis de cette fonction.

— Qu'est-ce que tu as photographié au juste?

— Si je vous le dis, vous ne me prendrez pas au sérieux.

— Et pourquoi donc?

— J'ai simplement pris la photo d'un livreur de pizzas en conversation avec ce qui m'a semblé un gros bonnet, juste au coin d'Outremont et de Saint-Viateur. Un livreur de pizzas dans ce quartier kasher, sur le coup, ça m'a semblé, disons, bizarre… Et puis, cet homme au volant d'une voiture super luxueuse qui vient lui adresser la parole, en pleine rue…

— Étrange, en effet… Mais dis-moi, tu me disais connaître quelqu'un de Sainte-Anne-de-Bellevue? fit Letendre changeant abruptement de sujet.

— Il habitait à Senneville, tout près.

Letendre expliqua alors à Adrien qu'il aimerait savoir si on connaissait là-bas un nommé Lucas, Alexis Lucas, qui aurait travaillé *Chez Georges*, un des restaurants qu'on trouve le long des écluses du bras Sainte-Anne. De toutes les informations recherchées, sa dernière adresse était la plus importante.

— Vous me parlez bien de l'homme de rien, celui des vieux livres à vendre annoncés Au Bon Goût et qui a été assassiné à Pointe-Saint-Charles?

— Celui-là, oui. Ales Loucka, en fait, mais qui avait choisi de se faire appeler Alexis Lucas. J'ai beaucoup appris sur lui à Prague, entre autres qu'il y enseignait la littérature française, ce qui lui aura dicté de donner à son nom une assonance française, mais je dois en savoir davantage si je veux retrouver le tome un des *Liaisons* de Laclos. Tu comprends?

— Vous pouvez compter sur moi. À part ces informations recueillies à Prague, où en êtes-vous dans cette histoire?

Et il se cala dans son fauteuil, la tasse de café que lui avait offerte Letendre à portée de la main sur un petit guéridon. C'est presque religieusement qu'il écouta son hôte lui résumer l'ensemble des faits qu'il connaissait maintenant, lui confier même certaines de ses hypothèses. Mais à un certain moment, le jeune homme parut se désintéresser de ce qu'on lui racontait, son expression se fit vague. Manifestement, il pensait à autre chose :

— Pardon de vous interrompre là, mais…

— Mais ?

— Vous venez de me parler d'un livreur de pizzas qui aurait été vu devant le 333, rue Centre, tôt le matin du meurtre ?

— C'est ce qu'un locataire a raconté à Marion, oui.

Il se leva et vint vers Letendre, son portable ouvert. Il fit défiler les clichés de la voiture du livreur.

— Ce sont les photos que je viens de prendre.

— Est-ce que tu as pu apercevoir le chauffeur de cette voiture ?

— Mieux que ça.

Adrien montra à la suite le chauffeur, l'homme qui s'était entretenu avec lui, et enfin la plaque minéralogique de la Toyota.

Letendre se frotta le menton pendant quelques instants puis s'enquit :

— J'aimerais pouvoir les montrer à Marion. Il pourrait les soumettre au locataire qui a vu la voiture ce matin-là dans la rue Centre. Mais comment faire ?

— C'est simple. Vous me donnez son numéro de portable et je les lui envoie. Et si je disposais du logiciel nécessaire et d'une imprimante, je pourrais même vous en donner des copies, mais je n'ai pas les moyens de me payer un tel équipement.

— Et moi, j'ignorais que cela existait. Tu pourrais les faire parvenir à Monique, à son bureau ? Je suis certain qu'on y dispose de ce qu'il faut.

— Bien sûr que je peux. Donnez-moi son numéro.

— Attends, je vais d'abord lui téléphoner pour la prévenir.

À peine quinze minutes plus tard, Monique annonçait à Letendre qu'elle viendrait à la maison le lendemain matin, tôt, avec les photos.

— De mon côté, annonça Adrien, je vais prendre contact avec ce guitariste que j'ai connu à Sainte-Anne.

— Je te souhaite bien de la chance. Tu sais mieux que moi que les jeunes musiciens sont difficiles à suivre. Fait-il partie d'un groupe?

— Pas vraiment, d'un duo plutôt. Il joue de la guitare et chante, accompagné d'un bassiste. Depuis quelques mois, il ne s'éloigne pas de Côte-des-Neiges où il a emménagé avec son amie, car il est papa d'une petite fille. Il en est fou et ne veut pas s'en éloigner.

Quand Adrien quitta la maison, Letendre eut la nette impression que son enquête avait fini de stagner et qu'il avançait enfin. Il n'était pas certain que cela le réjouissait, car son intuition dressait autour de lui de plus en plus d'ombres menaçantes. Mais puisqu'il était captif de cette enquête et qu'il ne pourrait se libérer que lorsqu'elle aurait abouti, il soupira d'aise en entrevoyant la possibilité d'une fin prochaine.

CHAPITRE 21

Une douleur, déchirante, vint le chercher et il ouvrit les yeux au milieu d'un cauchemar dans lequel il basculait, comme s'il chutait dans le vide. Et de fait, la fulgurance de la souffrance le projeta en bas du lit.

Un instant, il crut à un spasme aigu au bas du dos. Puis, les brûlures d'une forte colique lui barrèrent l'abdomen et lui donnèrent l'impression d'étouffer. Il roula sur lui-même, se donnant des coups dans les reins pour dénouer ce qu'il croyait être un problème musculaire. Mais une sensation de piqûre, à un endroit précis près de sa colonne vertébrale, s'ajoutant aux autres maux, sema le doute dans son esprit affolé.

En un déclic, le sentiment d'être victime d'une attaque aussi sournoise que mystérieuse s'imposa à lui. Son angoisse s'intensifia au diapason de la douleur, et il atteignit un tel degré de panique qu'il vomit avant même de pouvoir se relever. Par un prodigieux effort de volonté, il tenta de se ressaisir. En vain. Pendant un bon moment, il flotta sur des vagues douloureuses qui lui firent perdre tout contact avec la réalité. Il se surprit à gémir et à tanguer sur lui-même en position du fœtus. Puis, inquiet à l'idée d'être en proie à une crise cardiaque, il palpa sa cage thoracique et s'efforça de retrouver une respiration normale. Sa souffrance était si aiguë que seule la mort, lui sembla-t-il, pouvait l'en délivrer.

C'est toute sa vie qui allait se rompre dans l'instant, et il n'y pouvait rien.

Puis, non : il n'allait pas se laisser faire.

Avec des gestes de somnambule désarticulé, toujours geignant, il parvint à se lever, à s'habiller tant bien que mal – boutonnant sa chemise en jaloux et enfilant deux chaussettes désassorties – et, après s'être retenu aux tentures pour ne pas tanguer contre la fenêtre, il parvint à sortir de la chambre au moment où un bruit de verre fit bondir un des chats qui miaula, affolé. Monique l'avait prévenu : sans doute la bête avait-elle fait basculer la vitre qui, depuis plusieurs semaines déjà, attendait son bon vouloir pour être installée. Le moment était mal venu pour se faire des soucis domestiques et il en détourna aussitôt ses pensées.

Se tenant à deux mains à la rampe de l'escalier puis s'appuyant à la cloison, il consacra toute son énergie à atteindre l'appareil téléphonique de son bureau, sur lequel il composa péniblement le numéro de Marion.

Le timbre de sa voix, seul, suffit à alerter le chauffeur de taxi qui promit d'arriver au plus vite à la rue des Ormes.

Il était deux heures du matin.

Marion trouva son client étendu sur le canapé. La lumière crue allumée par ce dernier pour conjurer l'angoisse qui l'étranglait n'avait rien pour dissimuler sa honte à l'idée de ne pouvoir mieux se contenir. Quand, après l'avoir relevé à la force de ses bras puis lui avoir fait passer son parka, Marion voulut lui faire enfiler ses bottes, Letendre eut une sorte de rugissement qui fit croire au chauffeur de taxi qu'il devenait hystérique.

Ils n'échangèrent aucun mot de tout le trajet vers l'hôpital, Letendre pris par sa douleur et Marion, profondément inquiet de l'état de son ami, cherchant à faire le plus vite possible. Au bout d'un quart d'heure à peine, la voiture arrêtait devant l'Urgence du CHUM de Montréal. En descendant, Letendre se mit à frissonner de tout son être.

Ils pénétrèrent, l'un s'appuyant l'un sur l'autre, dans la salle d'attente. La lueur agressive des néons leur imposa le constat désolant de la souffrance. Une femme se tenait un bras, les yeux rougis, pendant qu'une jeune fille tentait de l'encourager, ou de la consoler. Près d'une machine distributrice, deux hommes à l'expression rendue mauvaise par la douleur lorgnaient du côté de la sortie, l'air de supputer leur capacité d'aller se soigner eux-mêmes. Semblant vouloir se tenir en retrait de la tension générale, un jeune homme, l'œil tuméfié, roulait sur sa chaise, l'expression absente. Le spectacle de tous ces gens venus comme lui pour être traités au plus vite, n'avait rien pour encourager Letendre, que Marion dirigea vers le guichet de triage. Là, l'infirmière les pria d'aller s'inscrire à un autre guichet, où ils durent attendre un bon moment avant qu'une préposée n'inscrive le nouvel arrivé et ne le retourne à la case départ, où l'infirmière consigna les symptômes de Letendre : il ne devrait pas attendre trop longtemps avant d'être vu par un urgentologue.

Quarante-cinq minutes plus tard, Letendre, dont la colère avait pris les proportions de son mal, n'en pouvait plus. Marion retourna donc s'enquérir du temps qui leur restait à patienter avant que l'on daigne soulager son ami qui souffrait le martyre.

— Il faut nous excuser, mais nous avons eu ce soir quatre ambulances avec des blessés graves. Ils sont traités en priorité. Je crois cependant que d'ici une heure, ce sera le tour de votre ami.

— Une heure! s'exclama Marion.

L'infirmière, avec un regard bienveillant, tenta de le calmer.

— C'est qu'il n'est pas le seul, vous savez.

Marion allait tenter d'intercéder, mais il fut interrompu par une femme qui hurlait presque, devant le guichet de la réception. Elle semblait avoir surgi de nulle part. Marion ne se souvenait pas de l'avoir aperçue auparavant. Lorsqu'il eut rejoint Letendre, qui continuait de se tordre, il apprit de la bouche d'un autre patient que la dame se morfondait là depuis plus de six heures.

— Six heures!

C'en était trop. Marion décida d'agir, de forcer l'équipe médicale à s'occuper de son ami.

— Venez!

Il prit Letendre à bras le corps, passa un de ses bras par-dessus ses épaules et lui ceintura la taille de sa poigne solide. Voyant qu'il le dirigeait vers la sortie, Letendre s'inquiéta.

— Mais... Où donc m'amenez-vous?

— Faites-moi confiance.

Encore plus rapidement qu'à l'aller, ils revinrent à Outremont.

Après avoir aidé Letendre à s'étendre dans son bureau, Marion composa le 911.

Six minutes plus tard, c'était au tour des ambulanciers de transporter Letendre à l'urgence où, sur une civière, il franchit immédiatement les portes de la section des traitements. L'infirmière du triage n'y vit que du feu.

Quand un jeune interne s'approcha de Letendre, c'est Marion qui raconta par bribes ce dont son ami souffrait et il lui sembla nécessaire de préciser :

— Depuis que je le connais, je ne l'ai jamais vu malade, ou se plaindre. Et là, c'est comme s'il avait été tiré.

— Tiré ?

— Comme si on lui avait tiré dessus, oui !

Le médecin accueillit son explication d'un air un peu moqueur. Il ausculta Letendre, le tourna puis le retourna sur le dos. À sa demande, une infirmière le brancha à un moniteur, puis prit sa tension et son pouls.

L'urgentologue posa ensuite à Letendre plusieurs questions sur sa santé en général et ses habitudes alimentaires en particulier. Non, il ne fumait pas, ne buvait pas, sauf un peu de vin à l'occasion mais jamais d'alcool fort ; par contre, il ne faisait pas d'exercice à part la marche.

— De l'anxiété ?

— Un peu…

La sonnerie d'un téléavertisseur interrompit Letendre. Le médecin le retira de sa ceinture, y jeta un rapide coup d'œil puis l'informa :

— Je ne crois pas que votre état soit grave et j'ai une assez bonne idée de ce dont il s'agit. Rassurez-vous, votre vie n'est pas en danger.

L'infirmière revint vers eux avec une seringue.

— Nous allons vous injecter un analgésique assez fort pour vous insensibiliser à la douleur. Vous serez sans doute pris d'une forte somnolence. Ne résistez pas : je vous garde pour la nuit au moins. On vous fera des radiographies dès que possible.

Avant que le Dilaudid ne fasse effet, Letendre continua de s'enfoncer dans ses interrogations. Une douleur aussi fulgurante devait pourtant avoir une cause.

Mais qu'est-ce qui me crucifie?

Dans ses tourmentes, il alla jusqu'à imaginer qu'il avait été empoisonné à Prague... Et il s'endormit sans en avoir conscience, oubliant la présence de Marion.

Quand il se réveilla en sursaut, Marion n'était plus à son chevet, et il constata qu'on l'avait placé dans une petite pièce dont on avait laissé la porte entrouverte. Des voix, des bruits métalliques, de succion, de civières qu'on roule et celui d'un ventilateur lui parvenaient dans une sorte de flou qui lui engourdissait la tête.

Peu de temps après qu'il eut rouvert les yeux, le jeune urgentologue qui l'avait reçu entra en refermant la porte sur lui. Il s'assit sur le coin d'un petit bureau métallique et croisa les bras.

— Tout ne va pas pour le mieux mais, tout compte fait, les nouvelles sont bonnes: vous avez un calcul rénal. Dans le langage familier, on appelle ça une pierre aux reins. Je vous envoie en radiologie afin de la localiser.

— Mais je ne sens plus rien.

— Parce que la pierre ne bouge plus. Tant que vous ne l'aurez pas expulsée, vous serez sujet à des crises comme celle de cette nuit. Mais nous allons vous garder encore quelque temps sous observation pour nous assurer que vos douleurs dépendent exclusivement de ce problème.

Letendre eut envie de demander qu'on lui explique les raisons exactes de son mal, mais il renonça: le jeune médecin ne connaissait certainement pas encore la réponse.

On lui fit une prise de sang et il fut conduit en radio-logie. Ensuite, un préposé poussa sa civière dans une autre section de la salle d'urgence et lui dit :

— Vos vêtements sont rangés dans un sac de plastique attaché à l'un des montants.

Et il le mit en garde :

— Il est défendu d'utiliser votre portable, mais vous pouvez recevoir des visites.

Ces propos donnèrent aussitôt à Letendre l'idée d'ap-peler Monique. Il se glissa hors de la civière et repéra son pantalon dans le sac transparent. Il y trouva son portable et, chancelant, une main retenant dans son dos les pans la chemise qu'on lui avait passée et qui bâillait derrière, il se rendit aux toilettes.

Il composa le numéro de Monique en consultant sa montre.

Après plusieurs tonalités, il entendit une voix endor-mie lui répondre :

— Oui…

— Monique ?

— Paul ? À cette heure ?

— Je sais… Il est 5 h 30.

— Qu'est-ce qui t'arrive ?

— Je suis aux urgences du CHUM.

— Avec qui ?

— … avec qui ?

— Oui. À moins que… C'est toi qui es malade ? Tu es blessé ?

— Une pierre au rein.

Il lui raconta sa nuit. Monique commenta :

— Ma sœur a déjà eu des calculs rénaux. Ce serait plus douloureux qu'un accouchement.

— Je n'ai jamais accouché, mais je te crois sur parole.

Monique offrit d'aller le voir dès huit heures.

— Mais avant, je vais passer chez toi prendre tes affaires, un pyjama, tes produits de toilette… Autre chose ?

— Un bon livre.

— Quelques livres, tu veux dire.

— Le Journal de Kafka suffirait. C'est dense et volumineux.

— Pas très divertissant, cependant.

— Tu as raison. Apporte-moi aussi le dernier de Julian Barnes, *Arthur et Georges*. Il est sur la table de la cuisine, j'avais commencé à le feuilleter hier matin.

— Et je t'apporte les photos ?

— Les photos ?

Il avait oublié, mais ça lui revint :

Les photos qu'a prises Adrien sur son portable.

— Et les photos, bien sûr. Je pourrai en donner quelques-unes à Marion, surtout celle de la voiture du livreur de pizzas. Il les montrera à ce locataire qu'il a rencontré à la rue Centre. On ne sait jamais.

— De mon côté, j'ai fait en sorte que des avocats de notre département de droit criminel, qui ont des contacts avec les policiers, fassent circuler celles que je leur ai remises.

— Apporte-m'en deux exemplaires. Je vais envoyer une photo à François Métayer, du *Journal de Montréal*, qui la transmettra directement au sergent-détective Labrosse. Je préfère qu'il la reçoive de lui plutôt que de moi. François dira que l'enveloppe anonyme dans laquelle elle lui est parvenue avait pour seule mention l'adresse de la rue Centre suivie d'un point d'interrogation.

— J'ai parfois l'impression que tu es en train d'écrire un roman...

— Il faut ce qu'il faut.

— En attendant, essaie de dormir : je te réveillerai.

Au moment de sortir de la salle de bains, il aperçut une chemise de nuit propre, bien pliée sur un tabouret. Il l'enfila sens devant derrière, ce qui le couvrit décemment, puis se dirigea vers sa civière. Il fut intercepté par une infirmière :

— Que cachez-vous dans votre main, monsieur ?

Mais elle avait déjà compris :

— Se cacher dans les toilettes pour utiliser son portable, ce n'est pas très brillant...

— Il fallait absolument que je joigne une amie très proche... pour l'informer que... je n'ai pas le droit de me servir de mon portable.

— À l'avenir, utilisez les téléphones publics, sinon nous devrons confisquer votre appareil.

Letendre acquiesça sagement, sans répliquer. Encore sous l'effet de l'injection de morphine, il était tout malléable et amorphe. Une sorte de flottement l'allégeait, et dans la pénombre distraite seulement par la lueur des moniteurs placés au chevet des malades et la lumière pâle du poste de garde, il crut qu'il allait lui être aisé de se rendormir. Pourtant, pendant un bon moment, à cause des pensées désagréables qui se succédaient malgré lui dans son esprit, il en fut empêché. Ces idées revenaient, ne cessaient de l'agresser. Se trouvant ridicule, il se reprocha sa mollesse. Il fit un effort sur lui-même pour ne penser qu'à Monique jusqu'à la désirer. Rien à faire, il renoua avec les fantômes qui l'agitaient de l'intérieur, comme des pans d'ombre glissant les uns sur les autres.

Au moment où il allait enfin s'assoupir, il revint brusquement à lui. Le râle d'un vieil homme à la tête bandée, au visage plus blanc que les draps, et intubé aux deux bras, le fit sursauter. Il se souleva sur un coude, jeta discrètement un regard sur son infortuné voisin et se jugea déplacé d'être là, presque bien portant, au milieu de patients, ceux-là toujours souffrants, et devant compter pour les soulager sur un personnel débordé et surtout impuissant.

Il s'endormit sans trop s'en rendre compte. Lorsqu'il se réveilla, il avait un mauvais goût dans la bouche. On avait posé un verre d'eau sur le meuble bas près de sa civière, avec un haricot et un urinal. Boire lui fit du bien. La sueur lui perlait sur la peau, même s'il n'était recouvert que d'un simple drap. Aussi, il se demanda s'il n'était pas fiévreux. Il se rappela qu'il portait deux épaisseurs de chemise en coton lui montant jusqu'au cou. Alors qu'il songeait à se lever et à partir à la recherche d'une baignoire (l'idée de prendre un bain lui paraissait tout indiquée…), le visage de Monique entra dans son champ de vision.

— Alors tu rêves de moi ?

Un sourire éclaira son visage.

— Tu n'as pas trop mal ?

— Non. Et j'en suis à me demander ce que je fais ici.

Mais Monique ne le suivit pas dans cette direction. Elle l'observa plutôt avec un air tendu, voire angoissé.

— Je viens de chez toi où je suis allée prendre tes affaires.

Elle baissa le ton, puis semblant s'assurer que personne d'autre que Letendre pouvait l'entendre, elle s'approcha encore de lui et murmura d'une voix troublée :

— Il s'est passé quelque chose. Quelque chose de très grave, je crois. Dans ta chambre…

Elle hésitait, n'osait pas tout lui dévoiler. Ses doigts crispés sur l'une des ridelles de la civière qu'on avait relevées par mesure de précaution, elle poursuivit :

— Dès que j'ai mis le pied dans l'entrée, j'ai reçu une bouffée d'air venant de l'étage. J'ai tout de suite senti que quelque chose n'allait pas. J'ai eu peur. Je suis d'abord restée immobile dans l'obscurité. Après un bon cinq minutes, comme rien ne bougeait et que je n'entendais aucun bruit, j'ai allumé au rez-de-chaussée et dans l'escalier, et je suis montée.

Elle fit une pause. Letendre n'osait intervenir et la regardait, intrigué.

— En pénétrant dans ta chambre, j'ai compris que l'air entrait par un carreau fracassé dans la grande fenêtre. Et il flottait dans la pièce une odeur de je ne sais trop quoi. De soufre, peut-être.

« Je me suis approchée de la fenêtre. La lune éclairait la cour et j'y ai aperçu tout plein de traces de pas. Le carreau a sûrement été atteint par un objet lancé de l'extérieur. Frigorifiée – le froid entrait poussé par le vent – et au bord de l'affolement, je suis partie en oubliant tes affaires.»

Sa voix baissa comme si, en parlant à la limite de l'audible, elle croyait pouvoir mieux maîtriser sa nervosité.

— Paul, il faut prévenir la police…

— Mais qu'est-ce que tu crois que c'était ?

— Je n'en sais rien à vrai dire, mais tu dois communiquer avec cet enquêteur dont tu m'as parlé à quelques reprises.

Perplexe, Letendre ne dit rien d'abord. Ensuite :

— Tu as probablement raison. Au point où j'en suis… De toute manière, je devais en arriver là.

— C'est ce que je pense.

Il ferma les yeux. Ses pensées noires et décousues le rattrapèrent aussitôt. Il eut un soupir sans fin et son visage se crispa. Monique lui mit une main sur l'épaule. Il la regarda en posant une main sur la sienne.

— Je ne sais plus…

Son désarroi était accentué par l'effet de l'analgésique, et Monique s'inquiétait de le voir dans cet état. Elle comprit qu'il lui fallait prendre les choses en main :

— Je vais tenter de convaincre le sergent-détective Labrosse de venir me rencontrer chez toi dans une vingtaine de minutes, le temps que j'y retourne.

Letendre demeura encore silencieux pendant quelques minutes. Contrairement à ce qu'il semblait à Monique, il ne pensait plus, il se laissait dériver, il s'abandonnait. Aussi, c'est tout simplement qu'il lâcha :

— Fais comme tu penses. De toute manière, lorsque j'ai pris l'avion pour Prague, je me suis engagé à l'informer de mon retour.

Il sombra encore quelques instants dans le flou puis il se secoua, reprenant conscience du sérieux de la situation. C'est d'une voix plus ferme qu'il annonça :

— Mais je sors d'ici. Je ne veux pas que Labrosse vienne me voir à l'hôpital. Demande à l'urgentologue de garde, ou à je ne sais qui, ce que je dois signer pour qu'on me laisse partir.

Il s'assit.

— Et donne-moi mes vêtements, si tu peux.

Monique lui remit le sac de plastique. Il en retira d'abord sa chemise puis son pantalon, qu'il fouilla en faisant remarquer :

— Mon caleçon et mes chaussettes sont dans mes poches… Pendant que tu seras au poste de garde, je vais m'habiller.

Ses premiers pas furent mal assurés, mais il retrouva bientôt son équilibre. La tête lui tournait un peu ; c'était incommodant, tout au plus. Dans la salle de toilette, il se vit dans la glace, aperçut dessinées sur son visage à la fois la fatigue du voyage et l'expression de son angoisse et de sa souffrance de la veille. Mais son calcul rénal continuait de dormir et… Quand il revint à la civière, un homme, de race noire, l'attendait avec Monique.

— Comme ça, vous voulez nous quitter, monsieur Letendre.

— Franchement, je n'ai plus rien à faire ici et je prends la place de quelqu'un qui pourrait avoir réellement besoin de vos soins.

— Les radios montrent que vous avez une pierre au côté droit. Elle n'est pas bien grosse cependant, vous pourriez bien la passer d'ici quelques jours.

Letendre fit la grimace.

— Et maintenant ?

— Et maintenant, rien. Je vais vous prescrire des anti-douleurs. Dès que vous sentirez une sensation de piqûre dans cette région, il faudra tout de suite prendre un cachet. Autrement, si vous laissez la douleur s'installer, vous n'en viendrez plus à bout. Soignez-vous dès que vous ressentez des coliques : c'est un signe avant-coureur.

— C'est tout, docteur ? demanda Monique.

— Il faut boire beaucoup d'eau.

Il se tourna de nouveau vers Letendre :

— Normalement, vous devriez évacuer cette pierre presque sans vous en rendre compte. Je vous ai donné un rendez-vous dans dix jours avec un spécialiste. Il complétera le diagnostic et avisera. Bonne chance.

L'infirmière qui avait apostrophé Letendre à propos de son portable arriva avec des documents à signer. La procédure fut brève.

Bientôt, il avait pris place dans la voiture de Monique.

— Je téléphone au sergent-détective pour qu'on n'ait pas à l'attendre trop longtemps à la maison.

— Non… Je préfère d'abord constater moi-même l'état des lieux.

— Tu parles comme un policier, maintenant ?

Quand elle eut payé le stationnement et qu'elle se fut engagée dans la rue, ils se retrouvèrent dans la circulation démente de l'heure de pointe.

CHAPITRE 22

— Avez-vous donné une *garden party,* monsieur Letendre ?

Avant l'arrivée du policier, Letendre avait pu constater que le portail de la cour arrière avait été forcé et qu'il y avait là de nombreuses traces de pas. Décontenancé, il avait ensuite recherché dans sa chambre quelque objet, un caillou par exemple, qui aurait pu expliquer le bris du carreau. Il n'avait rien trouvé. La vitre qu'il avait achetée pour réparer le carreau fêlé était toujours intacte, appuyée contre le mur. Encore sous l'effet des médicaments, il s'était avoué, complètement mystifié :

— C'est à n'y rien comprendre.

Monique lui avait alors rappelé qu'ils avaient convenu de s'en remettre à la police et elle avait téléphoné à Labrosse.

Le sergent-détective observait les empreintes disséminées sur toute la superficie de la cour. Il avait l'air désabusé, expression que lui connaissait bien Letendre. Depuis son arrivée, tout au plus avait-il demandé à voir le carreau brisé.

Monique n'avait eu aucune difficulté à le joindre sur son *blackberry,* dont il avait donné le numéro à Letendre lorsqu'ils s'étaient rencontrés à l'aéroport. Mais, décidément, en cette veille du jour de l'An, il aurait aimé être ailleurs, en congé auprès de sa femme. Malgré sa réticence, il n'avait cependant pas hésité à répondre à l'appel de l'avocate car peut-être, mais il en doutait fortement, allait-il enfin découvrir une piste sérieuse dans l'affaire Loucka qui n'avançait guère.

Le froid de la chambre avait fini par l'atteindre. Il roula des épaules pour détendre ses muscles.

— Je n'attendrai pas de trouver un vitrier, dit Letendre, je vais demander qu'on vienne boucher cette ouverture au plus tôt. Je connais quelqu'un qui...

— Non. N'en faites rien pour l'instant. Pas avant que les gars du laboratoire judiciaire aient investigué les lieux. Je vais les prévenir.

Puis, comme si une idée soudaine lui avait traversé l'esprit :

— Attendez-moi ici.

Il sortit de la pièce et se précipita dans l'escalier. Monique et Paul le virent ensuite pénétrer dans la cour par la porte donnant sur la ruelle. Le temps d'une pause et son regard s'éleva jusqu'à l'étage, se dirigea ensuite vers les hautes branches de l'orme, dont il examina un moment l'écorce. Après être retourné sur ses pas, il s'immobilisa un instant dans la ruelle puis la remonta en direction de la côte Sainte-Catherine.

Quand il revint, au bout d'environ dix minutes, l'expression concentrée, il fit plusieurs fois le tour de la chambre avant de s'arrêter sur le côté droit du lit et de regarder de près les plis et replis de l'édredon aux motifs géométriques.

D'un geste brusque, il retira l'épaisse garniture de lit. Les draps blancs apparurent, troués à deux endroits, des perforations nettes de la grosseur d'une pièce de cinq sous.

— Voilà !

Se tournant vers Letendre, il parut attendre un commentaire. Qui ne vint pas.

— Vous comprenez ce qui est arrivé ?

— Pas vraiment, non, je ne suis pas trop en état de réfléchir.

Sans mettre de gants, l'enquêteur le mit au fait :

— On a tout simplement tenté de vous assassiner, monsieur Letendre.

Tout simplement...

— Votre agresseur a grimpé dans l'orme, où il a attendu le moment propice. Pour ne pas vous alerter au cas où vous auriez jeté un coup d'œil dans la cour avant qu'il ne soit prêt, il a piétiné la neige pour camoufler ses traces allant vers l'arbre. Il a tiré lorsqu'il a perçu un mouvement dans la chambre. Certainement avec une arme munie d'un silencieux. Vous avez eu de la chance.

Un assassin dans mon orme !

L'enquêteur continua :

— Il avait laissé sa voiture plus haut dans la ruelle. Vous souvenez-vous d'avoir fait un geste qui lui aurait révélé votre présence dans cette pièce ?

Letendre se souvint des instants où la douleur l'avait frappé cruellement et comment, une fois parvenu à se mettre sur son séant, il avait failli basculer dans les rideaux. Il rapporta la scène à Labrosse qui acquiesça, trop heureux d'avoir vu juste.

— Maintenant, il faut tout me raconter.

— C'était mon intention.

— Dans ce cas, allons en bas.

S'étant arrogé la responsabilité des lieux, il referma la porte de la chambre et les précéda dans l'escalier.

Letendre accusait mal le coup. Les révélations de l'inspecteur le mettaient dans le même état d'angoisse qu'il avait connu sur le pont Charles.

Un étranger est entré dans ma cour, clôturée d'un mur de deux mètres de haut, il a grimpé dans l'orme, a tiré deux fois, ni vu ni connu...

À tout considérer, l'assassinat de Loucka, par quelque biais qu'il le prenne, le menait toujours à la même conclusion: il n'aurait pas dû s'en mêler. Les collectionneurs devraient rester dans leur domaine, là où ils sont experts, et ne pas se lancer dans celui des enquêteurs criminels. Un meurtre n'est pas une occasion de jouer les personnages de roman.

Lorsqu'il eut pris place dans le bureau, dont la fraîcheur humide lui fit un effet désagréable, Labrosse porta un regard réprobateur sur les rayons, masquant très mal combien il estimait incongrue la présence de tous ces livres. Que pouvait-on en faire? On ne pouvait quand même pas arrêter de vivre pour lire, et lire encore? De surcroît, il comprenait encore moins que Letendre puisse s'être offert une grande maison à Outremont en collectionnant de vieux bouquins. Il y avait là quelque chose de suspect. Aussi, lorsqu'il lui redemanda de raconter ce qu'il savait, il se disposa à écouter avec une méfiance contenue, persuadé que le collectionneur ne saurait lui rapporter les choses dans leur dimension exacte. Il lui trouvait des airs de rêveur, et ces gens-là, c'est connu, transforment les faits pour les adapter à leur caractère.

Letendre entama son témoignage par sa première visite rue Centre. Sans détour, il raconta dans le détail sa rencontre avec Loucka. Labrosse eut envie de l'interrompre un instant, mais il y renonça. Letendre avoua sa vaine enquête dans les restaurants du quartier et sa démarche à la Cour fédérale de l'immigration. Sa fierté monta toutefois d'un cran quand il rapporta sa visite chez la présidente de l'Association tchèque.

Labrosse ne le lâchait pas d'une parole. Il écoutait avec de petits mouvements de tête, et on aurait dit qu'il se faisait de rapides réflexions lorsque, par instants, il baissait les paupières. En réalité, il se disait que ce Letendre devait être un fin stratège, puisqu'il avait habilement enchâssé l'aveu de ses déconvenues entre deux épisodes où il sortait vainqueur. L'art de noyer le poisson, en déduisit-il, se rappelant l'ordre nestorien qu'il avait appris dans ses cours de philo au collège.

Letendre, trop occupé à son récit, ne sentit pas ces réserves. D'ailleurs, il aurait été le premier à s'étonner qu'on le prenne pour un intellectuel ratoureux.

— Même si Mme Pravdova m'a dit ne pas connaître Loucka, ses propos m'ont raffermi dans une des hypothèses que j'avais échafaudées à propos de son identité. À mon sens, il pouvait bien être un collaborateur du régime communiste ayant fui la Tchécoslovaquie avec des éditions précieuses de livres anciens pour les revendre et se constituer ainsi un capital. Puisque, selon les dires de Mme Pravdova, de semblables éditions ne se trouvent qu'à l'université de Prague, c'est là que je pouvais retrouver sa piste. Je me suis donc rendu en République tchèque, où mes intuitions ont été confirmées : Ales Loucka enseignait la littérature française à la faculté des Arts. Il a quitté le pays en 1991, emportant avec lui une douzaine de grandes éditions qu'il avait empruntées à la bibliothèque pour son enseignement.

« Avant que je parte, Marion – c'est mon chauffeur de taxi habituel – était venu m'informer qu'un locataire du 333 de la rue Centre avait aperçu, le matin du meurtre, autour de 6 h 30, la voiture d'un livreur de pizzas garée devant l'entrée. Un livreur de pizzas, si tôt le matin, je vous le demande!»

Labrosse ne tiqua pas. Letendre le laissa mijoter un peu avant de continuer:

— À mon retour d'Europe, j'ai fait une nouvelle démarche auprès de la présidente de l'Association tchèque, mais je n'ai pu obtenir un nouveau rendez-vous, du moins pas encore. J'aimerais m'entretenir avec elle de manière plus précise à propos d'Ales Loucka.

« Pour finir, hier, un jeune emballeur du marché Au Bon Goût, qui est aussi un ami, a assisté à une scène des plus inusitées, ici dans l'avenue Outremont. Vous n'êtes pas sans savoir que ce quartier est habité par une majorité de Juifs hassidim qui ne mangent que kasher. Pourtant, Adrien y a aperçu une voiture aux couleurs d'un restaurant italien puis une BMW dont le chauffeur, un homme élégant, est venu discuter avec le livreur. L'incident lui a paru tellement exceptionnel qu'il en a pris des photos avec son portable. Monique les a imprimées à son bureau.»

— J'en ai une série pour vous, monsieur Labrosse, s'immisça l'avocate, en remettant une enveloppe à l'enquêteur.

— Voilà, c'est tout ce que je sais. Et je ne parviens pas à répondre à cette question: qui a commandé l'exécution de Loucka?

Labrosse ne réagit pas d'un poil. Il ouvrit l'enveloppe avec le même flegme, mais Monique, habituée à sonder la crédibilité des témoins devant la cour, perçut une brillance dans son regard avant qu'il se lève, compose un numéro sur son portable et se retire dans le corridor pour parler à son aise.

Letendre et Monique restèrent silencieux le temps que le sergent-détective revienne dans le bureau.

— Vous y comprenez quelque chose, vous? demanda Monique. Je veux dire, vous entrevoyez une solution?

Labrosse eut un fin sourire:

— Si je vous disais mon sentiment, ce ne serait toujours qu'une hypothèse.

Et, changeant de registre:

— Tant que l'affaire n'est pas réglée, monsieur Letendre, vous ne pourrez demeurer ici. Votre vie est en danger et je n'ai pas le droit de vous laisser courir ce risque.

Monique intervint:

— Il peut venir chez moi.

— Où habitez-vous?

— Une maison privée, près de l'université.

— Ça ne va pas. Trop difficile à sécuriser. Nous allons plutôt loger M. Letendre à l'hôtel. Nous l'inscrirons sous un nom d'emprunt. Je viens de parler à l'un de mes adjoints qui organise le tout.

— Et ma fille? Et le jour de l'An, demain? protesta Letendre.

— Rien ne vous empêchera de prévenir votre fille. À l'hôtel, nous vous fournirons un téléphone cellulaire de la police. Vous devriez aussi informer vos amis les plus proches que vous avez décidé de disparaître quelques jours, pour vous reposer, par exemple. Autrement, ils vous chercheront et s'inquiéteront car, comme vous dites, c'est demain le jour de l'An, l'occasion de fêter…

— Monique peut-elle m'accompagner ?

— Je n'y vois aucun inconvénient.

— Et j'y demeurerai combien de temps ?

— Jusqu'à la fin de l'enquête et l'arrestation de celui ou de ceux qui représentent une menace pour vous. Personnellement, je ne crois pas que ce soit très long.

— Il y a encore quelque chose qui me travaille. Dites-moi, vous ne m'auriez pas fait suivre à Prague ?

— Pas du tout, aucun soupçon ne pesait sur vous. J'avais cru vos explications à l'aéroport. Eh oui ! Il m'arrive encore d'être naïf !

Pour la première fois, il sourit franchement, mais le timbre de sa voix était toujours aussi froid lorsqu'il suggéra :

— Vous feriez bien de préparer votre valise.

— Vous monterez dans la voiture de Mᵉ Legault et…

Il fut interrompu par la sonnerie du téléphone. Letendre le regarda comme s'il quêtait son approbation avant de décrocher.

— Je vous en prie. Mais ne racontez pas les derniers événements et ne dites pas que vous partez pour l'hôtel.

— J'ai compris.

C'était Adrien.

— Monsieur Letendre ?

— Oui, oui…

— Vous n'avez pas votre voix habituelle.

— Je suis fatigué, c'est tout.

— Bien sûr, après la semaine que vous avez passée. Je voulais vous dire que j'ai vos informations au sujet de Loucka à Sainte-Anne-de-Bellevue. Je n'ai même pas eu à me déplacer. Le père de mon ami – vous vous souvenez, le musicien ? – est notaire ou avocat, je ne sais plus trop, et président de l'Association des restaurateurs de là-bas. C'est lui qui a conseillé au propriétaire de *Chez Georges* de déclarer Ales Loucka sur sa liste d'employés. J'ai su par ailleurs que la dame où vivait le Tchèque lui a téléphoné un peu énervée. Elle voulait savoir si elle pouvait relouer son appartement et disposer de ses affaires. Il y a quelques meubles, des vêtements, mais surtout de vieux livres. Une fois que j'ai appris le nom de cette dame par mon ami, je lui ai donné un coup de fil. Jouant les innocents, je lui ai demandé si, à sa connaissance, Alexis Lucas faisait le commerce de livres anciens. Elle n'en savait trop rien. Je lui ai alors donné votre numéro en précisant que je travaillais avec vous et que les livres de son ancien locataire pourraient vous intéresser.

— Belle initiative, Adrien.

— N'est-ce pas ? Mais là, vous m'excuserez, je dois courir à mon travail.

— Merci ! On se reparle. Dans quelques jours seulement, car j'ai décidé de m'accorder une petite évasion, question de me reposer.

En raccrochant, Letendre se tourna vers Labrosse :

— C'était Adrien, mais c'est sans intérêt pour vous.

Les vieux livres, Letendre n'avait aucune raison d'en douter, n'intéressaient pas Labrosse... Plus imperturbable que jamais, ce dernier était devant la baie vitrée et conversait sur son portable, sans doute avec quelqu'un du laboratoire judiciaire, concluant enfin qu'il serait là pour l'accueillir dans une demi-heure environ. Lorsqu'il fit claquer le rabat de son appareil, il revint vers Letendre – Monique était montée à l'étage préparer une valise – et lui précisa qu'il allait l'enregistrer à un des hôtels situés près de l'aéroport.

— C'est plus anonyme qu'au centre-ville. Et j'allais vous dire, avant que vous ne preniez votre appel, que je vais vous suivre sur une courte distance pour m'assurer qu'on ne vous prenne pas en filature. Cette perspective ne m'inquiète pas, mais si cela se produit, je pourrais peut-être mettre la main sur un suspect.

En attendant que Monique redescende avec quelques effets personnels et vêtements qu'elle laissait rue des Ormes pour les périodes où elle séjournait avec Letendre, ce dernier téléphona à Marion pour lui annoncer qu'il s'accordait quelques jours de pur repos. À Christine, il raconta sa nuit et lui expliqua qu'il avait décidé de s'isoler pour faire le point, ne se sentant pas du tout d'attaque pour réveillonner. Sa fille fut si remuée par le cumul de ces nouvelles qu'elle approuva d'emblée sa décision et ne posa aucune question. Il rejoignit aussi un certain Paul Talbot à qui il demanda de venir poser un morceau de contre-plaqué à la place du carreau brisé, des policiers sur place lui ouvriraient. Enfin, il décida de prendre avec lui *À la recherche du temps perdu*, résolu à tenter une fois encore de s'intéresser à l'écriture de Proust, ce à quoi il avait failli à plusieurs reprises par le passé. Et au cas où il ne devait pas y parvenir, il emporta aussi *Les Âmes mortes* de Gogol, qu'il se promettait de relire depuis longtemps.

Il alla ensuite chercher sa valise et sortit avec Monique.

Le froid n'avait pas ramolli, même si le soleil brillait au milieu d'un ciel sans nuage. En ce samedi 31 décembre, le voisinage était parfaitement calme, on aurait pu croire que toute vie s'en était retirée, mais Letendre eut tout de même l'impression que Labrosse jetait par-dessus son épaule des regards inquisiteurs.

En route vers Dorval, l'expression soucieuse, Monique conduisait en surveillant dans son rétroviseur si Labrosse les suivait toujours. Au bout d'un moment, le sergent-détective donna trois petits coups de klaxon. Elle le vit alors prendre une rue perpendiculaire et disparaître dans Côte-des-Neiges. Elle soupira de soulagement :

— Nous ne sommes pas suivis...

Sa remarque toucha à peine Letendre.

— Toute cette histoire me rend vraiment amer. Regarde où nous en sommes.

— Je crois plutôt que tu devrais te féliciter du chemin parcouru. Si Labrosse affirme qu'il croit pouvoir résoudre l'énigme en peu de temps, c'est que ton enquête lui a fourni des éléments intéressants. Les photos d'Adrien y sont pour quelque chose aussi, j'en suis absolument persuadée.

En arrivant à l'hôtel, ils n'eurent qu'à se présenter à la réception et un policier en civil vint les accueillir. C'est lui qui procéda à leur enregistrement et, avant de les laisser entrer dans la chambre qu'on leur avait assignée, il remit un portable à Letendre.

— Vous pouvez vous en servir à volonté, mais en cas de nécessité, ne révélez le numéro qu'à votre fille. Il ne faudra pas vous étonner de voir un policier en faction devant votre porte. Comprenez aussi que vous ne devez pas sortir avant qu'on vous le permette. Sauf vous, Me Legault, mais dans ce cas vous ne pourriez revenir, car le risque que vous soyez suivie serait trop grand. On vous fera monter vos repas et si vous deviez être malade – le sergent-détective Labrosse m'a parlé de votre pierre au rein –, c'est moi que vous devrez joindre.

En disant cela, il remit sa carte à Letendre.

Quand il les laissa, Monique déballa la valise dont elle tira leurs maillots de bain. Depuis qu'elle avait pris l'habitude de venir passer des week-ends, et parfois davantage, chez Paul, elle l'entraînait régulièrement au YMCA de l'avenue du Parc pour qu'il se dérouille les muscles.

— Tu crois qu'on pourra aller à la piscine ?

— J'ai l'impression qu'on pourra à peine aller au petit coin sans demander la permission. Non, franchement…

CHAPITRE 23

Ils restèrent ensemble, cloîtrés pendant trois jours. Le lundi soir, Monique rentra chez elle : elle devait être au bureau le lendemain.

Les heures s'étaient écoulées le plus agréablement du monde – pendant la nuit de la Saint-Sylvestre, ils avaient réveillonné d'un excellent repas et sablé le champagne. Le reste du temps, ils avaient visionné de bons films, et Letendre était parvenu à lire plus de la moitié *Du côté de chez Swann*. Surtout, dans le calme plat succédant à la folie de la dernière semaine, il s'était permis de dormir tout son soûl. Ce qui n'avait pas empêché le couple de vivre une lune de miel improvisée qui les avait rapprochés et avait transformé leurs journées en fête plus qu'il n'en aurait été si, tout simplement, ils avaient célébré le jour de l'An comme prévu et comme tout le monde.

Ils s'étaient donné le mot pour ne pas s'en faire à propos des derniers événements, choisissant d'en laisser l'issue entre les mains de Labrosse. Et ils avaient réussi : aucune ombre n'était venue assombrir leur bonne humeur.

Quand arriva le mardi matin et que Letendre se retrouva seul, l'ambiance changea. L'ennui s'installa beaucoup plus rapidement qu'il ne l'aurait cru, et cette première journée en solitaire se traîna bien péniblement jusqu'au soir alors que Monique lui téléphona pour savoir comment il survivait sans elle :

— Mal… J'ai l'impression d'avoir été abandonné de tous. Je me sens perdu, rien ne me ressemble ici. Et puis Proust me tombe encore des mains …

— Peut-être que tu n'en as pas pour longtemps…

— Tu sais quelque chose ?

— Pas beaucoup. Un peu…

— Je peux donc commencer à espérer ?

— Si tu veux.

Il se plaignit de devoir affronter la prochaine nuit tout seul. Monique le laissa dire. Quand elle mit fin à la conversation sur un « Sois sage ! » aussi tendre que maternel, Letendre éprouva un coup de cafard qu'il tenta de chasser en se plongeant dans la lecture de Gogol.

Il dormit mal. À l'aube, il se réveilla en plein cauchemar. Tous les fantômes des derniers jours, l'anxiété, la peur et le remords d'avoir mis tant d'énergie dans la folle aventure d'une investigation qui ne le menait nulle part, montèrent à l'assaut.

Dehors, la neige tombait. Dense, tournoyante, poussée par la rafale. Les structures de l'aéroport disparaissaient dans un nuage blanc.

Des bruits dans le corridor le firent réagir. Il alla à la porte. Après une brève formule de courtoisie, le policier qu'on avait affecté à sa sécurité l'informa que l'étage, vide jusque-là, allait être envahi. La tempête avait entraîné l'annulation de plusieurs des vols. Le personnel était déjà sur le qui-vive pour accueillir l'affluence de voyageurs contraints de loger à l'hôtel jusqu'à ce que la vie reprenne son cours normal.

— Je doute que nous puissions continuer de vous garder ici. Nous ne pouvons contrôler l'identité de tous ceux qui vont monter à cet étage.

Comme pour corroborer ses dires, une famille, comptant trois adolescents, sortit de l'ascenseur et se dirigea vers la chambre de Letendre, s'arrêtant à trois portes seulement de la sienne. L'un des garçons jeta un regard sombre vers le policier.

— Oui, ça ne sera pas simple, déplora de nouveau ce dernier.

Pendant les heures qui suivirent, ce fut presque une bousculade si bien que, avant le coup de midi, l'étage était occupé au complet. Ce revirement fit se morfondre Letendre et quand, peu après, le téléphone sonna, il se précipita sur l'appareil comme sur une bouée de sauvetage, croyant qu'on allait lui annoncer qu'on passait le prendre pour le mettre en sécurité ailleurs. Où ? Il n'avait même pas tenté de l'imaginer.

Mais c'était Monique. Il faillit soupirer de déception, et c'est d'une toute petite voix qu'il l'accueillit :

— Oui…

— Paul, j'ai peu de temps. J'envoie Marion te chercher et tu viens à mon bureau.

— Mais je croyais que je ne pouvais quitter ma chambre…

— C'est fini, tout ça.

Letendre ne l'avait pas entendue.

— Est-ce que le policier qui monte la garde devant ma porte me laissera sortir ?

— Il n'est probablement plus là. C'est fini tout ça, je te dis. Et je t'attends au bureau.

— Je ne comprends pas ….

— Je t'expliquerai. Pour le moment, je t'en prie, n'insiste pas et descends attendre Marion. Oublie tes affaires, nous passerons les prendre ce soir.

Bizarre...

Sa première préoccupation fut de faire sa toilette, car depuis le matin, il s'était complètement négligé. Quinze minutes plus tard, il était dans le hall et attendait bien sagement la voiture de Marion.

Le chauffeur de taxi ne tarda pas et, apercevant Letendre, il klaxonna ainsi qu'il le faisait chaque fois. Ouvrant sa portière dans la bourrasque, il rabattit sa casquette écossaise sur son front et remonta vers l'entrée de l'hôtel, tel un nageur à contre-courant. Letendre sortit à sa rencontre, le souffle coupé par les rafales, et se glissa sur la banquette arrière de la voiture chaude à souhait.

Dès que Marion eut repris sa place derrière le volant, il devint volubile:

— Lorsque la veille du jour de l'An vous m'avez annoncé que vous disparaissiez quelques jours, je n'aurais jamais pensé que c'était pour vous réfugier dans un hôtel de Dorval!

— C'est à cause de l'autre soir.

— De la pierre au rein?

— De ce soir-là, mais pas à cause de la pierre.

Il rapporta à son ami la tentative de meurtre dont il avait été victime sans le savoir, et ce dernier se trouva bien candide d'avoir cru qu'on pouvait mener sans risque une enquête criminelle.

— C'est du sérieux ça, monsieur Letendre. C'est même très grave.

Le taxi avançait contre neige et bourrasque.

— Sur l'autoroute, ce ne sera pas véritablement un problème. C'est quand nous arriverons en ville que ça se compliquera... Mais pour en revenir à Loucka et à votre enquête, vous en êtes où?

— Je touche presque au but. Je connais le mobile. Il ne me reste plus qu'à trouver qui a commandé l'exécution et qui s'en est chargé.

— Vous vous souvenez de ce que disait Rouletabille, le héros de Gaston Leroux?

— Je connais bien *Le Mystère de la chambre jaune* et *Le Parfum de la dame en noir* entre autres, mais je ne me rappelle pas particulièrement ce qu'il disait, non.

— Il répétait qu'il ne fallait pas lâcher *le bon bout du bâton*.

— Ah, ça. Ça me revient, oui.

Le bon bout du bâton… les livres! Dans cette histoire, je ne dois pas «lâcher» les livres!

L'idée fit son chemin puis, comme dans une illumination, il dit:

— Marion, conduisez-moi à Outremont!

— Mais… Me Legault vous attend à son bureau…

— Je la préviens que je serai en retard.

Ce qu'il fit en laissant un message sur le répondeur de Monique.

Quand ils quittèrent l'autoroute Ville-Marie pour s'engager rue Sanguinet, les choses se corsèrent et, se frayant un passage dans l'artère à demi ensevelie, Marion eut l'occasion de mettre à l'épreuve sa compétence et sa longue expérience. Ils parvinrent à destination tant bien que mal.

Le véhicule à peine arrêté, Letendre se rua chez lui. Dans son bureau, il prit deux feuilles qu'il avait rangées dans un tiroir.

Le temps de se calmer un peu, il les déplia, puis parcourut l'ensemble des ouvrages répertoriés comme ayant été prêtés à Ales Loucka. Son regard s'arrêta sur un titre: *Boris Godounov.*

Son cœur se mit à battre à tout rompre.

Je le savais!

Sur le coup, lorsque Stepenka lui avait remis ces feuillets, trop excité par la confirmation que l'ancien professeur de littérature française avait effectivement fui son pays en 1991, il s'était contenté d'y repérer les *Lettres recueillies dans une Société et publiées pour l'Instruction de quelques autres* (les Liaisons dangereuses) sans prendre davantage connaissance de la liste des livres qu'il avait empruntés et qui contenait le *Boris Godounov*. Il relut encore le titre et la mention de l'éditeur (René Kieffer) : c'était précisément cet ouvrage qui était ouvert sur une petite table dans le salon d'Hana Pravdova. Contrairement à ce que son hôtesse avait prétendu, Loucka ne lui était donc pas étranger, ou du moins elle l'avait-elle rencontré, le livre témoignant de son passage chez elle.

Alors pourquoi avait-elle prétendu ne pas le connaître, que son nom ne lui disait rien ?

Il glissa les pages dans la poche intérieure de son veston, puis monta à l'étage voir l'état de sa chambre après le travail des gens du laboratoire judiciaire. La pièce était bien en ordre, sauf que le lit était dénudé jusqu'au matelas. On aura apporté les couvertures pour les expertiser, pensa Letendre, et il s'approcha de la fenêtre pour examiner le travail du menuisier qui avait bouché l'ouverture du carreau brisé.

Un moment, il pensa se changer pour mettre une tenue plus respectable (à l'hôtel, il avait enfilé un polo sous sa veste aux coudes garnis de pièces en cuir, qu'il portait communément pour travailler), mais voyant les paquets de neige qui ne cessaient de tomber, il se dit que la voiture de Marion s'embourberait s'il devait le faire attendre plus longtemps.

C'était déjà fait : lorsque le chauffeur de taxi exécuta une manœuvre pour reprendre la route, la voiture refusa d'avancer et son arrière se déroba vers le trottoir.

— Vous y arriverez ?

— Pas sans déblayer.

Il descendit et alla prendre une pelle dans le coffre. Au bout d'un petit moment, il tenta une nouvelle fois de s'extirper du banc de neige. Letendre n'y croyait pas, mais Marion réussit. Leur soulagement fut de courte durée : voyant que son véhicule peinait de plus en plus à avancer, le chauffeur déclara forfait :

— Je ne pourrai pas regagner l'avenue du Parc par mon trajet habituel, les rues transversales sont trop enneigées. Je vais essayer par la rue Van Horne.

Cette initiative ne fut pas plus heureuse : entravée par une file de véhicules, la principale rue commerciale d'Outremont ne permettait même pas qu'on s'y engage.

— Ça va mal… Je ne vois pas comment je vais pouvoir vous amener à temps dans le bas de la ville.

— Est-ce qu'il n'y a pas une bouche de métro, tout près ? s'enquit Letendre.

— Oui, là, au coin de la rue Wiseman.

— Vous allez me trouver impoli de vous abandonner ici dans ce capharnaüm mais, comme vous le savez, je dois absolument me rendre au bureau de Monique.

— Je vous en prie, faites. J'allais vous le proposer.

Après un court trajet en métro, Letendre descendit à la station Atwater, au-dessus de laquelle *Burnstein, Pollack et Miron* avaient leurs bureaux. Après l'odeur un peu humide des couloirs du métro, ce fut brusquement les senteurs artificielles que répandaient les boutiques du Westmount Square. Dans le somptueux hall de la tour, il prit l'ascenseur qui le déposa au quatorzième étage.

Dès qu'il s'identifia auprès de la réceptionniste, on l'annonça à Monique qui vint le chercher. Au lieu de l'entraîner dans son bureau, cette dernière le conduisit dans une salle de conférences meublée d'une table en bois de rose, dont la surface polie recueillait par prismes la lumière changeante de la tourmente rageant derrière les immenses fenêtres.

— Je n'ose te demander le prix du loyer.

— Je ne te le dirais pas. Alors, est-ce que tu t'es un peu ennuyé de moi?

— Qu'est-ce que tu crois?

Elle eut un sourire affectueux. Puis:

— Assieds-toi, tu vas apprendre beaucoup de choses.

— J'attends ça depuis ton dernier appel. Mais j'ai une importante révélation à te faire.

— Je préfère que tu attendes d'avoir entendu les autres.

— Les autres?

— Deux de mes confrères, entre autres. Je les fais venir à l'instant.

Prenant le combiné d'un téléphone qui se trouvait sur une crédence surmontée d'un tableau du Groupe des Sept, elle composa un numéro interne. Deux hommes, dont un très jeune, arrivèrent aussitôt et se présentèrent, Me Deschênes et Me Savoie, en serrant la main de Letendre à tour de rôle. Ils s'installèrent ensuite face à lui, de chaque côté de Monique. Sur un ton professionnel, l'avocate entreprit d'expliquer pourquoi ils étaient réunis.

— Comme je te l'avais annoncé, Me Savoie a obtenu la bande sonore de l'audition de Loucka en Cour fédérale d'immigration, juridiction d'appel. Certains propos du Tchèque sont très révélateurs. Il va nous en faire part. Mais avant, Me Deschênes a des commentaires à nous livrer au sujet des clichés d'Adrien.

Son confrère sortit la série de photos d'une enveloppe et mit devant Letendre celle où l'on distinguait claire-ment le visage des deux individus près de la voiture du livreur de pizzas.

— Me Legault avait demandé aux avocats de notre service de droit criminel si le livreur était un individu connu du milieu, mais finalement, c'est moi qui ai iden-tifié quelqu'un sur cette photo.

— Parce que vous vous faites livrer régulièrement des pizzas ? jeta à la blague Letendre pour détendre l'atmos-phère.

— Non. D'ailleurs, le livreur appuyé sur la voiture ne me dit rien. En revanche, l'homme à la BMW m'est fami-lier. Très familier, même. Voyez-vous, comme je pratique en immigration, je croise Me Marc Dagenais – c'est de lui qu'il s'agit – presque chaque semaine à la Cour fédé-rale. C'est le procureur principal du ministère.

Son air entendu affichait une grande satisfaction.

Letendre était perdu :

— Le procureur du ministère de l'Immigration, mais qu'est-ce…

Monique l'interrompit :

— Attends. Ce n'est pas tout.

Elle se tourna vers le jeune avocat assis à sa gauche, lequel comprit que c'était à son tour de prendre la parole.

— J'ai obtenu la transcription de l'enregistrement des propos échangés lors de la dernière audition d'Ales Loucka. Il faut savoir que tout ce qui est prononcé en cour est automatiquement enregistré sur une cassette qui sera archivée au greffe. On peut en obtenir copie avec justification ; mais l'original reste à la cour. Seul un sténographe officiel peut en effectuer la transcription. Il doit ensuite la présenter au juge ayant présidé l'audience, pour qu'il la signe, autorisant ainsi qu'elle soit remise à l'avocat en ayant fait la demande. Dans le cas qui nous occupe, l'enregistrement contenait un passage où Loucka s'adresse au procureur du ministère, Me Dagenais, dans des termes qui m'ont littéralement sidéré. Le voici.

Il fit glisser une feuille vers Letendre qui s'en saisit et lut :

Je comprends que vous avez bien considéré tous les aspects de mon dossier, puisque que monsieur le juge et vous en avez discuté tout à l'heure dans son bureau avant d'entrer en cour. Je le sais parce que, en arrivant ce matin, ayant tout compte fait décidé de retenir les services d'un avocat, j'ai pensé que j'en trouverais un dans les bureaux à côté de cette salle. La porte était ouverte, et je vous ai donc entendus discuter tous les deux. Pardonnez mon indiscrétion, mais comme cela me concernait, je me suis attardé quelques instants et…

— La suite est sans importance. Ce qu'il faut comprendre, c'est qu'avant l'audition, le procureur du ministère a discuté avec le juge de l'affaire Loucka. Une telle manœuvre va à l'encontre de l'impartialité absolue du tribunal, un des principes fondamentaux de notre justice. Dans le cas présent, le droit à un procès juste et équitable a donc été bafoué. Ce genre de complot est un crime, il met en jeu l'équilibre même de notre société.

Il allait continuer dans cette voie, franchement révolté et résolu à le faire savoir, mais Monique le fit taire avec élégance en reconnaissant ses mérites.

— Vous avez effectué un travail formidable, Mᵉ Savoie, et votre sens de la justice est à la hauteur de ce qu'il doit être dans notre profession. Nous l'apprécions.

Letendre assimilait difficilement tout qu'il venait d'entendre. Il en était franchement étourdi et n'était pas du tout certain de comprendre. Monique perçut son trouble :

— Loucka s'est condamné à mort lui-même lorsqu'il a révélé qu'il savait que le juge discutait de son cas avec le procureur du ministère avant même qu'ils ne l'entendent. N'oublions pas qu'il n'y avait dans cette salle que Loucka, se représentant lui-même, Mᵉ Dagenais, le juge Filion et sa greffière. Ceux-là furent les seuls à apprendre qu'il avait surpris leur conversation, et puisqu'il ne s'agissait ni d'arguments ni de plaidoirie, la greffière n'a pas donné de sens conséquent à la remarque. Si le Tchèque devait ébruiter, même innocemment, qu'ils avaient eu cet échange en dehors du tribunal, avant l'audition, leur collusion aurait vite été étalée au grand jour. La destitution des rangs de la magistrature de l'un et la radiation du Barreau de l'autre n'allaient être alors que les préludes à des sanctions plus radicales pouvant aller jusqu'à l'emprisonnement. Et puis quel scandale ce serait sur le plan international ! Il fallait donc qu'Ales Loucka disparaisse.

« Le juge et le procureur étaient en cheville avec un agent privé de l'Immigration, Bernard B. Cauchon, présent ce jour-là dans les locaux de la Cour fédérale pour une autre affaire. Aussitôt informé de la tournure des événements, il a pris Loucka en filature. Il a envoyé son fils à Sainte-Anne-de-Bellevue pour le surveiller et il a retenu les services d'un tueur à gages. C'est ainsi que le 20 décembre, à Pointe-Saint-Charles, Loucka a été exécuté...

Elle se tut, une expression de colère sur le visage.

— Tu comprends?

— Je vois, oui...

— Quelqu'un d'autre va maintenant venir se joindre à nous, quelqu'un qui – si je puis dire – a collé tous les morceaux de cette affaire. Il devrait d'ailleurs déjà être là. Je vais aller l'appeler de mon bureau.

Comme elle ouvrit la porte, Labrosse, en retard à cause de la quasi-impossibilité qu'il y avait de se déplacer en ville, apparut dans l'encadrement. Il avait le visage rouge de froid, et un léger frimas perlait sur ses sourcils.

Il salua d'un signe de tête, ébaucha un sourire contraint, et prit place, seul au bout de la longue table. On aurait dit qu'il était pressé ou nerveux.

— Je ne ferai pas de préambule. Lundi matin, j'ai mis aux arrêts l'assassin d'Ales Loucka. Il s'agit d'un tueur à gages du nom d'Alain Cardinal, qu'on ne savait pas de retour des États-Unis où il a purgé une peine de huit ans de prison pour avoir exécuté un trafiquant de drogue en dette avec son fournisseur montréalais. Depuis qu'il est rentré au Canada, il y a deux ans maintenant, il faisait des livraisons pour quelques restaurants de la ville. C'est Bernard B. Cauchon, autrefois avocat et maintenant propriétaire d'une agence privée d'immigration, qui lui a confié le mandat d'éliminer Loucka. Il l'a connu au pénitencier de Terre Haute en Indiana, alors que Cauchon était incarcéré pour pratique illégale et extorsion de sommes importantes déposées dans des comptes en fidéicommis.

« Ce Bernard B. Cauchon est bien connu des services fédéraux d'immigration qui ont tenté plusieurs fois de lui faire fermer boutique. En vain : le personnage est très habile, il connaît toutes les ficelles et sait contourner la loi. Avec son fils, il recrute ses clients dans des pays sous dictature ou à l'économie chancelante et les persuade qu'ils sont de bons candidats à l'immigration au Canada. Puis, moyennant une avance substantielle, il leur propose de s'occuper de leur dossier. Une fois qu'il a encaissé l'argent, il laisse passer un peu de temps puis annonce aux malheureux que leur demande a été refusée pour des motifs hors de son contrôle. Dans les faits, il n'a pas levé le bout du petit doigt, sauf pour expédier des lettres bidon afin de faire croire qu'il a dûment traité leur affaire. Ces clients étant à l'étranger, ils n'ont pas les moyens de le poursuivre et, souvent, plus de moyens du tout. Notre lascar n'a donc pas à s'inquiéter. »

Labrosse laissa ses dernières paroles porter avant de continuer :

— Cette affaire Ales Loucka a mis au grand jour un autre système mis en place par les Cauchon. C'est tout simple. Avec la complicité de Me Dagenais, ils sont parvenus à acheter un des juges de la cour d'Immigration, l'honorable – il eut un sourire moqueur pendant que d'une main il faisait le geste de rejeter derrière son épaule quelque objet négligeable – Edgar Filion. Forts de cette alliance, ils ont pu étendre leurs activités aux immigrés déjà entrés au Canada mais menacés d'expulsion.

Le processus est facile à reconstituer. Ils offrent de les préparer pour l'audition, toujours en échange d'honoraires qu'ils prétendent bien en deçà de ceux exigés par les avocats, ce qui est faux. Ils les rencontrent, le temps de se faire payer et de s'engager à les assister au tribunal. Le plus souvent, ils ne se présentent même pas. Si d'aventure ils le font, arguant qu'ils ne sont pas avocats, le juge Filion ne leur permet pas d'intervenir et rejette systématiquement leurs requêtes.

« Les photos de votre ami camerounais, monsieur Letendre, nous ont permis de reconnaître le livreur. Me Legault m'a ensuite téléphoné pour me donner l'identité de l'autre personne en conversation avec lui. Elle m'a aussi rapporté les propos de Loucka au sujet des échanges entre le procureur du ministère et le juge préalablement à son audition en cour. De notre côté, en échange d'une promesse de clémence à son procès, nous avons obtenu la collaboration de Cardinal, qui nous a livré le nom de son commanditaire. De là, avec l'étroite collaboration des agents fédéraux de l'Immigration, qui avaient déjà, je vous l'ai dit, Bernard B. Cauchon dans leur collimateur, nous avons mené notre enquête. »

Tout s'explique. Et comme tout paraît simple en effet. Moi qui croyais que c'était le geste de victimes de dénonciation communistes... Il n'empêche :

— Vous connaissez Mme Hana Pravdova ?

— La présidente de l'Association canadienne des Tchèques ? Les agents fédéraux m'en ont parlé, oui. Elle collabore avec eux régulièrement. Dans le cas de Loucka, elle ne nous a été d'aucune utilité, car s'il est effectivement venu lui demander son aide, en 1991, elle la lui a refusée après avoir mené sa propre enquête auprès de connaissances à Prague. Elle ne l'aurait pas revu depuis ce temps. Pourquoi me posez-vous la question ?

— Vous allez trouver ça idiot, mais lorsque j'en suis venu à la conclusion qu'elle l'avait déjà rencontré et qu'elle le niait, j'avoue que j'ai cru qu'elle était impliquée dans le meurtre.

— Ce n'est pas idiot : son rôle l'oblige à une certaine discrétion. Au secret professionnel, si l'on peut dire. Vous n'êtes en aucune manière un personnage officiel. Elle n'allait donc certainement pas discuter d'un dossier, en particulier avec vous. Dans cette affaire, nous nous sommes tous fourvoyés à un moment ou à un autre. Même Cauchon et sa bande, qui ont commandé votre assassinat en croyant que vous étiez allé à Prague rencontrer la sœur de Loucka et qu'elle vous aurait révélé l'entretien qui s'est tenu entre le procureur et le juge avant l'audition. Remarquez qu'ils n'en étaient pas tout à fait certains, comme ils n'étaient pas convaincus que Loucka parlerait, mais votre assassinat, comme le sien, était le seul moyen de s'assurer qu'ils ne seraient pas dénoncés.

Labrosse repoussa son fauteuil. Il allait partir.

— Vous comprendrez, avec la tempête, notre division des crimes contre la personne est plutôt calme : même les criminels restent chez eux. J'avoue que j'apprécie ce répit : j'ai ainsi l'occasion d'être auprès de ma femme, car ces derniers jours, en dépit des fêtes, nous ne nous sommes guère vus. Alors, permettez-moi de vous tirer ma révérence.

Monique le remercia, puis se souvint d'une remarque de Letendre :

— Est-ce que tu n'avais pas une révélation à nous faire ? C'est peut-être le moment, avant que le sergent-détective s'en aille.

— Non. C'était à propos de Mme Provdova. Alors, ça va.

Quand il se retrouva seul avec elle, dans son bureau, il se détendit enfin.

— Je ne peux croire que tout ça soit terminé.

— Soulagé ?

— Soulagé mais… Je m'étais lancé dans cette aventure pour mettre la main sur un *vieux livre*, comme aurait dit Labrosse, et j'en sors les mains vides.

— Quand même, sans toi cette affaire ne serait toujours pas résolue !

— Je veux bien te croire, mais je m'étais embarqué dans cette galère à cause d'un livre, pas d'un assassin.

Il s'étira avec les gestes de quelqu'un éprouvant quand même un soulagement. Il parvint à sourire, un sourire un peu dépité mais pas surfait pour autant. Et regardant posément Monique pas trop certaine de son état d'âme, il la rassura par une invitation à souper.

— On va fêter ça Chez Lévêque, tiens ! Et c'est moi qui paie.

CHAPITRE 24

Christine se conduisait comme la maîtresse de maison, au grand ravissement de Letendre qui n'avait de cesse de lui répéter qu'elle était chez elle rue des Ormes et combien il aimerait qu'elle revienne vivre auprès de lui.

La retraite inopinée de son père à l'hôtel avait chagriné la jeune femme : pour la première fois, elle n'avait pu célébrer le jour de l'An en famille. Pour se consoler, elle avait décidé que, le 6 janvier faisant toujours partie des fêtes, on célébrerait les Rois comme lorsqu'elle était enfant. Du temps de sa mère, le dîner de l'Épiphanie avait autant de solennité que le réveillon de Noël et le repas du jour de l'An.

La bande, comme elle venait de désigner ceux qui gravitaient autour de son père, c'est-à-dire Monique, Marion, Adrien accompagné de sa petite amie, était au complet, sans oublier son François.

On avait pris l'apéritif au salon dans une joyeuse ambiance.

Marion avait fait remarquer à François :

— Vous savez, le père de Maigret était métayer.

— Maigret qui ?

— Hum… Maigret, c'est le nom de famille.

Le chauffeur de taxi constatait que le héros de Simenon n'était peut-être pas aussi universellement connu qu'il l'avait cru, ce qui le consternait. N'en laissant cependant rien paraître, sur un ton quasi paternaliste, il précisa :

— Son prénom est Jules. Vous ne lisez pas de romans policiers ?

— Pas vraiment, non.

Pour quelqu'un qui ambitionnait de devenir un grand chroniqueur judiciaire, Marion le trouva bien mal parti.

Le feu flambait dans la cheminée, et Christine avait tenu à allumer le sapin. Letendre affichait une humeur bon enfant, au point qu'il avait été malaisé à Christine de s'insérer dans ses élans d'enthousiasme pour convier tout le monde à table. Chacun avait pris place selon son envie, mais quand Monique s'était offerte pour le service, l'hôtesse avait gentiment refusé prétextant que c'était elle qui recevait, un privilège auquel elle n'entendait pas renoncer.

Ce ne fut qu'à la fin du repas que l'histoire de Loucka revint à la surface, à cause du gâteau des rois. Les choses se passèrent ainsi : la fève échut à Adrien, qui l'exhiba aussitôt à la ronde, ému comme s'il venait d'être réellement couronné, et Letendre eut ce commentaire :

— Le hasard est de notre côté, car c'est à toi que revient le dénouement de l'affaire Loucka. Sans tes photos, je crains fort qu'on nagerait encore dans une mer d'hypothèses.

Modeste, l'élu du jour réfuta l'allégation.

— Ce n'est qu'un juste retour des choses, monsieur Letendre, car c'est moi qui vous ai entraîné dans cette histoire en insistant pour que vous alliez voir les livres du Tchèque.

À cette remarque, tous sourirent de manière un peu contrainte, conscients que l'aventure n'avait pas, hélas, permis à Letendre de mettre la main sur le premier tome tant convoité des *Liaisons dangereuses*.

Avant qu'ils puissent passer à autre chose, le maître des lieux grommela soudainement un sourd juron, puis, sur une vague excuse, sortit précipitamment de la salle à manger. Interloqués, ses invités se regardèrent et tout le temps où il fut absent, aucun ne sut relancer la conversation.

Lorsque Letendre revint vers eux, il était extatique et il leur annonça sur un ton appuyé :

— Je viens de passer mon calcul rénal. Eh ! oui... Ça vaut bien la fève du gâteau !

— Dans ce cas, lança Marion, venez qu'on vous couronne !

— Marion, vous êtes réellement devenu un ami, et je crois qu'il serait temps qu'on se tutoie. Car si je continue de parler aussi familièrement de *Marion*, il s'en trouvera certainement pour se poser des questions à propos de *Monique*, et je serai placé dans une situation gênante, ne croyez-vous pas ? Alors dites-moi votre prénom et n'en parlons plus.

En haussant les épaules comme quelqu'un pris en défaut, Marion, d'une toute petite voix, dit :

— Je m'appelle... Carol. Carol Marion.

La révélation provoqua l'hilarité de tous, y compris celle de Marion lui-même, et c'est dans un fou rire qu'à l'invitation de Christine ils passèrent dans le bureau pour prendre le digestif.

Le bureau de Letendre était jonché de journaux étalant à la une les détails du scandale Loucka. D'un bout à l'autre du pays, la presse accusait la commission de l'Immigration d'avoir violé les droits que le Canada garantissait aux immigrés. En outre, on dénonçait la Cour fédérale, qui avait rendu des jugements résultant de grossières connivences entre le tribunal et un des premiers avocats du ministère public. Ces décisions avaient eu pour conséquence que des demandeurs d'asile politique de bonne foi avaient été repoussés, possiblement envoyés à la torture, voire à la mort. Par son incurie, un des plus hauts tribunaux du pays avait ainsi porté atteinte au principe d'impartialité de la justice enchâssé dans la constitution.

François Métayer eut un regard furtif sur ces journaux, qu'il avait certainement déjà parcourus, et il y alla d'une primeur au bénéfice de ses amis :

— Dans mon prochain article, qui paraîtra demain, je révèle que le chef de l'opposition entend réclamer que tous les immigrés ayant été victimes d'expulsion dans la foulée des jugements rendus par le juge Filion soient rapatriés aux frais du gouvernement afin qu'ils bénéficient d'une audition équitable. Et je crois que ça ne va pas s'arrêter là. Selon lui, le parti au pouvoir est dans l'eau bouillante, et le premier ministre pourrait être forcé de démissionner.

Letendre, qui suivait de près la scène politique depuis des années, tempéra :

— Je doute que les choses aillent aussi loin, mais il est certain que les prochaines semaines seront très perturbées.

Sur ce, pour marquer combien il désirait qu'on revienne à la fête, il entreprit d'ouvrir une bouteille d'Amaretto, mais la sonnerie stridente du téléphone l'interrompit. Christiane décrocha avant de lui tendre l'appareil.

Sans s'embarrasser de formalités, une voix de femme, un peu éraillée, emplit le combiné. Une fumeuse, sans doute.

— Est-ce que je suis chez M. Letendre, Paul Letendre?

— En effet.

— Quelqu'un qui travaille pour vous, un nommé Adrien, m'a dit que vous seriez intéressé par les vieux livres d'Alexis Lucas?

Letendre s'efforça de garder un ton neutre, mais ses joues s'empourprèrent un peu:

— Peut-être bien, oui.

Avec des signes et des mimiques, il fit comprendre à Adrien qui était son interlocutrice.

La femme continua:

— Les livres ne sont pas très récents, mais il y en a de beaux... Je voulais vous proposer de vous laisser les meubles et les livres si vous me payez le loyer que me devait Lucas. Il avait deux mois de retard et là, ça en fait trois.

Pour être certain d'avoir bien compris, et au bénéfice de ceux qui l'entouraient, Letendre reprit:

— En échange du paiement de trois mois de loyer, vous me laisserez prendre les meubles et les livres?

— C'est ça. Et je préférerais être payée comptant. Mille cinq cents dollars.

— Écoutez, je ne suis pas certain que les meubles m'intéressent...

À l'invite de Sonia, Adrien se leva d'un bond et d'un mouvement de tête accompagné d'une expression évidente, il signifia qu'il aimerait bien, lui, les avoir ces meubles. Letendre corrigea:

— Mais je les prendrai quand même. J'ai une grande maison… Il y en a beaucoup ?

— Trois ensembles, salon, cuisine et chambre à coucher. Plus huit grands cartons de livres. Quand pourriez-vous venir ?

Letendre s'avisa qu'il lui faudrait trouver un camion de location.

— Demain, est-ce que ça vous irait ?

— Certainement, mais téléphonez-moi avant.

— Sans faute, madame. Madame ?

— Yolande Daoust. Je vous laisse mon numéro et j'attends donc de vos nouvelles.

Quand Letendre eut raccroché, le visage rayonnant, François Métayer ne put réprimer sa curiosité professionnelle. Pour ne pas paraître trop sérieux, cependant, il alla vers lui en faisant mine de lui tendre un micro :

— Dites-nous, monsieur Letendre…

— Tenez-vous bien. Demain, grâce à Adrien encore, je vais mettre la main sur les éditions originales que Loucka a rapportées de Prague ! Cela va me justifier de retourner, aussitôt que Monique pourra prendre une semaine de vacances, dans la capitale de la Bohême pour remettre ces ouvrages à la bibliothèque de l'université Charles où ils appartiennent. Qu'en penses-tu ? conclut-il en se tournant vers l'avocate.

Celle-ci accueillit sa proposition avec bonheur :

— Je n'en pense que du bien, surtout que pour avoir travaillé au cours de la période des fêtes, j'ai droit à plusieurs jours de congé avant même la fin du mois.

Christine applaudit et vint se presser contre son père. Son premier de l'An tristounet n'était plus qu'un mauvais souvenir. N'osant briser ce moment d'intimité filiale,

Monique esquissa un sourire maternel et leva son verre à la santé de tout le monde. Letendre but la boisson sucrée en se disant que ces livres avaient tout de même failli lui coûter la vie.

Fin

ÉPILOGUE

Lorsqu'à la fin de janvier, Letendre se présenta de nouveau au comptoir de Stepenka, la bibliothécaire l'accueillit avec un tel enthousiasme qu'il se permit de croire qu'à retrouver les éditions originales volées par Loucka, elle en oubliait presque les mauvais souvenirs auxquels elle l'associait. Elle présenta le Canadien aux autorités de l'université, qui lui offrirent toute leur reconnaissance. Après qu'elles eurent jonglé avec l'idée de lui rembourser les mille dollars remis en dépôt à Loucka pour se réserver le tome UN des *Liaisons Dangereuses*, puis conclu qu'elles ne disposaient d'aucun budget pour ce faire, elles lui en firent cadeau, avec le tome DEUX de l'édition originale de l'œuvre.